KNIHA ZRKADIEL

KNIHA ZRKADIEL

E. O. CHIROVICI

Fortuna Libri

Venujem svojej manželke Mihaele,
ktorá nezabúda, kto sme a odkiaľ pochádzame.

Väčšina ľudí sú iní ľudia.

Oscar Wilde

PRVÁ ČASŤ

Peter Katz

Spomienky sú ako guľky.
Niektoré presvištia okolo a iba vás vystrašia.
Iné vás zasiahnu a roztrhajú na kusy.

RICHARD KADREY: *Zabíjaj mŕtvych*

Text som dostal v januári, keď sa osadenstvo agentúry ešte spamätávalo zo silvestrovskej opice.

Správa sa šikovne vyhla zložke so spamom a pristála v doručenej pošte, kde sa zaradila za zhruba desiatku iných čakajúcich súborov. Pozrel som na ňu. Zaujala ma, tak som si ju vytlačil aj s prílohou – so stránkami z rukopisu – a papiere som si vložil do zásuvky v písacom stole. Keďže som vtedy pracoval na uzavretí jednej zmluvy, do konca mesiaca som na ne zabudol. Až cez víkend, predĺžený o sviatok Martina Luthera Kinga, som ich znovu objavil na hromádke ponúkaných rukopisov, ktoré som si cez voľné dni plánoval prečítať.

Odosielateľom bol istý Richard Flynn a sprievodný text znel takto:

Milý Peter,
    volám sa Richard Flynn a pred dvadsiatimi siedmimi rokmi som vyštudoval angličtinu na Princetonskej univerzite. Snível som o tom, že sa stanem spisovateľom.

11

V časopisoch mi vyšlo zopár poviedok, dokonca som napísal tristostranový román, ktorý som kdesi založil, keď mi ho niekoľko vydavateľstiev odmietlo (a dnes aj mne samému pripadá priemerný a nudný). Potom som nastúpil do malej reklamnej agentúry v New Jersey a dodnes pracujem v tejto brandži. Spočiatku som si nahováral, že reklama má niečo spoločné s literatúrou a že jedného dňa sa k písaniu vrátim. Samozrejme, nič také sa nestalo. Myslím si, že dospievanie u väčšiny ľudí, žiaľ, znamená, že zamkneme vlastné sny do debny a odhodíme ju do rieky. Ani ja som nebol výnimkou, aspoň sa tak zdalo.

Pred niekoľkými mesiacmi som však odhalil niečo dôležité, čosi, čo mi pripomenulo sériu tragických udalostí, ktoré sa odohrali na jeseň a v zime roku 1987, v poslednom ročníku, ktorý som strávil na Princetonskej univerzite. Pravdepodobne to poznáte: Nazdávate sa, že ste na niečo zabudli – na udalosť, na osobu, na situáciu –, a potom si z ničoho nič uvedomíte, že táto spomienka sa len poväľovala v nejakej tajnej miestnosti Vašej mysle, že je po celý čas tam, ako keby sa to stalo iba včera. Je to ako otvoriť starú skriňu plnú rárohov. Stačí, že človek premiestni jednu škatuľu či len jednu vec, a všetko sa to naňho zosype.

Bolo to ako rozbuška. Hodinu po tom, čo som tú informáciu získal, som ešte stále nedokázal prestať myslieť na to, čo z nej vyplýva. Posadil som sa za stôl, premohli ma spomienky a pustil som sa do písania. Keď som skončil, bolo už dávno po polnoci a mal som napísaných vyše päťtisíc slov. Akoby som z ničoho nič znovu objavil sám seba – už roky zabudnutého. Keď som si šiel do kúpeľne umyť zuby, zdalo sa mi, že zo zrkadla sa na mňa pozerá úplne iný človek.

Po prvý raz za dlhé roky som zaspal bez toho, aby som si musel vziať tabletku, a na druhý deň, len čo som zatelefonoval do agentúry, že budem dva týždne na péenke, som pokračoval v písaní.

Detaily z roku 1987 sa mi v mysli vynárali tak nástojčivo a jasne, že čoskoro boli oveľa živšie a intenzívnejšie ako čokoľvek v mojej prítomnosti. Ako keby som sa prebudil z hlbokého spánku, v ktorom sa moja myseľ potichu pripravovala na chvíľu, keď začnem písať o udalostiach s trojicou hlavných protagonistov Laurou Bainesovou, profesorom Josephom Wiederom a mnou.

Samozrejme, že ten príbeh sa vzhľadom na tragický záver v tom čase ocitol i v novinách. Aspoň sčasti. Aj mňa chvíľu otravovali policajní detektívi a reportéri. Bol to jeden z dôvodov, ktoré ma prinútili opustiť Princeton, doštudovať na Cornellovej univerzite a prežiť tak dva dlhé a otupné roky v Ithace. Pravdu o celom príbehu nikto nikdy nezistil a to mi naveky zmenilo život.

Ako som už napísal, pred tromi mesiacmi som náhodou odhalil pravdu a uvedomil som si, že sa o ňu musím podeliť s ostatnými, hoci som cítil a stále cítim obrovský hnev a frustráciu. Lenže nenávisť a bolesť sú niekedy rovnako silnými hnacími motormi ako láska. Takto vznikol rukopis, ktorý som s vypätím síl nedávno dokončil, pričom vynaložené úsilie ma fyzicky aj duševne načisto vyčerpalo. Pripájam teda ukážku v súlade s pokynmi, ktoré som našiel na Vašej internetovej stránke. Rukopis je hotový a pripravený na prečítanie. Ak by ste oň mali záujem, hneď Vám ho pošlem. Pracovne som ho nazval *Kniha zrkadiel.*

Tu končím, pretože na obrazovke notebooku vidím, že som už prekročil rozsah 500 slov, nad ktorý sprievodné texty zahadzujete. Aj tak už o sebe nemám veľmi čo povedať. Narodil som sa a vyrástol som v Brooklyne, nikdy som sa neoženil a nemám deti, zrejme sčasti preto, lebo som nebol schopný zabudnúť na Lauru. Mám brata Eddieho, ktorý býva vo Filadelfii a vídam sa s ním len zriedka. Moja kariéra v reklame je bez zaujímavostí, nenájdu sa v nej ani pozoruhodné úspechy, ani nepríjemné incidenty – to je v skratke môj otupujúco sivý život, skrytý v tieňoch babylonu. Dnes, keď sa postupne blížim k záveru aktívneho života, zastávam pozíciu vedúceho reklamného textára v priemernej agentúre so sídlom na Manhattane, relatívne blízko Chelsea, kde vyše dvoch desaťročí bývam. Nevozím sa na porsche a neprenajímam si izby v päťhviezdičkových hoteloch, ale nemusím sa obávať, čo mi prinesie zajtrajší deň, aspoň z hľadiska peňazí.

Ďakujem za Váš čas a, prosím, dajte mi vedieť, či máte záujem o prečítanie celého rukopisu. Adresu a telefónne číslo nájdete nižšie.

S úctou

Richard Flynn

Nasledovala adresa neďaleko Penn Station. Oblasť som dobre poznal, keďže som tam istý čas býval.

Sprievodný list bol dosť nezvyčajný.

Za päť rokov v literárnej agentúre Bronson & Matters som prečítal stovky, ak nie tisícky listov, ktoré posielali autori s rukopismi. Do agentúry, v ktorej som začal pracovať na najnižšej asistentskej pozícii, mohol nevyžiadaný rukopis na posúdenie zasielať prakticky ktokoľvek. Sprievodné listy boli väčšinou ťažkopádne, bezduché, chýbalo im to „kľúčové", niečo, čo by naznačilo, že potenciálny autor hovorí osobne s vami, nie iba s hociktorým zo stoviek literárnych agentov, ktorých mená a adresy sa dajú nájsť na internetovej stránke Literary Market Place. Niektoré boli pridlhé a plné zbytočných podrobností. List Richarda Flynna však nezapadal ani do jednej z týchto kategórií. Bol úsporný, dobre štylizovaný a predovšetkým z neho sálalo ľudské teplo. Nespomínalo sa v ňom, že autor nepísal iným agentom, no bol som si takmer istý, hoci sám neviem prečo, že je to tak. Z nejakého dôvodu, ktorý v tej krátkej správe nepovažoval za vhodné uviesť, si vybral mňa.

Dúfal som, že rukopis na mňa zapôsobí rovnako ako sprievodný list a že mužovi, ku ktorému som už akosi nevysvetliteľne stihol pocítiť tajné sympatie, budem môcť poslať kladnú odpoveď.

Odložil som ostatné rukopisy, na ktoré som sa plánoval pozrieť, uvaril som si kávu, sadol som si na gauč v obývačke a začítal som sa do úryvku.

1

Pre väčšinu Američanov sa rok 1987 spájal s pamätnými udalosťami na burze, keď hodnota cenných papierov najskôr vyletela do výšin a vzápätí prudko klesla, aféra Irangate naďalej otriasala kreslom Ronalda Reagana v Bielom dome a do obývačiek sa nám začal vtierať seriál *Bohatí a pekní*. Pre mňa to bol rok, keď som sa zamiloval a zistil som, že diabol existuje.

Vyše troch rokov som študoval na Princetonskej univerzite a býval som v škaredej starej budove na Bayard Lane medzi múzeom a knižnicou teologického seminára. Na prízemí bola obývačka prepojená s kuchyňou, na poschodí dve dvojposteľové izby, každá s kúpeľňou. Mal som to len desať minút peši do McCoshovho pavilónu, kde bývala väčšina prednášok z angličtiny.

Keď som sa v jedno októbrové popoludnie vrátil domov a vošiel som do kuchyne, prekvapilo ma, že som tam našiel vysokú štíhlu mladú ženu s dlhými plavými vlasmi, uprostred rozdelenými cestičkou. Priateľsky sa na mňa pozrela spoza okuliarov s hrubým rámom, vďaka ktorým vyzerala prísne a zároveň sexi. Pokúšala sa vytlačiť z tuby horčicu, ale neuvedomila si, že najprv treba z otvoru strhnúť celofánovú zátku. Vzal som od nej tubu, strhol som z nej zátku a vrátil som jej ju. Poďakovala mi a hustú žltú pastu si rozotrela na obrovský hotdog, ktorý si práve pripravila.

„Jéj, vďaka!" povedala s prízvukom, ktorý si priniesla zo Stredozápadu a ktorého sa zrejme pre akýsi módny efekt nemienila vzdať. „Dáš si so mnou?"

„Nie, ďakujem. Mimochodom, som Richard Flynn. Si nová nájomníčka?"

Prikývla. Predtým si lačne odhryzla z hotdogu a teraz sa pokúšala rýchlo prehltnúť, aby mohla odpovedať.

„Laura Bainesová. Teší ma. Ten, čo tu býval predo mnou, si choval skunka? V izbe je smrad na vracanie. No nič, aj tak tam budem musieť premaľovať steny. Ozaj, bojler je pokazený? Musela som čakať polhodinu, kým sa zohriala voda."

„Dymil ako komín," vysvetlil som. „Myslím ten chalan, nie bojler, a nefajčil len cigarety... Inak bol fajn. Z ničoho nič sa rozhodol, že preruší štúdium, a vrátil sa domov. Mal šťastie, že mu domáca nedala zaplatiť nájomné až do konca roka. Čo sa týka toho bojlera, už ho prišli opraviť traja inštalatéri. Zatiaľ sa to ani jednému nepodarilo, ale nádej umiera posledná."

„Nuž, nech sa mu darí," pomedzi hlty zaželala svojmu predchodcovi. Potom ukázala na mikrovlnku na linke. „Robím si pukance a potom sa chystám pozerať telku – v CNN bude naživo Jessica."

„Kto je Jessica?" spýtal som sa.

Mikrovlnka cinknutím oznámila, že pukance môžeme nasypať do veľkej sklenej misky, ktorú Laura vylovila z hlbín poličky nad drezom.

„Jessica McClurová je malé dievčatko," – *diéfčatko* – „ktoré v Texase spadlo do studne," objasňovala mi. „CNN naživo vysiela záchrannú akciu. Ako to, že si o nej nepočul? Všetci o tom hovoria."

Nasypala pukance do misky a kývla, aby som šiel za ňou. Sadli sme si na gauč a Laura zapla televízor. Chvíľu sme obaja bez slova sledovali dianie na obrazovke. Bol mierny, teplý október, takmer bez typických dažďov. Za posuvnými sklenými dverami sa pokojný súmrak spúšťal na blízky park obklopujúci Kostol Svätej Trojice, v tom šere tmavý a záhadný.

Laura dojedla hotdog a z misky si nabrala za hrsť pukancov. Vyzeralo to, akoby na mňa celkom zabudla. Na obrazovke práve nejaký stavbár vysvetľoval reportérovi, ako postupujú práce na paralelnej šachte, ktorou sa záchranári plánujú dostať k dieťaťu uväznenému pod zemou. Laura skopla z nôh papuče a sadla si na päty. Všimol som si, že nechty na nohách má nalakované nafialovo.

„Čo študuješ?" spýtal som sa jej.

„Psychológiu, magisterské štúdium," odvetila s očami upretými na obrazovku. „Jedného magistra už mám. Z matematiky na Chicagskej univerzite. Inak, pochádzam z Evanstonu v Illinois. Už si tam niekedy bol? V kraji, kde ľudia žujú tabak a pália kríže?"

Uvedomil som si, že musí byť o dva či o tri roky staršia odo mňa, a trochu ma to odradilo. V tom veku človeku trojročný rozdiel pripadá priepastný.

„Myslel som si, že to sa robí skôr v Mississippi," poznamenal som. „Nie, v Illinois som ešte nebol. Som z Brooklynu. Na Stredozápade som bol len raz v lete, mal som tuším pätnásť, s otcom sme lovili ryby na Ozarskej plošine v Missouri. Ak si dobre spomínam, navštívili sme aj St. Louis. Čiže po matike si presedlala na psychológiu?"

„V škole ma tak trochu považovali za génia," vysvetľovala. „Na strednej som povyhrávala všetky možné medzinárodné matematické súťaže a ako dvadsaťjedenročná som už mala magistra a pripravovala som sa na doktorát. Ponúkané štipendiá som však odmietla a prišla som sem na psychológiu. Ten magisterský titul ma dostal do výskumného programu."

„Dobre, ale ešte si mi neodpovedala na otázku."

„Nebuď taký netrpezlivý!"

Z trička si oprášila pukancové omrvinky.

Dobre si na ňu pamätám. Mala oblečené „plesnivé" džínsy s viacerými zipsami, aké v tom čase prichádzali do módy, a biele tričko.

Zašla si do chladničky po kolu a spýtala sa ma, či chcem aj ja. Otvorila plechovky, do každej strčila slamku, vrátila sa ku gauču a jednu plechovku mi podala.

„V lete po promócii som sa zamilovala do istého chalana," – vyslovila to ako *chálana* – „z Evanstonu. Prišiel domov na prázdniny. Študoval elektroniku na Massachusettskej technickej univerzite, niečo s počítačmi. Fešák, navyše pôsobil inteligentne, volal sa John R. Findley. Bol odo mňa o dva roky starší, letmo sme sa poznali zo strednej. Ibaže o mesiac mi ho ukradla Julia Craigová, jedno z najsprostejších stvorení, aké som kedy videla, hominid, ktorý sa naučil vysloviť zo desať slov, holiť si nohy a jesť príborom. Uvedomila som si, že mi síce idú rovnice a integrály, no vôbec netuším, ako rozmýšľajú ľudia vo všeobecnosti, nieto ešte konkrétne muži. Pochopila som, že ak si nedám pozor, skončím sama, obklopená len mačkami, morskými prasiatkami a papagájmi. Preto som hneď na jeseň prišla sem. Mama sa bála a pokúšala sa ma od toho odhovoriť, ale pozná ma a vie, že to by ma skôr naučila lietať na metle. Teraz som v poslednom ročníku a nikdy som to rozhodnutie neoľutovala."

„Aj ja som v poslednom ročníku. A naučila si sa, čo si chcela vedieť? Už vieš, ako rozmýšľajú muži?" vyzvedal som.

Po prvý raz sa mi pozrela priamo do očí.

„Nie som si istá, no robím pokroky. John sa s tou barbinou už po pár týždňoch rozišiel a ja som mu nikdy nezdvihla telefón, aj keď mi vyvolával celé mesiace. Možno som len priveľmi vyberavá."

Dopila kolu a prázdnu plechovku odložila na stôl.

Takmer do polnoci sme v telke pozerali zachraňovanie *diéfčatka* z Texasu a zhovárali sme sa. Pili sme pri tom kávu a občas sme si vyšli do záhrady zapáliť marlborky, ktoré doniesla zo svojej izby. Pomohol som Laure odniesť dnu zvyšok jej vecí z kufra starého hyundaia, zaparkovaného v garáži, a dať dokopy časti šatníka.

Pôsobila milo, mala zmysel pre humor, navyše bola veľmi sčítaná. Ako každý čerstvo dospelý človek, i ja som bol hotová prskajúca hora hormónov. No hoci som v tom čase nemal priateľku a zúfalo som túžil po sexe, jasne si pamätám, že túto babu som vtedy vôbec neplánoval dostať do postele. Bol som presvedčený, že s niekým chodí, aj keď sme sa o tom nerozprávali. Vyhliadky, že budem bývať v jednom dome so ženou, ma však príjemne vzrušili. To som ešte nezažil. Akoby som odrazu získal prístup k záhadám, ktoré mi boli dovtedy odopierané.

Pravda bola taká, že sa mi na univerzite nepáčilo a nevedel som sa dočkať, kedy odpromujem a vypadnem odtiaľ. Narodil som sa a vyrastal som v Brooklyne, vo Williamsburgu neďaleko Grand Street, kde boli nehnuteľnosti oveľa lacnejšie ako dnes. Mama učila dejiny na Zmiešanej strednej škole vo štvrti Bedford-Stuyvesant a otec pracoval ako zdravotník v nemocnici Kings County. Inými slovami, hoci som nepatril do robotníckej triedy, cítil som sa jej súčasťou, keďže som býval v proletárskej štvrti.

Vyrastal som v relatívnom dostatku, lenže moji rodičia si nemohli dovoliť mnohé z vecí, po ktorých túžili. Brooklynčania mi pripadali zaujímaví a v tomto babylone rozličných rás a zvykov som sa cítil ako ryba vo vode. Sedemdesiate roky boli v New Yorku ťažké, pamätám sa, že množstvo ľudí žilo v chudobe a všade panovalo násilie.

Po nástupe na Princetonskú univerzitu som sa zapísal do niekoľkých študentských spolkov, stal som sa členom jedného zo slávnych miestnych klubov a stretával som sa s amatérskymi hercami z klubu Triangle.

Pred členmi literárneho krúžku s exotickým názvom som čítal poviedky, ktoré som napísal ku koncu strednej školy. Skupinku viedol jeden údajne slávny spisovateľ, ktorý na škole pôsobil ako hosťujúci profesor, a jej členovia sa predbiehali v týraní angličtiny a v tvorbe nezmyselných básničiek. Keď si uvedomili, že moje písačky majú „klasický" štýl a inšpiráciu čerpám z Hemingwayových a zo

E. O. Chirovici

Steinbeckových románov, začali ma považovať za čudáka. A tak som už o rok trávil voľný čas v knižnici alebo doma.

Väčšina študentov pochádzala zo stredostavovských rodín na východnom pobreží, ktoré v šesťdesiatych rokoch zažili obrovskú paniku, keď sa zdalo, že sa im celý svet rozpadá pred očami. Svoje potomstvo neskôr vychovávali tak, aby sa toto šialenstvo už nikdy nezopakovalo. Šesťdesiate roky mali svoju hudbu, pochody, leto lásky, experimentovanie s drogami, Woodstock a antikoncepciu. Sedemdesiate roky priniesli koniec vietnamskej nočnej mory, disko, zvonové nohavice a rasovú rovnoprávnosť. Preto som mal pocit, že na osemdesiatych rokoch nie je nič zvláštne a že našej generácii ušiel vlak. Pán Ronald Reagan ako prefíkaný starý šaman vyvolal duchov päťdesiatych rokov, aby zmiatol mozog národa. Peniaze postupne búrali oltár každého druhého boha a pripravovali sa na víťazný tanec, zaoblené blondínky so stetsonmi na kučerách spievali ódy na slobodné podnikanie. *Do toho, Ronnie!*

Ostatní študenti mi pripadali ako snobskí konformisti aj napriek rebelantskej póze, ktorú zjavne strúhali v presvedčení, že sa to na prestížnych univerzitách z úcty k minulosti vyžaduje. Na Princetone sa veľká váha prikladala tradíciám, mne však pripadali ako kulisy – čas ich zbavil všetkého významu.

Väčšinu profesorov som považoval za priemerných ľudkov, ktorí sa zubami-nechtami držia prestížneho miesta. Boli tam študenti, ktorí sa za peniaze bohatých rodičov hrali na marxistov a revolucionárov, hltajúc hrubočizné knihy ako *Kapitál*, aj takí, ktorí sa považovali za konzervatívcov, chodili so zdvihnutými nosmi, ako keby boli priamymi potomkami toho pútnika z lode *Mayflower*, ktorý si na vrchole sťažňa zatienil oči pred slnkom a vykríkol: „Zem na obzore!" Pre tých prvých som bol drobný buržuj, ktorého spoločenskou triedou treba opovrhovať a jeho hodnoty musia podupať, pre tých druhých som bol len niktoš z Brooklynu, ktorému sa podarilo preniknúť na ich úžasnú univerzitu s akýmsi pochybným a určite odsúdeniahodným úmyslom. Mal som dojem, akoby Princeton obsadili nafúkaní roboti hovoriaci s bostonským prízvukom.

Je však možné, že toto všetko existovalo len v mojej hlave. Keď som sa ku koncu strednej školy rozhodol stať spisovateľom, postupne som si s pomocou pánov ako Cormac McCarthy, Philip Roth a Don DeLillo vybudoval pochmúrny a skeptický pohľad na svet. Vyznával som vieru, že skutočný spisovateľ musí byť smutný a osamelý, pritom dostáva tučné honoráre a trávi dovolenky v drahých európskych rezortoch. Vravel som si, že keby diabol nespravil z Jóba zlomeného človeka tróniaceho na hnojisku, Jób by sa ničím nepreslávil a ľudstvo by prišlo o literárne veľdielo.

V univerzitnom areáli som trávil čo najmenej času, a tak som sa cez víkendy väčšinou vracal do New Yorku. Túlal som sa po antikvariátoch na Upper East Side, chodil som do obskúrnych divadiel v Chelsea a na koncerty Billa Frisella, Cecila Taylora a Sonic Youth v klube Knitting Factory, ktorý práve otvorili na Houston Street. Sedával som v kaviarňach na Myrtle Avenue alebo som chodieval cez most na Lower East Side a s rodičmi a mladším bratom Eddiem, ktorý bol ešte stredoškolák, som večeriaval v niektorej z rodinných reštaurácií, kde každý poznal každého po mene.

Skúšky som robil bez námahy, bol som pohodlný a spokojný dvojkár, takže som sa s ničím netrápil a mal som čas na tvorbu. Napísal som desiatky poviedok a pustil som sa do románu, ktorý však nikdy nepresiahol niekoľko kapitol. Ťukal som na starom písacom stroji značky Remington, ktorý otec našiel v podkroví, opravil ho a daroval mi ho, keď som odchádzal na výšku. Svoje texty som donekonečna čítal a opravoval, no aj tak väčšinou skončili v koši. Keď som objavil nejakého nového autora, nevedomky som ho napodobňoval, ako keď šimpanza pri pohľade na ženu v červenom premôže obdiv.

Z akéhosi dôvodu mi drogy nič nehovorili. Trávu som prvý raz fajčil ako štrnásťročný na výlete v botanickej záhrade. Chlapec, ktorý sa volal Martin, tam priniesol dva džointy a piati či šiesti sme si ich v skrýši podávali s pocitom, že nás do svojich hlbín nadobro vtiahli mútne vody kriminality. Na strednej škole som si znovu zopár ráz zafajčil a na niekoľkých večierkoch v ošarpaných bytoch na Driggs Avenue som sa opil lacným pivom. Opíjanie ani húlenie ma však netešili, takže mojim rodičom spadol kameň zo srdca. Ak ste sa v tom čase dali na krivé chodníčky, bolo pravdepodobnejšie, že skončíte dobodaný na smrť alebo sa predávkujete, než že si nájdete slušnú robotu. V škole som sa usiloval, mal som dobrý prospech a dostal som ponuku z Cornellovej aj z Princetonskej univerzity. Prijal som tú druhú, keďže Princeton sa vtedy považoval za progresívnejší.

Z televízie sa vtedy ešte nestala nekonečná spleť programov, v ktorých sú všelijakí nímandi nútení spievať, dať sa urážať vulgárnymi moderátormi alebo loziť do bazéna plného hadov. Americké televízne programy ešte nedegenerovali na nič nehovoriaci príbeh s idiotským rozprávačom, plný hluku a smiechu. Nezaujímali ma vtedajšie pokrytecké politické diskusie ani šialené komédie a béčkové filmy o umelo pôsobiacich tínedžeroch. Tých zopár slušných producentov a novinárov zo šesťdesiatych a sedemdesiatych rokov, ktorí zotrvávali v televíznych štúdiách, pôsobilo trápne a neisto ako dinosaury civejúce na meteorit ohlasujúci koniec ich éry.

Ako som však mal čoskoro zistiť, Laura si večer rada dopriala televíznu zábavu. Tvrdila, že sa jej mozog len tak dostane do otupeného stavu, v ktorom dokáže zhodnotiť, systematicky usporiadať a uložiť všetko, čo sa jej v ňom počas dňa nahromadilo. A tak som na jeseň roku pána 1987 pozeral telku častejšie ako dovtedy, masochisticky som sa tešil, že sedím na gauči vedľa nej, a spolu sme komentovali každú tolkšou, reportáž a seriál ako dvaja rozhádaní starci na balkóne v *The Muppet Show*.

O profesorovi Josephovi Wiederovi mi hneď nepovedala. Až na Halloween priznala, že ho pozná. V tých rokoch to bol jeden z najdôležitejších vyučujúcich na Princetone, hotový Prometeus, ktorý zišiel medzi smrteľníkov a priniesol im tajomstvo ohňa. Pozerali sme program *Larry King Live*, do ktorého Wiedera pozvali rozprávať o drogovej závislosti – deň predtým sa totiž traja mladí muži predávkovali v chate neďaleko Eugenu v Oregone. Laura mi povedala, že ona a profesor sú „dobrí priatelia". Nepochybne som bol už vtedy do nej zamilovaný, hoci som si to ešte neuvedomoval.

2

Týždne, ktoré nasledovali, boli pravdepodobne naj- šťastnejšie v mojom živote.

Semináre zo psychológie sa väčšinou konali v Zelenej aule, len niekoľko minút chôdze od McCoshovho a Dickinsonovho pavilónu, kam som chodieval na prednášky z angličtiny, takže sme mohli byť skoro stále spolu. Väčšinou sme sa vybrali do Firestonovej knižnice, cestou domov sme prešli popri štadióne, zastavili sme sa v Múzeu výtvarných umení a v niektorej z okolitých kaviarní alebo sme sa vlakom odviezli do New Yorku, kde sme pozerali filmy ako *Hriešny tanec*, *Vesmírne gule* a *Nedotknuteľní*.

Laura mala veľa priateľov, väčšinou tiež študovali psychológiu. Niektorým ma aj predstavila, najradšej však trávila čas so mnou. V hudbe sme veru nemali rovnaký vkus. Páčili sa jej novinky, čo v tom období znamenalo Lionela Richieho, Georgea Michaela alebo Fleetwood Mac, ale statočne počúvala, keď som jej púšťal svoje cédečka s alternatívnym rockom a džezom.

Občas sme sa spolu rozprávali takmer do rána, nadopovaní nikotínom a kofeínom, a potom sme sa po dvoch či troch hodinách spánku tackali na prednášky. Hoci mala auto, používala ho zriedka a obaja sme radšej chodili peši alebo na bicykli. Keď sa Laure večer nechcelo pozerať telku, vyvolala ducha, ktorý mátal v hernej konzole NES, a tak sme strieľali kačice alebo hrali rolu rybičky Bubbles v hre *Clu Clu Land.*

Jedného dňa, keď sme takto niekoľko hodín strávili pri hrách, mi povedala: „Richard,“ – nikdy mi neskracovala meno na Richie alebo Dick – „vieš, že my ľudia, čím myslím naše mozgy, väčšinou nie sme schopní rozoznať fikciu od reality? Preto pri jednom filme plačeme a pri inom sa zase smejeme, hoci vieme, že sledujeme iba hercov a príbeh nejakého scenáristu. Nebyť tohto nášho takzvaného nedostatku, boli by sme úplne ako R. O. B.“

Skratka R. O. B. označovala technickú hračku Robotic Operating Buddy, robotického kamaráta, ktorého pre osamelých tínedžerov vymysleli Japonci. Laura snívala, že robota kúpi, pomenuje ho Armand a naučí ho, aby jej do postele nosil kávu a kupoval jej kvety vždy, keď ju pochytí smútok. Netušila, že to všetko a ešte množstvo iných vecí by som pre ňu vďačne urobil aj ja a nemusela by ma ani vycvičiť.

Človek nevie, čo je bolesť, kým sa neporeže tak hlboko, až si uvedomí, že všetky predošlé rany boli iba škrabance. V prvých jarných dňoch sa k môjmu problematickému prispôsobovaniu na Princetone pridružila tragická udalosť – prišiel som o otca.

E. O. Chirovici

V práci dostal infarkt, bola to takmer okamžitá smrť. Nezachránil ho ani rýchly zásah kolegov, za mŕtveho ho vyhlásili necelú hodinu po tom, čo mu na chodbe chirurgie na treťom poschodí nemocnice zlyhalo srdce. Telefonicky mi to oznámil brat, kým mama vybavovala úradné záležitosti.

Nasadol som na prvý vlak a uháňal som domov. Náš byt bol plný príbuzných, susedov a rodinných priateľov. Otca sme pochovali na cintoríne Evergreen a krátko nato, začiatkom leta, sa mama s Eddiem rozhodli presťahovať do Filadelfie. Mala tam mladšiu sestru Corneliu. Bol to obrovský šok, keď som si v priebehu niekoľkých týždňov uvedomil, že všetko, čo ma spájalo s detstvom, nenávratne mizne a ja už nikdy nevstúpim do trojizbového bytu, v ktorom som strávil celý život.

Vždy som mamu podozrieval, že neznáša Brooklyn a že je tam ochotná bývať jedine kvôli otcovi. Bola to melancholická knihomoľka, čo bol zrejme dôsledok výchovy jej otca, luteránskeho pastora nemeckého pôvodu Reinhardta Knopfa. Nejasne som si spomínal, že sme ho navštevovali raz do roka, na jeho narodeniny. Bol to vysoký prísny muž, býval v Queense, v sterilne čistom dome, za ktorým mal malý dvor. Ešte aj záhrada vyvolávala dojem, že každé steblo trávy majiteľ starostlivo učesal. Manželka mu zomrela pri pôrode mojej tety a on sa už nikdy neoženil, dcéry vychoval sám.

Zomrel na rakovinu pľúc, keď som mal desať rokov. Kým ešte žil, mama z času na čas vzniesla požiadavku, aby sme sa presťahovali do Queensu – *do čistej a slušnej štvrte* –, kde budeme bližšie k jej otcovi. Postupne však rezignovala, lebo pochopila, že je to márna snaha: Michael Flynn, môj otec, bol tvrdohlavý Ír, ktorý sa narodil aj vyrástol v Brooklyne a nemal v úmysle kamkoľvek sa odtiaľ odsťahovať.

Môj príchod na Princeton na začiatku nového ročníka sa tak časovo zhodoval so sťahovaním mamy a brata do Filadelfie. Práve vtedy, keď som sa zoznámil s Laurou, mi začalo svitať, že sa do Brooklynu už nikdy nevrátim inak ako hosť. Mal som pocit, akoby ma obrali o všetko, čo som kedy mal. Veci, ktoré som si nevzal na vysokú, skončili v dvojizbovom byte na Jefferson Avenue vo Filadelfii, neďaleko Central Station. Bol som sa tam pozrieť krátko po ich nasťahovaní a hneď som vedel, že pre mňa nikdy nebude domovom. Navyše príjem rodiny klesol. Nemal som dosť dobré známky, aby mi dali štipendium, a tak som si musel hľadať prácu na čiastočný úväzok, aby som sa nejako pretĺkol do promócie.

Ocko skonal náhle a ja som si ťažko zvykal, že ho niet. Často som o ňom uvažoval tak, akoby bol stále medzi nami. Ľudia majú občas väčšiu moc po smrti. Ich pamiatka – alebo to, čo si z nich pamätáme – nás núti, aby sme sa im usilovali vyhovieť v tom, čo zaživa nikdy nedosiahli. Živí robia chyby stále, zato mŕtvi veľmi rýchlo nadobúdajú auru neomylnosti – zahalia ich do nej pozostalí.

Moje čerstvé priateľstvo s Laurou sa teda rozvinulo v životnom období, keď som sa cítil osamelý ako nikdy predtým, a preto bola jej prítomnosť pre mňa ešte dôležitejšia.

Do Dňa vďakyvzdania chýbali dva týždne a počasie sa už začínalo kaziť, keď mi Laura navrhla, že ma predstaví profesorovi Josephovi Wiederovi. Vtedy pod jeho vedením pracovala na výskumnom projekte, z ktorého chcela spraviť základ svojej diplomovky.

Špecializovala sa na kognitívnu psychológiu, čo bol dosť priekopnícky odbor. Práve v tom čase nám do domácností a životov triumfálne vstúpili počítače a rozšírilo sa slovné spojenie „umelá inteligencia". Veľa ľudí bolo presvedčených, že do desiatich rokov sa budeme zhovárať s hriankovačmi a od práčok si budeme pýtať rady, ako ďalej s kariérou.

Aj keď mi o svojej práci občas rozprávala, veľmi som tomu nerozumel a s egoizmom typickým pre všetkých mladých mužov som sa o to ani neusiloval. Zapamätal som si, že profesor Wieder – ktorý študoval aj v Európe a doktorát zo psychiatrie mu udelili v Cambridgei – sa blíži ku koncu monumentálneho výskumu, ktorý mal podľa Laury zásadne zmeniť chápanie ľudskej mysle, jej fungovania a súvisu medzi mentálnym podnetom a reakciou. Z jej slov som vyrozumel, že to má niečo spoločné s pamäťou a so spôsobom, akým sa tvoria spomienky. Laura tvrdila, že jej znalosti z matematiky sú pre Wiedera neoceniteľné, pretože exaktné vedy boli jeho Achillovou pätou a pri tomto výskume musí používať matematické vzorce na výpočet premenných.

Večer, keď som sa zoznámil s Wiederom, mal byť pre mňa pamätný, ale z iného dôvodu, než som očakával.

V jedno sobotné popoludnie uprostred novembra sme sa udreli po vrecku, kúpili sme fľašu vína Côtes du Rhône Rouge, ktorú nám odporučil predavač v lahôdkach, a vyrazili sme k profesorovmu domu. Býval vo West Windsore, preto sa Laura rozhodla, že pôjdeme autom.

Asi o dvadsať minút sme zaparkovali pred domom v štýle kráľovnej Anny. Stál pri jazere, ktoré sa v súmraku

mysteriózne lesklo, a obklopoval ho nízky kamenný mú-
rik. Bránka bola otvorená. Vykročili sme po štrkovom
chodníku, ktorý pretínal upravený trávnik lemovaný ružo-
vými a černicovými kríkmi. Vľavo rástol mohutný dubisko
a jeho bezlistá koruna sa načahovala až nad škridlovú stre-
chu budovy.

Laura zazvonila a dvere otvoril vysoký, dobre stavaný
muž. Bol takmer úplne plešatý a sivá brada mu siahala po
prsia. Na sebe mal džínsy, tenisky a zelené tričko značky
Timberland s vyhrnutými rukávmi. Vyzeral skôr ako fut-
balový tréner než ako slávny univerzitný profesor, ktorý sa
prevratným objavom chystá spraviť dieru do sveta vedy. Vy-
žarovala z neho sebaistota typická pre ľudí, ktorým všetko
hrá do kariet.

Pevne mi potriasol rukou a Lauru pobozkal na líca.

„Veľmi ma teší, Richard,“ oslovil ma nečakane mladist-
vým hlasom. „Laura mi o vás veľa rozprávala. Väčšinou,“
pokračoval, keď sme vošli do haly s vysokým stropom, so
stenami obvešanými obrazmi, a odložili si kabát na ve-
šiak, „komentuje každého, s kým sa stretne, sarkasticky
a zlomyseľne. Pre vás však mala len dobré slová, takže som
na vás veľmi zvedavý. Ráčte obaja za mnou.“

Vstúpili sme do rozľahlej dvojúrovňovej obývačky. Na
jednej strane bol kuchynský kút s masívnym pracovným
pultom uprostred, nad ktorým viseli rozličné mosadzné
hrnce a panvice. Pri západnej stene stál starý písací stôl
s bronzovým kovaním, pokrytý papiermi, knihami a ce-
ruzkami. Pri ňom bola kožená čalúnená stolička.

V miestnosti sa miešala príjemná vôňa jedla s tabako-
vou arómou. Sadli sme si na gauč s plátenným poťahom

s orientálnymi vzormi a hostiteľ nám obom podal džin s tonikom. Víno, ktoré sme kúpili, vraj naleje k večeri. Pri pohľade na interiér sa mi trochu podlomili kolená. Všade boli umelecké diela – bronzové sošky, maľby, starožitnosti – ako v múzeu. Na voskovanej drevenej dlážke kde-tu ležali malé ručne tkané koberčeky. Ešte nikdy som v takom prepychovom obydlí nebol.

Profesor si namiešal škótsku so sódou, posadil sa oproti nám do kresla a zapálil si cigaretu.

„Richard, dom som kúpil pred štyrmi rokmi a dva roky som ho zariaďoval, kým som dosiahol tento efekt. Jazero bolo vtedy len smradľavá močarina, odporná liaheň komárov. Myslím si, že výsledok stojí za to, aj keď som tu trochu odrezaný od sveta. Od známeho, ktorý sa v takýchto záležitostiach vyzná, som sa dozvedel, že hodnota domu sa za ten čas takmer zdvojnásobila.“

„Je naozaj krásny,“ ubezpečil som ho.

„Neskôr vám ešte ukážem knižnicu na poschodí. Tá je mojou hlavnou pýchou i radosťou, ostatné sú len taľafatky. Dúfam, že tu nie ste naposledy. Občas v sobotu organizujem večierky. Nič veľkolepé, len pre zopár priateľov a kolegov. A posledný piatok v mesiaci si nechávam na poker s kamarátmi. Nebojte sa, hrávame o drobné.“

Rozhovor plynul hladko a o polhodinu, keď sme sa posadili za stôl k večeri (hostiteľ uvaril bolonské špagety podľa receptu, ktorý mal od kolegu z Talianska), zavládla medzi nami atmosféra, akoby sme sa poznali už dlhšie. Počiatočné rozpaky ma celkom opustili.

Laura sa do debaty takmer nezapájala, pretože prevzala rolu hostiteľky. Servírovala jedlo a na záver vždy odniesla zo stola taniere aj príbory, ktoré naukladala do umývačky. Wiedera neoslovovala pán profesor, pane ani pán Wieder, iba Joe. Mal som dojem, že sa tu cíti ako doma, a bolo vidieť, že hostiteľku nerobí prvý raz. Profesor zatiaľ rečnil o rozličných témach, fajčil jednu cigaretu za druhou a živo gestikuloval.

V jednej chvíli mi zišla na um otázka, či tí dvaja nemajú medzi sebou intímnejší vzťah, ale potom som si povedal, že to nie je moja vec, keďže som vtedy ešte nepredpokladal, že by tu šlo o niečo viac ako o dobré priateľstvo.

Wieder pochválil víno, ktoré sme priniesli, a pustil sa do dlhej prednášky o francúzskych viniciach. Vysvetľoval mi rozličné pravidlá podávania vín podľa odrody, pričom však nepôsobil ako snob. Potom mi prezradil, že v mladosti žil niekoľko rokov v Paríži. Vyštudoval psychiatriu na Sorbonne, nato odišiel do Anglicka, kde mu udelili doktorát a vydali jeho prvú knihu.

Po chvíli vstal a odkiaľsi z útrob domu priniesol inú fľašu francúzskeho vína, ktorú sme vypili my dvaja. Laura stále sŕkala prvý pohár – profesorovi vysvetlila, že musí šoférovať. Zdalo sa, že ju teší, ako sme si porozumeli. Pozorovala nás pohľadom pestúnky, ktorá je rada, že jej zverenci nekazia hračky a nebijú sa.

Spomínam si, že rozhovor s ním bol plný odbočiek. Profesor rozprával veľa a s ľahkosťou kúzelníka preskakoval z jednej témy na druhú. Vyjadroval sa ku všetkému možnému, od vlaňajšej sezóny mužstva Giants až po ruskú literatúru z devätnásteho storočia. Priznávam, jeho vedomosti ma ohromili. Bolo zrejmé, že toho veľa prečítal a že vek mu ani trochu neotupil intelektuálnu zvedavosť. (Pre mňa, ešte nedávno tínedžera, bol každý človek pred šesťdesiatkou už starec.) Zároveň však vzbudzoval dojem misionára trpezlivo vzdelávajúceho divochov, o ktorých inteligencii si nerobil ilúzie. Púšťal sa do sokratovských dialógov a odpovedal si na otázky, skôr ako som stihol otvoriť ústa, vzápätí dodával protiargumenty, ktoré už o niekoľko minút načisto rozprášil.

Pamätám sa, že celý rozhovor bol vlastne jeden dlhý monológ. Po niekoľkých hodinách som nadobudol presvedčenie, že ak odídeme, Wieder bude nerušene rozprávať ďalej.

V priebehu večera zopár ráz zazvonil telefón v hale. Zakaždým sa nám ospravedlnil, zdvihol slúchadlo a rýchlo to vybavil. Raz však telefonoval dlhšie a tlmeným hlasom, aby sme ho z obývačky nepočuli. Nezachytil som, čo vraví, ale jeho tón prezrádzal podráždenie.

Vrátil sa rozčúlený.

„Načisto im preskočilo!" hnevlivo sa obrátil k Laure. „Ako odo mňa môžu niečo také vôbec žiadať? Som vedec! Človek im podá prst a chcú celú ruku. V živote som neurobil väčšiu hlúposť ako to, že som sa dal dohromady s tými idiotmi!"

Laura neodpovedala a zmizla niekde v dome. Bol som zvedavý, o kom Wieder hovoril, no vyšiel von a priniesol ďalšie víno. Keď sme ho vypili, zdalo sa, že na nepríjemný telefonát zabudol, a žartom vyhlásil, že praví chlapi pijú whisky. Opäť sa vzdialil a priniesol fľašu Lagavulinu aj s miskou ľadu. Fľaša už bola dopoly prázdna, keď zmenil názor. Povedal, že na oslavu začiatku krásneho priateľstva sa najlepšie hodí vodka.

To, aký som opitý, som si uvedomil, až keď som vstal, že pôjdem na toaletu – dovtedy som sa hrdinsky držal. Nohy ma neposlúchali a takmer som spadol na nos. Nebol som abstinent, ale nikdy predtým som toľko nevypil. Wieder ma zaujato pozoroval, akoby mal pred sebou zábavné šteniatko. V kúpeľni na mňa zo zrkadla nad umývadlom hľadeli dve dôverne známe tváre, čo ma rozosmialo. Až v hale som si spomenul, že som si neumyl ruky, tak som sa otočil. Voda bola prihorúca, obaril som sa.

Keď sa Laura vrátila, poctila nás dlhým prísnym pohľadom a obom nám uvarila kávu. Špekuloval som, či má aj profesor pod čapicou, no pripadal mi triezvy, ako keby som popíjal sám. Cítil som sa ako obeť kanadského žartu a uvedomil som si, že neviem ani poriadne artikulovať. Okrem toho som vyfajčil priveľa cigariet a boleli ma pľúca. V miestnosti sa ako duchovia vznášali sivé mraky dymu, hoci obidve okná boli otvorené dokorán.

Rozprávali sme sa ešte asi hodinu, ale pili sme už len kávu a vodu, potom mi Laura naznačila, že je čas odísť. Wieder nás odprevadil k autu, rozlúčil sa a znovu zdôraznil, ako úprimne dúfa, že ešte niekedy prídem.

Keď Laura viedla auto po Colonial Avenue, ktorá bola v tej nočnej hodine takmer opustená, povedal som jej: „Je to fajn chlapík, však? Ešte som nevidel nikoho, kto by tak veľa zniesol. Páni moji! Máš vôbec predstavu, koľko sme toho vypili?"

„Možno si predtým niečo vzal. Čo ja viem, napríklad nejakú tabletku. Zvyčajne toľko nepije. Vidieť, že nie si psychológ. Ani nevieš, koľko si mu o sebe prezradil, hoci on o sebe nepovedal nič."

„Kdeže, povedal o sebe až-až," protirečil som jej a zároveň som rozmýšľal, či ju nepožiadam, aby zastavila, nech sa môžem za nejakým stromom pri ceste vyvracať. Krútila sa mi hlava a určite som smrdel, akoby som sa vykúpal v chľaste.

„Nepovedal ti nič," odsekla, „teda okrem toho, čo o ňom vie každý a čo si môžeš prečítať na prebaloch jeho kníh. Zato ty si mu o sebe vybľabotal, že sa bojíš hadov a že ťa ako štyriapolročného takmer znásilnil šialený sused, ktorého tvoj otec skoro dobil na smrť. To sú dosť závažné skutočnosti."

„To že som mu povedal? Nepamätám si..."

„Rád sa prehrabáva v mysliach iných ľudí, ako keby skúmal dom. A je to viac než len profesionálny zvyk. Je to takmer patologická zvedavosť, ktorú ovládne iba zriedka. Preto sa podujal viesť ten program, ktorý..."

Uprostred vety zmĺkla, akoby z ničoho nič pochopila, že čoskoro povie priveľa.

Nespýtal som sa jej, čo mala na jazyku. Otvoril som okno a cítil som, ako sa mi čistí hlava. Na oblohe visel bledý polmesiac.

Tej noci sa z nás stali milenci.

Odohralo sa to jednoducho, bez pokryteckých úvodov v štýle „nechcem zničiť naše priateľstvo". Auto zaparkovala v garáži a chvíľu sme stáli za domom, zaliati žltkastou žiarou pouličnej lampy, podávali sme si cigaretu a mlčali sme. Nato sme vošli dnu, a keď som sa pokúšal zažať svetlo v obývačke, zadržala ma, chytila ma za ruku a odviedla do svojej izby.

*

Na druhý deň bola nedeľa. Celý deň sme zostali v dome, milovali sme sa a skúmali jeden druhého. Pamätám si, že sme takmer neprehovorili. Večer sme sa najedli v reštaurácii hotela Peacock Inn, potom sme sa do zotmenia prechádzali v parku. Už predtým som jej rozprával, že si chcem nájsť brigádu, a keď som tú tému znovu nadhodil, priamo sa ma opýtala, či by som nechcel vziať prácu u Wiedera. Hľadá totiž niekoho, kto by mu usporiadal knihy v knižnici. V tej, ktorú mi včera večer spomínal, ale nestihol mi ju ukázať. Prekvapilo ma to.

„Myslíš si, že by ma vzal?"

„Už som s ním o tom hovorila. Vlastne preto sa s tebou chcel zoznámiť, lenže ste sa k tomu ako typickí muži ani nedostali. Mám pocit, že si mu sympatický, takže by to nemal byť problém."

Položil som si otázku, či je sympatický on mne.

„V tom prípade beriem."

Naklonila sa ku mne a pobozkala ma. Pod ľavou kľúčnou kosťou, nad prsníkom, mala hnedé znamienko vo veľkosti štvrťdolára. V ten deň som si ju detailne poobzeral, akoby som hľadal istotu, že ani na jednu časť jej tela nikdy nezabudnem. Členky mala nezvyčajne štíhle a prsty na nohách veľmi dlhé – prezývala ich „môj basketbalový tím". Objavil som každé jej znamienko a fliačik na pokožke, ktorá stále niesla stopy letného opálenia.

V tých časoch sa rýchla láska konzumovala rovnako často ako rýchle občerstvenie a ja som nebol výnimkou. O panictvo som prišiel v pätnástich na posteli, nad ktorou visel veľký plagát Michaela Jacksona. Posteľ patrila istej Joelle, ktorá bola odo mňa o dva roky staršia a bývala na

Fulton Street. V nasledujúcich rokoch som mal veľa partneriek a dva či tri razy sa mi dokonca zdalo, že som sa zamiloval.

Zakaždým to bol omyl, ako som si uvedomil v ten večer. Možnože som v niektorých prípadoch cítil príťažlivosť, vášeň či náklonnosť, no pri Laure to bolo celkom iné – boli v tom všetky tieto pocity a ešte niečo navyše: silná túžba byť každú minútu, každú sekundu s ňou. Možno som neurčito cítil, že spolu budeme len krátko, a tak som sa ponáhľal nazhromaždiť na ňu dosť spomienok, aby mi vydržali do konca života.

3

Vo Wiederovej knižnici som začal pracovať hneď nasledujúci víkend. Cestoval som k nemu autobusom z Trinity Station. Na lavičke pri jazere sme si spolu dali pivo a vysvetlil mi, ako si predstavuje usporiadanie tých niekoľko tisíc kníh.

Profesor si kúpil počítač a dal ho do miestnosti na poschodí. Neboli tam okná a steny pokrývali dlhé drevené police. Chcel, aby som vytvoril kódovaný záznam, vďaka ktorému by vyhľadávač dokázal určiť umiestnenie každej knihy. To znamenalo, že bude treba zadať údaje – názov, autora, vydavateľa, číslo z Kongresovej knižnice a podobne – a zoradiť knihy podľa kategórií. Spravili sme hrubú kalkuláciu a dospeli sme k záveru, že nasledujúcich šesť mesiacov mi práca zaberie každý víkend, ak jej neobetujem i zopár dní z pracovného týždňa. Aj keď som už začal písať diplomovku, dúfal som, že sa mi cez týždeň občas podarí nájsť si voľné popoludnie, aby som mohol dokončiť knižničný záznam, na ktorý si ma Wieder najal.

Navrhol, že ma bude vyplácať týždenne. Suma bola viac ako štedrá a na prvé tri týždne mi dal šek vopred. Všimol som si, že keď tam nebola Laura, rozprával menej kvetnato, viac k veci.

Oznámil mi, že si ide zacvičiť do pivnice, kde mal malú posilňovňu, a nechal ma v knižnici samého.

Dve-tri hodiny som sa oboznamoval s počítačom a so softvérom, Wieder sa za ten čas neukázal. Keď som v knižnici skončil, našiel som ho v kuchyni pripravovať sendviče. Spolu sme sa najedli a rozprávali sme sa o politike. Trochu ma prekvapilo, že má veľmi konzervatívne názory a „liberálov" považuje za rovnako nebezpečných ako komunistov. Nazdával sa, že Reagan robí dobre, keď Moskve hrozí päst'ou, zatiaľ čo jeho predchodca Jimmy Carter sa podľa neho len pchal Rusom do zadku.

Práve sme fajčili v obývačke a v kuchyni bublal kávovar, keď sa ma spýtal: „S Laurou ste len kamaráti? Viete, ako to myslím."

Prekvapilo ma to a jeho otázku som považoval za trápnu. Už-už som mal na jazyku, že vzťah medzi nami dvoma ho nemusí zaujímať. Vedel som však, že Laura si priateľstvo s ním veľmi cení, a tak som sa ovládol.

„Sme len kamoši," zaklamal som. „Náhodou sa nasťahovala do domu, v ktorom bývam, a skamarátili sme sa, aj keď nemáme veľa spoločného."

„Máte priateľku?"

„Zhodou okolností som momentálne nezadaný."

„Zvláštne, nie? Laura je krásna, inteligentná a zo všetkých stránok príťažlivá. Podľa toho, čo mi hovorila, spolu trávite veľa času."

„Neviem, čo na to povedať. Nie vždy medzi dvoma ľuďmi preskočí iskra."

Vzal šálky s kávou, jednu mi podal, zapálil si ďalšiu cigaretu a vážne, skúmavo sa na mňa zahľadel.

„Povedala vám o mne niečo?"

Rozhovor mi pripadal čoraz trápnejší.

„Veľmi si vás váži a je rada vo vašej spoločnosti. Vyrozumel som, že spolu pracujete na špeciálnom projekte, ktorý významne zmení spôsob, ako chápeme ľudskú myseľ, a že to celé nejako súvisí s pamäťou. To je všetko."

„Neprezradila vám o projekte niečo podrobnejšie?" Otázku položil akosi prirýchlo.

„Nie. Žiaľ, pôsobím v úplne inej oblasti a Laura sa už vzdala pokusov zasvätiť ma do tajov psychológie," odvetil som čo najuvoľnenejšie. „Predstava hrabania sa v ľudskej mysli ma nevzrušuje. Bez urážky."

„Chcete sa predsa stať spisovateľom, nie?" spýtal sa popudene. „Ako chcete tvoriť svoje postavy, keď netušíte, ako ľudia myslia?"

„To akoby ste povedali, že musíte byť geológ, aby vás bavilo horolezectvo," namietol som. „Joe, myslím si, že ste ma nepochopili." Wieder totiž trval na tom, aby som ho oslovoval krstným menom, hoci ma to privádzalo do rozpakov. „Niekedy sa posadím do kaviarne len preto, aby som mohol pozorovať ľudí, študovať ich gestá a výrazy. Občas si predstavujem, čo sa za týmito vonkajšími prejavmi skrýva, čo chcú nimi ľudia odhaliť, či už vedome, alebo nevedome, a..."

Nenechal ma dokončiť vetu. „Myslíte si, že som nejaký voyeur, ktorý nakúka do hláv cez kľúčovú dierku? Vôbec nie. Neraz treba ľuďom pomôcť, aby lepšie pochopili, kto vlastne sú, a preto musíte vedieť, ako im podať pomocnú ruku. Inak im hrozí rozpad osobnosti. Tak či onak, cieľ je úplne iný. Iste si uvedomujete – alebo si to možno neuvedomujete, no musíte mi veriť –, že pri takomto výskume treba zachovať maximálnu diskrétnosť, až kým nebudú zverejnené jeho výsledky. Podpísal som zmluvu s vydavateľom, lenže nie je to naše univerzitné nakladateľstvo, takže sa už začali šíriť reči. O závisti v akademickom svete vám asi nemusím rozprávať. Študujete už dosť dlho, preto viete, ako to funguje. A existuje aj ďalší dôvod, prečo treba momentálne zachovať diskrétnosť, ten vám však nemôžem prezradiť. Ako to vyzerá v knižnici?“

Náhla zmena témy bola presne jeho štýl, vyzeralo to, ako keby sa ma usiloval zaskočiť. Povedal som mu, že som sa oboznámil s počítačom a so softvérom a že všetko je zrejme v poriadku.

O štvrť hodiny, keď som už bol na odchode, ma zastavil pri dverách.

„Ozaj, nepýtal sa vás niekto na mňa? Napríklad na čom pracujem? Nejaký kolega? Alebo priateľ? Nebodaj cudzí človek?“

„Nie, o tom, že som tu bol, vedela iba Laura.“

„Výborne. Nehovorte o tom nikomu ani v budúcnosti. Táto záležitosť s knižnicou je len medzi nami. Mimochodom, prečo dnes vlastne Laura neprišla?“

„Je v New Yorku s kamarátkou. Sľúbila jej, že s ňou zájde do divadla a prespia u kamarátkiných rodičov. Vrátia sa zajtra ráno.“

Dlho na mňa len hľadel.

„Vynikajúco. Som zvedavý, čo na to predstavenie povie. Ako sa tá jej kamarátka volá?"

„Tuším Dharma."

„Mená ako Daisy a Nancy sa hipíkom pred dvadsiatimi rokmi nepáčili, čo? Dovidenia, Richard. Stretneme sa po Dni vďakyvzdania. Pozval by som vás, aby ste ho oslávili so mnou, ale zajtra idem do Chicaga a vrátim sa až v piatok. Laura má kľúče, môžete ich použiť. Viete, čo máte robiť, a ak si nájdete čas, môžete prísť, aj keď budem preč. Držte sa."

Skôr ako som nasadol na autobus, túlal som sa ulicami v okolí jeho domu, fajčil som a rozmýšľal som nad naším rozhovorom.

Takže Laura má kľúče od Wiederovho domu. Pripadalo mi to zvláštne. Dovtedy som si neuvedomil, že sú si takí blízki. Ak som to správne pochopil, Wieder naznačoval, že mi Laura o návšteve divadla s kamarátkou klamala. A veľmi podozrievavo sa ma vypytoval, aký je medzi nami vzťah.

Domov som prišiel v zlej nálade a šek som si vložil do zásuvky v bielizníku s nepríjemným pocitom, že je to platba za nejakú podozrivú transakciu, ktorej nerozumiem. Po prvý raz, odkedy som sa zoznámil s Laurou, ma čakal sobotný večer osamote. Dom pôsobil temne a neútulne.

Osprchoval som sa, objednal som si pizzu a pretrpel som jeden diel seriálu *Ženatý so záväzkami*, hoci na úletoch rodiny Bundyovcov mi nepripadalo nič vtipné. Cítil som Laurinu vôňu, akoby sedela vedľa mňa na gauči. Aj keď od nášho zoznámenia ubehlo len zopár týždňov, mal som dojem, akoby sme sa poznali roky – stala sa súčasťou môjho života.

Počúval som kazetu B. B. Kinga, listoval som v románe Normana Mailera a rozmýšľal som nad ňou a nad profesorom Wiederom.

Správal sa ku mne slušne a ponúkol mi prácu, mal som mu byť teda vďačný. Bol to významný akademik, takže som mal šťastie, že si ma vôbec všimol, aj keď len na odporúčanie svojej chránenkyne. Pod povrchom som však v jeho správaní vycítil niečo zvláštne, niečo, čo som ešte nevedel pomenovať, no bolo to tam, striehlo to za jeho priateľským vystupovaním a takmer neprerušovaným prúdom slov.

Najhoršie zo všetkého bolo, že som začal pochybovať, či mi Laura hovorí pravdu. Vymýšľal som rozličné scenáre, ako to overiť, lenže na cestu vlakom do New Yorku už bolo neskoro. Navyše by som si pripadal smiešne, keby som ju mal z diaľky špehovať ako žiarlivec v nejakom béčkovom filme.

S týmito myšlienkami som sa zobudil uprostred noci na gauči a presunul som sa hore do postele. Potom sa mi prisnilo, že som pri obrovskom jazere s brehom zarasteným trstinou. Díval som sa do tmavej vody a odrazu ma ovládol silný pocit nebezpečenstva. Zazrel som obrovského zablateného šupinatého aligátora, ktorý sa ku mne zakrádal cez porast. Keď otvoril oči, uvidel som, že majú rovnaký vodnatý modrý odtieň ako oči profesora Wiedera.

Laura sa vrátila poobede. Celý deň som sa s dvoma známymi túlal po univerzitnom areáli a naobedoval som sa v ich dome na Nassau Street, kde sme jedli pizzu a púšťali sme si hudbu. Práve som si doma varil kávu, keď som začul Laurino auto.

Vyzerala unavená a mala tmavé kruhy pod očami. Pobozkala ma, podľa mňa dosť rezervovane, a potom vyšla hore do svojej izby osprchovať sa a prezliecť. Kým som na ňu čakal, do dvoch šálok som nalial kávu a vystrel som sa na gauči. Onedlho zišla dolu, poďakovala mi za kávu, vzala do ruky diaľkový ovládač a začala prepínať kanály. Nezdalo sa, že má náladu na rozhovor, tak som jej dal pokoj. Po nejakom čase navrhla, aby sme si išli von zapáliť.

„To predstavenie bola somarina," konštatovala a lačne si potiahla z cigarety. „Dharmini rodičia nám celý večer pílili uši. Keď som sa vracala, v tuneli sa stala nehoda a musela som tam polhodinu trčať. A ešte aj tá moja rachotina začala vydávať nejaké čudné zvuky. Asi by sa jej mal niekto pozrieť do motora."

Vonku mrholilo a kvapky vody v jej vlasoch sa ligotali ako diamanty.

„Ako sa volalo to predstavenie?" zaujímal som sa. „Keby sa ma niekto pýtal, pomôžem mu ušetriť tridsať dolárov."

„*Starlight Express*," odvetila rýchlo. „Malo to dobré recenzie, ale asi som na tú hru nemala správnu náladu."

Vedela, že som bol u Wiedera, a tak bola zvedavá, ako to dopadlo a či sme sa dohodli na práci v knižnici. Povedal som jej, že mi dal šek, vďaka čomu môžem zaplatiť nájomné, a že som už aj niekoľko hodín odpracoval.

Keď sme sa vrátili dnu a sadli sme si na gauč, spýtala sa: „Niečo ťa trápi, Richard. Chceš sa o tom porozprávať?"

Rozhodol som sa, že je zbytočné tajiť to, preto som odvetil: „Wieder sa vyzvedal na náš vzťah. A..."

„Čo konkrétne chcel vedieť?"

„Kládol mi samé zvláštne otázky... Ešte bol zvedavý, či sa ma naňho niekto nepýtal a čo si mi povedala o vašom výskume."

„Aha."

Čakal som, že niečo dodá, no mlčala.

„Navyše naznačil, že si mi možno klamala a do New Yorku si išla z iného dôvodu."

Po chvíli sa ozvala: „A ty mu veríš?"

Pokrčil som plecami. „Už neviem, čo si mám myslieť. Neviem, či mám právo vypytovať sa ťa na to, čo robíš alebo nerobíš. Nie si môj majetok a nepovažujem sa za podozrievavého človeka."

Šálku držala v dlaniach, akoby to bol vtáčik, ktorého chce vypustiť.

„Chceš, aby sme si to vyjasnili?"

„Áno."

Šálku položila na stôl a vypla televízor. Mali sme dohodu, že vnútri fajčiť nebudeme, napriek tomu si zapálila. Povedal som si, že situácia je mimoriadna, preto pravidlá momentálne neplatia.

„Dobre, tak si to preberme. Keď som sa sem nasťahovala, nemala som chuť na vzťah, s tebou ani s nikým iným. Na konci prvého ročníka som sa dala dokopy s jedným chalanom, ktorý študoval ekonómiu. Leto sme strávili oddelene, obaja sme boli doma. Na jeseň sme vo vzťahu pokračovali a chvíľu sa zdalo, že je všetko v poriadku. Bola som doňho zamilovaná, alebo som si to aspoň myslela, aj keď som vedela, že to nie je obojstranné – bol nestály, nechcel sa emocionálne viazať. Podozrievala som ho, že sa stretáva aj s inými dievčatami, a hnevala som sa na seba, že to tolerujem. V tom čase som začala pracovať pre Wiedera. Najprv som bola len bežná dobrovoľníčka, tak ako dvadsať či tridsať ďalších študentov, ale onedlho sme sa začali rozprávať o jeho práci a myslím si, že si ma obľúbil. Viac ma zapojil do projektu. Na vyššej úrovni. Dalo by sa povedať, že som sa stala jeho asistentkou. Ten chalan, ktorého som spomínala, začal žiarliť. Všade ma sledoval a vypytoval sa ma na vzťah s Wiederom. Dekan dostal anonymný list, v ktorom sa tvrdilo, že sme s profesorom milenci."

„Ako sa ten chalan volá?"

„Naozaj to chceš vedieť?"

„Áno, chcem."

„Volá sa Timothy Sanders. Ešte tu študuje. Pamätáš sa, ako sme boli v bare U Roberta na Lincoln Avenue? Tesne po tom, čo sme sa zoznámili?"

„Pamätám."

„Bol tam s nejakým dievčaťom."

„Dobre, pokračuj."

„Po tom liste dekanovi sa Wieder naštval. Veľmi som s ním chcela ďalej spolupracovať, veď som sa už zapojila do výskumného programu. Bolo mi jasné, že v tejto oblasti mám šancu presadiť sa. Nemienila som Timothymu dovoliť, aby ma o ňu pripravil. Priznala som sa Wiederovi, že mám určité podozrenie, kto ten list poslal. Musela som mu sľúbiť, že vzťah s Timothym ukončím, čo som aj tak mala v úmysle. S Timothym som sa porozprávala, vysvetlila som mu, že sa s ním už nechcem stretávať. Paradoxne, až vtedy akoby sa do mňa úprimne zamiloval. Všade sa za mnou vláčil, tvrdil mi, že vážne uvažuje nad samovraždou, že sa zabije a ja budem musieť žiť s pocitom viny. Domov aj do školy mi posielal kvety a modlikal, aby som sa s ním stretla aspoň na pár minút. Dodržala som slovo a odmietala som sa s ním rozprávať. Wieder sa ma občas spýtal, či s tým chlapcom ešte niečo mám, a upokojilo ho, keď som mu povedala, že som sa s ním nadobro rozišla a nech sa stane čokoľvek, nehodlám si to rozmyslieť. Potom Timothy začal používať inú taktiku. Nepriamo sa mi vyhrážal a urážal ma. Ako posadnutý. Raz som ho videla pred Wiederovým domom, sedel v aute, ktoré parkovalo pod lampou na rohu ulice. To kvôli nemu som sa presťahovala sem. Na istý čas sa niekam vyparil a potom som ho znovu zazrela v ten večer v bare, ako som ti spomínala. V škole ma krátko nato oslovil a ja som spravila tú chybu, že som s ním zašla na kávu. Nahovárala som si, že sa s koncom nášho vzťahu zmieril. Napokon, prestal sa mi vyhrážať."

„Prepáč, že ťa prerušujem," ozval som sa, „ale prečo si nezavolala na políciu?"

„Nechcela som nikomu narobiť problémy. Timothy nebol násilník. Nikdy sa ma nepokúsil udrieť, takže som nemala pocit, že mi niečo hrozí. A pochybovala som, že by policajtov zaujímal nešťastne zamilovaný študent, pokiaľ neporuší zákon. Lenže po spoločnej káve odznova začal s nátlakom. Vraj ho stále milujem, len si to nechcem priznať, ale skôr či neskôr mi to dôjde. Po našom rozchode bol údajne taký zničený, že musel chodiť do New Yorku na terapiu. Bála som sa, že sem príde, urobí scénu a ty sa nahneváš. Napokon ma prehovoril, aby som sa s ním vybrala na terapiu, nech jeho psychológ vidí, že som skutočný človek, nie výplod jeho predstavivosti, imaginárna priateľka, ako začal tvrdiť. Preto som sa vybrala do New Yorku. Medzitým si zistil moju novú adresu. Po sedení u psychológa som sa stretla s Dharmou a strávili sme večer s jej rodičmi, ako som ti vravela. To je všetko. Timothy sľúbil, že sa ma už nikdy nepokúsi vyhľadať."

„Prečo si mi nepovedala pravdu? Nebolo by to jednoduchšie?"

„Lebo by som ti musela všetko vysvetliť, čo sa napokon aj stalo, lenže práve to som nechcela. Ten človek je len tieň z mojej minulosti a ja chcem, aby tam aj s ďalšími tieňmi zostal. Richard, všetci máme za sebou veci, na ktoré by sme radšej zabudli, a nemôžeme s tým nič robiť. Minulosť by nemala byť všetkým na očiach, lebo niekedy je priveľmi zložitá a aj priveľmi bolestivá. Väčšinou je najlepšie nechať ju skrytú."

„A to bolo všetko? Išla si na terapiu, porozprávala si sa s jeho psychológom a potom ste sa pobrali každý svojou cestou?"

Prekvapene na mňa pozrela.

„Áno, veď som ti to vravela."

„A čo povedal psychológ?"

„Dovtedy bol presvedčený, že Timothy si celý príbeh o našom vzťahu vymýšľa. Že jeho bývalá priateľka je len projekcia, ktorú si vytvoril, a nemá nič spoločné s nejakou skutočnou Laurou. Všetko súviselo s tým, že ho vychovávala nevlastná matka, ktorá ho neľúbila, a on nezniesol predstavu odmietnutia. Prečo ťa však zaujímajú také hlúposti?"

Hoci sa stmievalo, ani jeden z nás nevstal a nezažal svetlo. Sedeli sme v tieňoch ako na Rembrandtovom obraze s názvom *Laura prosí Richarda o odpustenie*.

Chcel som ju – nevedel som sa dočkať, kedy ju vyzlečiem a pocítim pri sebe jej telo –, no zároveň som mal pocit, že mi klame a zrádza ma. Ocitol som sa v slepej uličke a netušil som, ako ďalej.

„Vedel o tom všetkom Wieder?" spýtal som sa. „Vedel, prečo ideš do New Yorku?"

Povedala, že áno.

„A prečo cítil potrebu upozorniť ma na to?"

„Lebo je jednoducho taký," odvrkla. „Lebo sa mu zrejme nepáči, že spolu niečo máme. Možno žiarli a neodolal túžbe provokovať ťa, keďže to mu ide najlepšie – manipulovať, zahrávať sa s ľuďmi. Varovala som ťa, že nevieš, aký v skutočnosti je."

„Veď si ho opísala ako génia, poloboha, a tvrdila si, že ste dobrí priatelia. Tak ako..."

„Nuž, ako vidíš, aj génius môže byť niekedy magor."

Vedel som, že tou otázkou veľa riskujem, ale neodolal som. „Laura, mala si niekedy niečo s Wiederom?"

„Nie."

Bol som vďačný, že mi poskytla priamu odpoveď bez pokryteckého pobúrenia alebo (takmer) nevyhnutnej otázky: *Ako sa ma na také niečo môžeš pýtať?*

Po chvíli však dodala: „Mrzí ma, že ti niečo také vôbec zišlo na um, Richard. Hoci, vzhľadom na okolnosti to chápem."

„Trochu ma prekvapilo, že máš kľúče od jeho domu. Povedal mi to."

„Keby si sa ma spýtal, aj ja by som ti to povedala. Nie je to tajomstvo. Je sám, s nikým nežije. Každý piatok mu chodí jedna pani upratovať a jeden bývalý pacient, ktorý býva neďaleko, príde vždy, keď treba niečo opraviť. Kľúče mi dal len pre istotu. Ver mi, že som ich ešte ani raz nepoužila. Nikdy som tam nešla, keď nebol doma."

V tmavej miestnosti som jej takmer nevidel do tváre a rozmýšľal som, kto vlastne Laura Bainesová je, tá Laura Bainesová, s ktorou som sa zoznámil len pred niekoľkými týždňami a o ktorej som dovtedy nič nevedel. Potom som si sám odpovedal: je to žena, do ktorej som zamilovaný, a na inom nezáleží.

V ten večer sme sa zhodli, že o tomto incidente už nikdy nebudeme hovoriť – bol som natoľko mladý, že som dával sľuby, ktoré sa nedajú dodržať –, a Laura mi porozprávala o Wiederových experimentoch. Dokonca ani ona nepoznala všetky detaily.

Profesorove kontakty s úradmi sa začali asi pred siedmimi rokmi, keď ho prvý raz zavolali ako súdneho znalca v prípade vraždy. Obhajca obžalovaného tvrdil, že jeho klient nemôže byť súdený z dôvodu duševnej choroby. V takýchto prípadoch, vysvetlila mi Laura, sa zostaví trojčlenný tím znalcov a súd rozhodne, či je tvrdenie obhajoby oprávnené. Ak znalci potvrdia, že obžalovaný trpí duševnou chorobou, ktorá mu bráni pochopiť podstatu obvinení, pošlú ho do ústavu pre duševne chorých páchateľov. Neskôr na žiadosť právnika môžu pacienta presunúť do civilného ústavu pre duševne chorých, či dokonca prepustiť, ak súd rozhodne v jeho prospech.

Wieder vtedy učil na Cornellovej univerzite a pred súdom tvrdil, že istý John Tiburon, štyridsaťosemročný muž obvinený z vraždy suseda, predstiera amnéziu, hoci ďalší dvaja súdni znalci boli presvedčení, že je psychicky postihnutý, trpí paranoidnou schizofréniou a jeho strata pamäti je reálna. Napokon sa ukázalo, že Wieder mal pravdu. Vyšetrovatelia našli Tiburonov denník, v ktorom podrobne opisoval svoje konanie. Sused nebol jeho jediná obeť. Tiburon navyše zbieral informácie o symptómoch rozličných psychóz, na základe ktorých by ho mohli zbaviť viny. Inými slovami, pripravil sa na možnosť, že ho chytia, a potom zahral duševnú chorobu tak verne, že presvedčil aj súdnych znalcov.

Po tomto prípade začali Wiedera pozývať ako poradcu čoraz častejšie. Jeho zase zaujal výskum pamäti a analýza potlačovaných spomienok, nové odbory, ktoré sa dostali do módy po vydaní knihy *Michelle si spomína*. Napísal ju istý psychiater so svojou pacientkou, ktorá vraj v detstve bola obeťou satanistických rituálov. Wieder preskúmal stovky takých prípadov, dokonca používal hypnózu, aby sa vo výskume dostal ďalej. Navštevoval väznice a psychiatrické liečebne pre duševne chorých páchateľov, rozprával sa s nebezpečnými zločincami a skúmal nespočetné prípady amnézie.

Napokon dospel k záveru, že potlačenie spomienok, najmä ak subjekt utrpel vážnu psychickú traumu, môže byť v niektorých prípadoch výsledkom pôsobenia akéhosi autoimunitného systému – ten subjektu jednoducho vymaže traumatické spomienky alebo ich „vyčistí", aby boli znesiteľné. Je to podobné, ako keď biele krvinky bojujú proti vírusu, ktorý napadol telo. Náš mozog je teda vybavený vlastným recyklačným zariadením.

Ak sa však takéto procesy aktivujú spontánne, je možné ich mechanizmus dešifrovať, aby ho mohol spustiť a ovládať terapeut? Keďže spontánne spúšťanie tohto mechanizmu veľmi často spôsobuje nenapraviteľné škody, keď spolu s traumatickými spomienkami miznú aj tie dobré, pacientovo úsilie vyhnúť sa traume mu môže spôsobiť novú traumu, ktorá je v niektorých prípadoch väčšia ako tá pôvodná. Ako keby sme problém škaredej jazvy riešili odseknutím celej ruky.

Wieder pokračoval vo výskume a medzitým sa presunul na Princeton.

Tam ho oslovili predstavitelia istej agentúry, ako to záhadne vyjadril v rozhovore s Laurou, aby prevzal záštitu nad programom, ktorý táto inštitúcia vyvinula. Laura viac nevedela, ale domnievala sa, že súčasťou programu bolo vymazávanie či „odpratávanie" traumatických spomienok, ktoré utrpeli vojaci a tajní agenti. Wieder o tom nechcel hovoriť. Práca na programe neprebiehala hladko a vzťahy medzi agentúrou a profesorom boli napäté.

Pri jej rozprávaní mi po chrbte behali zimomriavky. Zarazila ma najmä skutočnosť, že to, čo považujem za nespochybniteľné časti reality, môžu byť vlastne iba výplody môjho subjektívneho pohľadu na istú vec či situáciu. Ako Laura vysvetlila, naše spomienky sú len akýmsi filmovým pásom a šikovný strihač ho môže ľubovoľne rozrušiť a zase zlepiť. Alebo ich prirovnala k želatíne, ktorú možno vymodelovať do akéhokoľvek tvaru.

Povedal som jej, že s takouto teóriou sa dá ťažko súhlasiť, ona však namietla: „Nikdy si nemal silný pocit, že si už niečo zažil, že si už na nejakom mieste bol, a potom si zistil, že si sa tam nikdy nevyskytol, len si o ňom počul, napríklad v detstve? Tvoja pamäť vymazala spomienku, že ti o tom mieste niekto rozprával, a namiesto tej spomienky ti vsugerovala nejakú – hoci fiktívnu – udalosť.“

Spomenul som si, ako som si dlho myslel, že som pozeral televízor, keď v roku 1970 Kansas City Chiefs porazili Minnesota Vikings a vyhrali Super Bowl – mal som vtedy len štyri roky –, a to iba preto, lebo otec o tom zápase často rozprával.

„Vidíš? Typický príklad je práca vyšetrovateľov, ktorí musia analyzovať výpovede svedkov. Tí neraz poskytujú informácie, ktoré sa navzájom vylučujú, dokonca aj v detailoch, ktoré by mali byť celkom jednoznačné: nezhodnú sa napríklad na farbe auta, ktoré ušlo z miesta nehody. Niektorí tvrdia, že bolo červené, iní prisahajú, že modré, a napokon sa ukáže, že bolo žlté. Naša pamäť nie je videokamera, ktorá nahráva všetko, čo sa odohrá pred objektívom, Richard. Je skôr ako scenárista a režisér v jednej osobe, ktorý si z útržkov reality vytvára vlastný film.“

Neviem prečo, ale v ten večer som ju počúval sústredenejšie než inokedy. V podstate mi mohlo byť jedno, čo má Wieder v pláne. Zaujímalo ma, či mi povedala pravdu o Timothym Sandersovi.

Laura sa nemýlila. Mená nám uviaznu v pamäti a ja si to jeho pamätám aj po takmer tridsiatich rokoch. V ten večer som rozmýšľal aj o tom, či je jej vzťah s profesorom čisto profesionálny. V osemdesiatych rokoch sa zo sexuálneho obťažovania stala módna téma a škandály sa nevyhli ani univerzitám. Niekedy stačilo len obvinenie a už mal niekto po kariére alebo aspoň naveky zostal v tieni podozrenia. Preto mi nešlo do hlavy, že by človek Wiederovho postavenia všetko riskoval pre nechutný románik so študentkou, aj keby ho akokoľvek priťahovala.

V tú noc sme obaja zostali na gauči v obývačke a ešte dlho po tom, čo zaspala, som bdel a pozoroval jej nahé telo, dlhé nohy, krivku stehien, rovné plecia. Spala ako bábätko, so zaťatými päsťami. Rozhodol som sa jej dôverovať: niekedy človek jednoducho potrebuje veriť, že z cylindra sa dá vytiahnuť slon.

4

V nasledujúci štvrtok sme spolu oslávili Deň vďaky-
vzdania. V malej rodinnej reštaurácii na Irving Street
sme kúpili upečeného moriaka a pozvali sme zopár spolu-
žiakov, Lauriných kamarátov. Môj brat Eddie bol chorý,
prechladol. Mama sa dosť vystrašila, keď ho ráno našla
s vysokou horúčkou. Vyše hodiny som s nimi telefonoval.
Oznámil som im, že konečne mám brigádu. Ani ja, ani
Laura sme nespomínali Timothyho Sandersa či Wiedera.
Boli sme hore takmer do rána, zabávali sme sa a potom
sme odcestovali do New Yorku, kde sme strávili víkend
v malom penzióne v Brooklyn Heights.

Ďalší týždeň som sa dva razy zastavil u Wiedera. Za-
každým bol na univerzite, a tak som si odomkol kľúčmi,
ktoré nechal Laure.

Páčil sa mi ten tichý priestranný dom, takmer magický
pre človeka ako ja, ktorý celý život strávil v tmavých
hlučných kuticiach. Ticho v tom dome pôsobilo takmer
neprirodzene a z okien bol priam neskutočný výhľad na
jazero. Dokázal by som tam stáť celé hodiny a pozoro-

vať siluety vŕb sklonených nad vodou ako na pointilistickom obraze.

Celé som to tam diskrétne preskúmal.

Na prízemí bola obývačka, kuchyňa, kúpeľňa a špajza. Na poschodí sa nachádzala knižnica, dve spálne, druhá kúpeľňa a veľký šatník, ktorý sa v prípade potreby dal použiť ako ďalšia spálňa. V suteréne bola malá vínna pivnica a posilňovňa, v ktorej sa na dlážke povaľovali činky a závažia. Zo stropu viselo ťažké červené boxovacie vrece značky Everlast a na klinci na stene bol zavesený pár boxerských rukavíc. Vzduch páchol potom a pánskym dezodorantom.

Vždy som mal blízko ku knihám, takže reorganizácia Wiederovej knižnice bola pre mňa skôr poctou ako povinnosťou. Police boli plné vzácnych vydaní a titulov, o akých som ani nepočul. Zhruba polovicu z nich tvorili učebnice medicíny, psychológie a psychiatrie, zvyšok bola beletria, knihy o umení a dejinách. Značný čas som venoval čítaniu, lebo som pochyboval, že by mi profesor svoje vzácne knihy požičal.

V ten týždeň som prišiel už druhý raz a práve som si doprial krátku obednú prestávku. Jedol som sendvič, ktorý som si priniesol, cez otvorené okno som obdivoval jazero a uvedomil som si, že dom na mňa pôsobí zvláštne, tak ako jeho majiteľ. Zároveň ma priťahoval i odpudzoval.

Priťahoval ma, lebo to bol dom, v akom by som aj ja chcel žiť, keby som sa stal úspešným spisovateľom s dobrým zárobkom. Ako sa moje štúdium na Princetonskej univerzite blížilo ku koncu a vážne som uvažoval, čo budem robiť ďalej, čoraz väčšmi ma trápilo, že mi plány možno nevyjdú tak, ako chcem. Tých pár poviedok, ktoré som dovtedy poslal do literárnych časopisov, mi odmietli, hoci redaktori občas pripojili aj niekoľko povzbudivých slov. Pracoval som na románe, ale nebol som presvedčený, či stojí za tú námahu.

Druhou možnosťou by bol nudný život chudobného a frustrovaného učiteľa angličtiny v nejakom malomeste, úbožiaka, ktorého tínedžeri zasypávajú posmeškami. Nosil by som tvídové saká s koženými záplatami na lakťoch a ako mlynský kameň na krku by som vláčil aktovku s nedopísanou knihou.

Ten dom bol univerzálne uznávaným symbolom úspechu. Zakaždým som si niekoľko minút predstavoval, že mi patrí, že v ňom bývam so ženou, ktorú milujem, teraz už mojou zákonitou manželkou. Práve si dávam krátku pauzu od písania svojho najnovšieho bestselleru, pokojný a uvoľnený čakám, kedy sa vráti Laura, aby sme mohli vyraziť do mesta a stráviť večer v podnikoch ako Tavern on the Green alebo Four Seasons, kde nás budú ľudia spoznávať a zvedavo, obdivne pozorovať.

Len čo som si však spomenul, že dom patrí mužovi, ktorému celkom nedôverujem, predstava sa náhle rozplynula, akoby prišla do styku s ničivou chemikáliou. Hoci som v podstate veril, že Laura mi o ich vzťahu neklamala a naozaj je čisto profesionálny, v tom dome som nevedel ovládnuť nepríjemne živú predstavivosť. Akoby som ich videl páriť sa rovno na gauči v obývačke alebo kráčať nahých do spálne na poschodí, vášnivo vystrájajúcich už cestou do postele. Predstavoval som si všetky perverzné hry, do ktorých sa Laura púšťa, len aby ho vzrušila, ako po štyroch a s vyzývavým úsmevom zalieza pod jeho stôl, kým si ten starec rozopína nohavice a vulgárne si ju doberá.

Aj keď tam Wieder nebol, cítil som, že som na jeho teritóriu, akoby bol každý predmet v dome súčasťou jeho svätyne.

V to ráno som sa s Laurou dohodol, že o tretej poobede sa stretneme v parku pri pamätníku bitky o Princeton, aby sme chytili vlak do New Yorku. O druhej som zamkol dvere na knižnici a zišiel som na prízemie, aby som sa pripravil na odchod. Takmer som zamdlel, keď som uprostred obývačky uvidel sedieť vysokého chlapíka. V ruke držal predmet, ktorý som vzápätí identifikoval ako kladivo.

Štvrť nebola nebezpečná, ale v tých rokoch sa v novinách stále písalo o vlámačkách a vraždách.

Chlapík mal na sebe vetrovku, bavlnenú mikinu a džínsy. Pozrel sa na mňa. Vyschlo mi v hrdle, a keď som sa pokúsil prehovoriť, sotva som spoznal vlastný hlas. „Dočerta, človeče, kto ste?"

Muž na chvíľu zmeravel, akoby nevedel, čo odpovedať. Mal veľkú okrúhlu, neprirodzene bledú tvár, strapaté vlasy a na lícach niekoľkodňové strnisko.

„Som Derek," dostal napokon zo seba tónom, akoby som už o ňom mal vedieť. „Joe... teda profesor Wieder... ma požiadal, aby som opravil tamtú garnižu."

Kladivom ukázal nad oblok a vtedy som si na dlážke všimol debničku s nástrojmi.

„Ako ste sa dostali dnu?" spýtal som sa ho.

„Mám kľúče," ukázal na stolík pri gauči. Naozaj tam ležali. „Vy ste ten brigádnik z knižnice, čo?"

Z jeho lakonických vysvetlení som pochopil, že je to profesorov bývalý pacient, ktorého spomínala Laura a ktorý má v dome na starosti opravy.

Ponáhľal som sa, tak som mu už nijaké otázky nekládol a ani som nezavolal Wiederovi, aby som si Derekove tvrdenia overil. Keď som sa zhruba o hodinu stretol s Laurou, porozprával som jej o stretnutí, ktoré mi takmer spôsobilo infarkt.

„Volá sa Derek Simmons," odvetila. „S profesorom sa pozná už niekoľko rokov. Wieder sa vlastne oňho stará."

Cestou na stanicu Princeton Junction, kde sme mali nasadnúť na vlak do New Yorku, mi vyrozprávala Derekov príbeh.

Pred štyrmi rokmi ho obvinili z vraždy manželky. Býval s ňou v Princetone, boli svoji päť rokov a nemali deti. Derek pracoval ako údržbár a jeho žena Anne robila čašníčku v kaviarni na Nassau Street. Ako neskôr vyhlásili susedia a rodinní priatelia, nikdy sa nehádali a vyzerali, že sú v manželstve šťastní.

Derek raz skoro ráno zavolal sanitku a dispečerovi povedal, že manželka je vo vážnom stave. Zdravotníci ju našli na chodbe – ležala v kaluži krvi, s bodnými ranami na hrudníku a na krku. Na mieste ju vyhlásili za mŕtvu a celú záležitosť prevzala polícia.

Derekova verzia tragédie znela takto:

Domov sa vrátil okolo siedmej večer, ešte predtým kúpil zopár drobností v obchode neďaleko ich bydliska. Najedol sa, pozrel si televízor a šiel do postele. Vedel, že Anne má večernú zmenu a príde neskoro.

Zobudil sa o šiestej ráno ako obyčajne a všimol si, že manželka nie je vedľa neho v posteli. Vyšiel zo spálne a našiel ju ležať na chodbe v kaluži krvi. Nevedel, či žije, tak zavolal sanitku.

Vyšetrovatelia spočiatku brali do úvahy možnosť, že Derek hovorí pravdu. Dvere boli odomknuté a bez stôp po vlámaní, takže Anne pravdepodobne niekto sledoval a prepadol, keď vchádzala do bytu. Páchateľ si potom možno uvedomil, že doma ešte niekto je, a ušiel bez toho, aby niečo ukradol. (Pri tele obete sa našla jej kabelka s hotovosťou.) Obhliadač určil, že zomrela okolo tretej po polnoci. Simmons nemal motív a vyzeral, že manželkina strata ho zdrvila. Nebol zadlžený, nemal mimomanželský vzťah a v práci sa staral len o svoje veci. Vo všeobecnosti mal povesť usilovného a tichého človeka.

Laura vedela všetky podrobnosti od Wiedera. Toho totiž ako jedného z troch znalcov požiadali, aby zhodnotil duševný stav manžela obete, ktorého medzitým obvinili z vraždy. Derekov obhajca žiadal, aby jeho klienta oslobodili na základe duševnej poruchy. Wieder z takého či onakého dôvodu pripisoval tomuto prípadu obrovský význam.

Detektívi totiž neskôr objavili niekoľko skutočností, ktoré na Dereka vrhli veľmi zlé svetlo.

Po prvé, Anne Simmonsová si zopár mesiacov pred smrťou našla milenca. Jeho totožnosť nikdy nezistili – či aspoň nezverejnili –, ale vzťah bol zrejme vážny. Tí dvaja sa plánovali vziať, Anne však ešte predtým musela požiadať o rozvod. V ten večer, keď ju zavraždili, po ukončení zmeny okolo desiatej zamkla kaviareň. Milenci spolu zašli do lacného jednoizbového bytu na tej istej ulici, ktorý si

Anne prenajala pred dvoma mesiacmi, zostali tam zhruba do polnoci a potom sa sama odviezla taxíkom domov. Podľa taxikára a čísel na taxametri vystúpila pred svojím domom o jednej hodine a dvanástej minúte.

Derek sa dušoval, že o manželkinej nevere nemal ani potuchy, ale vyšetrovatelia to považovali za vysoko nepravdepodobné. Mali v rukách motív – žiarlivosť – a vraždu začali pokladať za zločin z vášne.

Po druhé, nebohá mala na rukách poranenia „defenzívneho charakteru", ako ich nazvali forenzní odborníci. Inými slovami, zdvihnutými rukami sa pokúšala brániť pred páchateľom, ktorý zrejme použil veľký nôž. Aj keby Derek na poschodí spal, kým jeho manželka bojovala o život, nemohol dôveryhodne tvrdiť, že nič nezačul. Anne takmer určite volala o pomoc. (Neskôr dvaja susedia vypovedali, že ju počuli kričať, ale políciu nevolali, pretože výkriky vraj stíchli skôr, ako sa stihli celkom prebrať.)

Po tretie, istá priateľka obete potvrdila, že z kuchyne Simmonsovcov zmizol nôž, ktorý si dobre pamätala, pretože nedávno pomáhala Anne pripravovať občerstvenie na jej narodeninový večierok. Derek na otázku, kde je nôž (ktorý vzhľadom zodpovedal vražednej zbrani), iba pokrčil plecami. Áno, taký nôž kedysi mali, no netuší, čo sa s ním stalo, keďže kuchyňu mala na starosti manželka.

A napokon, detektívi zistili, že Derek sa pred mnohými rokmi, ešte v tínedžerskom veku, nervovo zrútil. Prijali ho do Marlborskej psychiatrickej nemocnice a strávil tam dva mesiace, takže nedokončil posledný ročník strednej školy. Diagnostikovali mu schizofréniu a aj po prepustení musel užívať lieky. Hoci dovtedy bol veľmi dobrý študent, vzdal sa nádeje, že pôjde na vysokú školu, vyučil sa za elektrikára a získal slabo platené miesto vo firme Siemens. Detektívi vypracovali teóriu a dospeli k takémuto časovému sledu udalostí:

Anne prišla domov o jednej hodine a dvanástej minúte. Medzi manželmi vypukla hádka. Derek ju obvinil z nevery a ona mu pravdepodobne oznámila, že má v úmysle požiadať o rozvod. O dve hodiny vzal Derek z kuchyne nôž a dobodal ju. Zbavil sa vražednej zbrane a neskôr zavolal sanitku, akoby manželkino telo práve objavil. Možno sa nervovo zrútil alebo ho postihol záchvat schizofrénie, to však môžu posúdiť len lekári.

Keď Simmonsa zatkli a obvinili z vraždy, jeho právny zástupca sa chytil teórie o nervovom zrútení a požiadal, aby jeho klienta vyhlásili za nevinného na základe duševnej poruchy. Obvinený naďalej tvrdohlavo opakoval, že je nevinný, a odmietal akékoľvek priznanie, aj keby mu to malo znížiť trest.

Joseph Wieder ho niekoľkokrát vyšetril a dospel k záveru, že Derek Simmons trpí zriedkavou formou psychózy, takže diagnóza schizofrénie v mladosti nebola správna. Pri tomto druhu psychózy sa občas vyskytujú takzvané výpadky, počas ktorých pacient stráca pamäť aj identitu. V extrémnych prípadoch takéto osoby opustia domov a nájdu sa až o veľa rokov neskôr v inom meste alebo aj v inom štáte, kde žijú s novou totožnosťou, bez jedinej spomienky na predošlý život. Niektorí sa k starej totožnosti vrátia, pričom celkom zabudnú na tú, ktorú si vytvorili, iní ďalej vedú svoj nový život.

Ak bola Wiederova diagnóza správna, bolo možné, že Simmons si vôbec nepamätá, čo spáchal tej noci, keď pod vplyvom stresu a zmeneného vedomia, spôsobeného náhlym prechodom od spánku k bdeniu, reagoval ako celkom iný človek.

Wieder o tejto diagnóze presvedčil aj súd a sudca poslal Simmonsa do Trentonskej psychiatrickej nemocnice, kde sa nachádzali aj ďalší potenciálne nebezpeční pacienti. So súhlasom tejto inštitúcie a pacientovho právnika Wieder pokračoval v terapeutických sedeniach so Simmonsom, liečil ho hypnózou a revolučnými metódami, pri ktorých používal rôzne kombinácie antikonvulzívnych liekov.

Žiaľ, po niekoľkých mesiacoch v tejto nemocnici na Simmonsa zaútočil iný pacient a vážne mu poranil hlavu, čo výrazne zhoršilo jeho stav. Derek Simmons celkom stratil pamäť a už nikdy sa mu neobnovila. Jeho mozog si síce tvoril a ukladal nové spomienky, ale staré zostali niekde mimo dosahu. Laura mi povedala, že takáto trauma sa nazýva retrográdna amnézia.

O rok neskôr Simmonsa na Wiederovu žiadosť presunuli do Marlborskej psychiatrickej nemocnice, kde bol menej prísny režim. Tam mu profesor pomohol rekonštruovať osobnosť. To však, ako mi vysvetlila Laura, bola len polovičná pravda. Pacient sa znovu stal Derekom Simmonsom len v tom zmysle, že nosil toto meno a ako Derek Simmons vyzeral. Vedel písať, no netušil, kde túto schopnosť získal, keďže si vôbec nespomínal na školu. Automaticky vykonával prácu elektrikára, ale nevedel, kde sa remeslu vyučil. Všetky spomienky až do chvíle, keď ho v nemocnici napadli, mal uzamknuté niekde v synapsiách mozgu.

Na jar roku 1985 sudca vyhovel požiadavke Simmonsovho právnika prepustiť pacienta zo psychiatrie s odvolaním sa na zložitosť prípadu a na fakt, že Simmons nejaví sklony k násiliu. Podľa Laury však bolo jasné, že sa o seba nedokáže starať sám. Nemohol očakávať, že ho niekto zamestná, a skôr či neskôr by skončil v ústave pre duševne chorých. Nemal súrodencov, mama mu zomrela na rakovinu, keď bol ešte malý. Otec, s ktorým si nebol veľmi blízky, sa po tragédii odsťahoval z mesta a neoznámil kam. Synov osud ho zrejme nezaujímal.

Wieder teda Simmonsovi prenajal jednoizbový byt neďaleko svojho domu a platil mu mesačnú gážu za údržbu. Derek býval sám, susedia ho považovali za čudáka. Občas sa zatvoril v byte a niekoľko dní alebo aj týždňov z neho nevyšiel. V týchto obdobiach mu Wieder nosieval jedlo a dával pozor, aby nezabudol užívať lieky.

Príbeh Dereka Simmonsa a Wiederov postoj k nemu ma dojali. Ten človek, či už to bol vrah, alebo nie, mohol len vďaka profesorovej pomoci slušne žiť. A bol na slobode, hoci mu ju obmedzovala choroba. Nebyť Wiedera, trčal by v ústave ako nechcená troska, uprostred surových zriadencov a nebezpečných bláznov. Laura mi povedala, že po tom, čo v rámci terénnej práce s profesorom zopár ráz navštívila Trentonskú psychiatrickú nemocnicu, pokladá ústavy pre duševne chorých za najzlovestnejšie miesta na zemi.

Ďalší týždeň, keď začal padať prvý sneh, som Wiederov dom navštívil tri razy a zakaždým som tam našiel Dereka, ako opravuje nejakú maličkosť. Zhovárali sme sa, zafajčili sme si, hľadeli sme na jazero, ktoré akoby gniavila sivá obloha. Keby som o jeho stave nevedel, považoval by som ho za normálneho, hoci ostýchavého a neveľmi bystrého samotára. O Wiederovi hovoril so zbožnou úctou, uvedomoval si, aký mu je zaviazaný. Zveril sa mi, že si nedávno vzal z útulku šteniatko. Nazval ho Jack a každý večer s ním chodí do neďalekého parku.

Dereka a jeho príbeh spomínam preto, lebo v tragédii, ktorá nasledovala, mal zohrať dôležitú rolu.

5

Začiatkom decembra som dostal informáciu, ktorá patrila k najdôležitejším v mojom doterajšom živote. Lisa Wheelerová, moja kamarátka, ktorá pracovala vo Firestonovej knižnici, mi povedala, že v pavilóne Nassau Hall bude mať prednášku redaktor newyorského literárneho časopisu *Signature*. Tento časopis, dnes už zaniknutý, bol v tom čase veľmi uznávaný, hoci nevychádzal vo veľkom náklade. Lisa mi dala pozvánku a k nej radu, aby som sa po prednáške porozprával s redaktorom a ponúkol mu na prečítanie svoje poviedky. Nebol som hanblivý, ale ani vtieravý, takže som si tri dni lámal hlavu, čo mám spraviť. Napokon som najmä na Laurino naliehanie vybral tri poviedky, vložil som ich do obálky spolu s krátkym textom o sebe a s týmto balíčkom pod pazuchou som sa vybral na prednášku.

Prišiel som skoro, tak som sa rozhodol počkať pred budovou a zapálil som si. Obloha mala olovenosivý odtieň a kde-tu sa ozýval škrekot vrán, ktoré hniezdili v neďalekých stromoch.

Snežilo a bronzové tigre, ktoré strážili vchod do budovy, vyzerali ako marcipánové figúrky na obrovskej torte, posypané cukrom. Podišiel ku mne štíhly muž v menčestrovom saku s koženými záplatami na lakťoch a s kravatou a požiadal ma o oheň. Fajčil vlastnoručne ušúľané cigarety v dlhej kostenej či možno slonovinovej špičke, ktorú držal medzi palcom a ukazovákom ako dandy z edwardovskej éry.

Dali sme sa do reči a spýtal sa ma, čo si myslím o téme prednášky. Priznal som sa, že vlastne ani neviem, o čom to bude, ale že chcem dať svoje poviedky prednášateľovi, ktorý je redaktorom časopisu *Signature*.

„Skvelé," odvetil muž a vyfúkol oblak modrastého dymu. Mal tenké fúziky v ragtimovom štýle. „A o čom sú vaše poviedky?"

Pokrčil som plecami. „Ťažko povedať – bol by som radšej, keby ich čítali, než aby o nich hovorili."

„Viete, že William Faulkner povedal to isté? Dobrú knihu vraj možno len čítať, nie o nej rozprávať. Tak mi ich teda dajte. Stavím sa, že sú v tej obálke."

Od údivu som zalapal po dychu.

„John M. Hartley," predstavil sa, preložil si cigaretovú špičku do ľavej ruky a pravú mi podal.

Potriasol som mu ňou s pocitom, že som začal zle. Všimol si moje rozpaky, povzbudivo sa na mňa usmial a vyceril dva rady zubov zažltnutých od tabaku. Podal som mu obálku s poviedkami a so životopisom. Vzal si ju a strčil do ošúchanej aktovky, ktorú si oprel o kovovú tyč popolníka medzi nami. Dofajčili sme a bez slova sme vošli do posluchárne.

Na konci prednášky, keď zodpovedal všetky otázky z publika, mi diskrétne kývol, aby som za ním prišiel, dal mi vizitku a navrhol mi, aby som sa mu o týždeň ozval.

Celý príbeh som vyrozprával Laure.

„To je znamenie!" vyhlásila víťazoslávne a veľmi presvedčivo.

Nahá sedela na improvizovanom stole, ktorý som dal dokopy v rohu obývačky. Kývala nohami, aby si osušila čerstvo nalakované nechty, a jelenicou si čistila okuliare.

„Toto sa deje, keď je niečo napísané vo hviezdach," pokračovala. „Všetko do seba zapadá a plynie prirodzene ako dobrý román. Vitajte vo svete spisovateľov, pán Richard Flynn!"

„Počkajme a uvidíme," odvetil som skepticky. „Ktovie, či som vybral dobré poviedky a či sa na ne vôbec pozrie. Možno už ležia v koši."

Bola krátkozraká, a keď nemala okuliare, musela žmúriť, aby lepšie videla, čo jej dodávalo nahnevaný výraz. Vrhla na mňa zamračený pohľad a vyplazila mi jazyk.

„Nebuď taký zarytý pesimista! Neznášam pesimistov, najmä mladých. Keď som ako dieťa skúšala niečo nové, môj otec v jednom kuse mlel o neprekonateľných prekážkach, ktoré ma delia od môjho sna. Preto som v pätnástich prestala maľovať, aj keď ma učiteľka chválila, že mám veľký talent. Keď som prvý raz išla na medzinárodnú matematickú súťaž, ktorá sa konala vo Francúzsku, varoval ma, aby som si nerobila veľké nádeje, keďže porota bude nadržiavať Francúzom."

„A mal pravdu? Nadržiavala žabožrútom?"

„Ani trochu. Vyhrala som a na druhom mieste skončil chalan z Marylandu."

Jelenicu položila na stôl, nasadila si okuliare, zdvihla kolená k hrudi a objala si ich, ako keby jej odrazu bolo zima. „Cítim, že všetko dobre dopadne, Richard. Narodil si sa, aby si bol spisovateľom, to vieme obaja. Lenže nič nedostaneš na striebornom podnose. Keď som mala šestnásť a zomrel mi otec, nazerala som do zásuviek v jeho stole, ktoré mával zamknuté. Vždy som sa v nich túžila prehrabávať. Medzi papiermi som tam našla čiernobielu fotografiu dievčaťa zhruba v mojom veku, s čelenkou vo vlasoch. Nebola to krásavica – vyzerala obyčajne –, ale mala pekné oči. Ukázala som fotku mame a tá mi úsečne vysvetlila, že to bola otcova priateľka na strednej škole. Z akéhosi dôvodu si tú fotku nechal. Vieš, ako mi to pripadá? Ako keby bohvie prečo nemal odvahu s tým dievčaťom zostať, a tak sa v ňom nakopilo toľko nešťastia, že ho šíril všade okolo seba, ako keď sépia strieka do vody farbivo, aby sa v ňom stratila. A teraz už zhoďte tie nohavice, šéfe! Nevidíte, že na vás čaká nahá dáma?"

Ukázalo sa, že Laura mala pravdu.

O týždeň sme jedli pizzu v reštaurácii na Nassau Street, keď som si odrazu vzal do hlavy, že by som mal okamžite zavolať do redakcie časopisu *Signature*. Vybral som sa k telefónnemu automatu pri dverách na toalety, vhodil som doň zopár štvrťdolárových mincí a vykrútil som číslo z vizitky, ktorú som od prednášky nosil pri sebe. Zdvihla mladá žena, ktorej som sa predstavil a vypýtal som si pána Hartleyho. O niekoľko sekúnd sa na opačnom konci ozval redaktorov hlas.

Pripomenul som mu, kto som, a on hneď prešiel k veci. „Mám dobré správy, Richard. Zaradím vás do ďalšieho čísla, ktoré vyjde v januári. Bude to silné číslo. Po sviatkoch máme vždy viac čitateľov. Nezmenil som vo vašich textoch ani čiarku."

Zaskočilo ma to.

„A ktorú poviedku ste si vybrali?"

„Sú krátke, tak som sa rozhodol uverejniť všetky tri. Venujem vám dve strany. Mimochodom, budeme potrebovať vašu fotografiu, čiernobielu, portrét."

„To je neuveriteľné!" vyletelo zo mňa a potom som sa koktavo poďakoval.

„Napísali ste veľmi dobré poviedky a zaslúžia si, aby ich ľudia čítali. Rád by som sa s vami po sviatkoch stretol, aby sme sa lepšie spoznali. Ak budete takto pokračovať, máte pred sebou skvelú budúcnosť, Richard. Prajem vám príjemné sviatky. Teším sa, že som vám mohol oznámiť dobré správy."

I ja som mu poprial príjemné sviatky a zavesil som.

„Celý žiariš," konštatovala Laura, keď som si sadol za stôl. „Dobré správy?"

„V januári mi uverejnia všetky tri poviedky," odvetil som. „Len si to predstav, všetky tri! V *Signature*!"

Neoslávili sme to šampanským. Dokonca sme ani nešli do luxusnej reštaurácie. Strávili sme večer doma a robili sme si plány do budúcnosti. Mali sme pocit, akoby boli hviezdy tak blízko, že stačí vystrieť ruku a dotkneme sa ich. V hlave mi ako na kolotoči vírili slová „časopis *Signature*", „tri poviedky", „čiernobiela fotografia" a „spisovateľ" a vytvárali neviditeľnú aureolu slávy a nesmrteľnosti.

Dnes už viem, že náhla zmena, ktorá sa odohrala v mojom živote, ma zaskočila a v každom smere som jej význam zveličoval – *Signature* nebol *New Yorker* a autori dostávali namiesto honoráru len autorské výtlačky. Vtedy som si neuvedomil, že v predchádzajúcich dňoch sa Laura zmenila. Keď si na to teraz spomínam, pôsobila odmerane, akoby sa stále niečím zaoberala, a rozprávala sa so mnou čoraz menej. Zopár ráz som ju pristihol, ako tlmeným hlasom telefonuje, a len čo zbadala, že som v miestnosti, zakaždým zavesila.

Takmer každý deň som chodil do Wiederovho domu, tri či štyri hodiny som pracoval v knižnici, kde sa mi pomaly darilo nastoliť poriadok, večery som trávil s Laurou a všetkých ostatných činností som sa vzdal. Ona si však väčšinou priniesla prácu domov a usadila sa na dlážke, obklopená knihami, stohmi papierov a perami ako šaman vykonávajúci nejaký tajný rituál. Ak si dobre pamätám, už sme sa ani nemilovali. Ráno som vstával skoro, ale zväčša som zistil, že už je preč.

A potom som jedného dňa vo Wiederovej knižnici natrafil na zvláštny rukopis.

Pod poličkami oproti dverám bola malá skrinka, na ktorú som dovtedy nebol natoľko zvedavý, aby som ju otvoril. Hľadal som však kancelársky papier, aby som si nakreslil schému záverečného usporiadania políc pri dverách, kde som začal pracovať, a tak som sa rozhodol nakuknúť do skrinky, aby som nemusel zísť na prízemie po papier na profesorovom stole. Keď som skrinku otvoril, našiel som balík papiera, zopár starých časopisov a hŕbu ceruziek, papierov a fixiek.

Ako som ten balík vyťahoval, spadol mi a hárky sa rozsypali po dlážke. Kľakol som si, chcel som ich pozbierať a vtedy som si všimol, že hrot jednej ceruzky v skrinke je zapichnutý v stene, trčala z miesta, kde sa mali spájať dva diely skrinky. Naklonil som sa bližšie, odsunul som predmety a zistil som, že ľavá strana skrinky má falošnú stenu – bol za ňou priestor vo veľkosti telefónneho zoznamu. Vo výklenku som objavil kartónový fascikel s papiermi.

Vytiahol som ho. Na obale nebol nijaký nadpis, ktorý by objasnil, čo je to za rukopis. Zalistoval som v ňom a zistil som, že je to dielo z oblasti psychiatrie či psychológie, ale bez strany s menom autora a názvom.

Vyzeralo to, akoby tie stránky napísali minimálne dve rozličné osoby. Niektoré boli strojopisné, iné zasa písané čiernym atramentom a drobným písmom, ďalšie očividne písané inou rukou – veľké písmená, ledabolo načmárané modrým guľôčkovým perom, sa nakláňali doľava. Strojopisné a rukou písané stránky boli plné korektorských poznámok a niekde boli priesvitnou lepiacou páskou prilepené jeden či dva odseky.

Rozmýšľal som, či by to mohol byť koncept (alebo jeden z konceptov) slávnej knihy profesora Wiedera, o ktorej mi rozprávala Laura, alebo či je to rukopis nejakého staršieho, už uverejneného diela.

Rýchlo som si prečítal zopár prvých strán, ktoré sa hemžili mne neznámymi vedeckými výrazmi, a potom som všetko vrátil zhruba tam, kde som to našiel. Nechcel som, aby si Wieder všimol, že som objavil jeho skrýšu, alebo aby si myslel, že som mu sliedil v dome.

*

Raz popoludní som stratil pojem o čase, a keď som zišiel na prízemie, narazil som na profesora, ktorý sa práve rozprával s Derekom. Keď údržbár odišiel, Wieder navrhol, aby som zostal na večeru. Bol unavený, pôsobil zachmúrene a prepracovane. Medzi rečou mi poblahoželal k tomu, že mi v časopise prijali poviedky, čo sa zrejme dozvedel od Laury, ale nepýtal sa na podrobnosti, ktoré by som mu bol vďačne porozprával. Začalo husto snežiť. Pomyslel som si, že rozumnejšie by bolo odísť, lebo neskôr budú možno neprejazdné cesty, ale nedokázal som jeho pozvanie odmietnuť.

„Čo keby ste zavolali aj Lauru?" navrhol. „No tak, nedajte sa prosiť! Keby som vedel, že tu budete, bol by som ju pozval. Dnes sme spolu pracovali."

Kým v chladničke hľadal steaky, prešiel som do haly a zavolal som domov. Laura zdvihla takmer okamžite. Oznámil som jej, že som u Wiedera a oboch nás volá na večeru.

„On ti navrhol, aby si mi zavolal?" opýtala sa zádrapčivo. „Kde je teraz?"

„V kuchyni. Prečo?"

„Necítim sa dobre, Richard. Je zlé počasie a čím skôr by si sa mal vrátiť domov."

Nenaliehal som. Povedal som jej, že sa budem ponáhľať, a zavesil som.

Keď som vošiel do obývačky, Wieder na mňa spýtavo pozrel. Medzitým si vyzliekol sako a mal na sebe bielu zásteru, na ktorej bol jasnočervený nápis *Mňamky-hamky, najlepšie od tejto mamky.* Zazdalo sa mi, že schudol a kruhy pod očami má ešte tmavšie ako zvyčajne. V ostrom neóno-

vom svetle z kuchyne mu tvár zostarla o desať rokov a se-
baistotu, ktorá z neho vyžarovala v ten večer, keď sme sa
zoznámili, vystriedal takmer uštvaný výraz.

„Čo povedala?"

„Nechce sa jej vyjsť do tohto počasia. A..."

Prudkým gestom ma prerušil. „To si aspoň mohla nájsť
lepšiu výhovorku!"

Vzal jeden steak, šmaril ho naspäť do chladničky a za-
buchol dvere.

„Ženy môžu povedať, že sú indisponované, a nemusia to
už rozvádzať, však? To je jedna z ich hlavných výhod. Pro-
sím vás, choďte do pivnice a vyberte fľašu červeného. Čaká
nás smutná staromládenecká večera. Ani jeden z nás nie je
futbalový fanúšik, ale po jedle by sme si mohli pozrieť ne-
jaký zápas, dať si pivo a grgať, alebo čo to vlastne robievajú
spokojní chlapi."

Keď som sa vrátil z pivnice s vínom, steaky už škvrčali na
veľkej panvici a Wieder vyrábal zemiakovú kašu z prášku.
Jedno okno bolo otvorené dokorán a vietor vháňal dnu
veľké vločky, ktoré sa v teplom vzduchu okamžite roztá-
pali. Otvoril som fľašu a podľa jeho pokynov som víno pre-
lial do bruchatej karafy.

„Bez urážky, ale keby som Lauru pozval pred rokom,
bola by tu ako na koni, aj keby padali traktory," konšta-
toval, len čo si poriadne odpil z pohára s whisky. „Vypo-
čujte si radu od starca, Richard. Keď žena vycíti, že pre
ňu máte slabosť, začne skúšať svoju moc a pokúsi sa vás
ovládnuť."

„Čo myslíte tým ‚slabosť'?" spýtal som sa.

Neodpovedal, len na mňa uprene pozrel.

Jedli sme mlčky. Steaky pripravil narýchlo a boli takmer surové, zemiaková kaša bola zase hrčkavá. Skoro celú fľašu vína vypil sám, a keď uvaril kávu, nalial si do nej whisky a šálku vyprázdnil veľkými dúškami. Vonku sa strhla fujavica a udierala do okien.

Po večeri dal taniere do umývačky a zapálil si cigaru, ktorú vybral z drevenej škatuľky. Ja som cigaru odmietol a zapálil som si marlborku. Chvíľu neprítomne fajčil, akoby na mňa zabudol. Už som sa mu chcel poďakovať za večeru a oznámiť, že odchádzam, keď zrazu prehovoril.

„Aká je vaša najstaršia spomienka, Richard? Myslím chronologicky. Ľudské spomienky sa väčšinou datujú od dva a pol roka či od troch rokov.“

V kuchyni svietili žiarivky, ale obývačka bola ponorená do polotmy. Pri rozhovore gestikuloval a svietiaci končel jeho cigary v šere kreslil zložité vzory. Dlhá brada mu dodávala výzor biblického proroka vyčerpaného víziami, ktorý sa pokúša ešte raz zachytiť hlas z nebies. Na prstenníku pravej ruky mal červený drahokam, ktorý sa záhadne zaligotal zakaždým, keď poťahoval z cigary. Stôl medzi nami, zakrytý veľkým bielym obrusom, vyzeral ako hladina hlbokého studeného jazera a oddeľoval nás dokonalejšie ako stena.

Nikdy som nerozmýšľal nad svojou prvou spomienkou v „chronologickom“ poradí, ako to vyjadril. Po chvíli sa mi však v mysli začal vynárať moment, o ktorom hovoril, a podelil som sa s ním oň.

„Bol som vo Filadelfii u tety Cornelie. Máte pravdu: musel som mať tri roky alebo to bolo zhruba mesiac pred mojimi tretími narodeninami začiatkom leta v šesťdesiatom deviatom. Bol som na balkóne, ktorý mi pripadal veľmi veľký, a pokúšal som sa vylomiť zo zelenej skrinky drevenú doštičku. Potom prišla mama a odviedla ma odtiaľ. Nespomínam si na cestu vlakom či autom, ani ako to vyzeralo v tetinom dome alebo ako vtedy vyzerala ona a jej manžel. Pamätám si len tú doštičku, skrinku a balkón, na ktorom boli dlaždice maslovej farby, a ešte prenikavú vôňu vareného jedla, ktorá musela vychádzať z kuchyne niekde blízko balkóna."

„Čiže ste mali asi tri roky, keď Armstrong kráčal po Mesiaci," zatiahol. „Mali ste vtedy doma televízor? Odohralo sa to v lete, o ktorom hovoríte."

„Jasné. Na podstavci v obývačke pri okne stála malá farebná telka. Neskôr sme mali väčší televízor, Sony."

„Vaši rodičia s najväčšou pravdepodobnosťou pozerali pristátie na Mesiaci, jeden z najdôležitejších okamihov v dejinách. Spomínate si na niečo z toho?"

„Viem, že to vysielanie pozerali, lebo o tom ešte po rokoch rozprávali. V ten deň bol otec u zubára a mama mu uvarila kamilkový čaj na kloktanie. Nejako sa mu ním podarilo obariť si ústa. Tú historku som počul veľakrát. Nepamätám sa však, ako Neil Armstrong hovorí tie slávne slová, ani neviem, či som ho ako veľkú bielu bábu videl poskakovať po mesačnom povrchu. Samozrejme, tie zábery som si pozrel neskôr."

„Vidíte? V tom veku pre vás pristátie nič neznamenalo. Z akéhosi dôvodu bol pre vás dôležitejší kúsok dreva. No čo keby ste zistili, že ste vo Filadelfii nikdy neboli a že to všetko je len obraz, ktorý si vytvorila vaša myseľ, nie skutočná spomienka?"

E. O. Chirovici

„Už som sa na túto tému rozprával s Laurou. Niektoré spomienky možno sú relatívne, prikrášľujú skutočné udalosti, alebo ich dokonca menia, no myslím si, že sú relatívne len do určitej miery."

„Nie sú relatívne len do určitej miery!" vyhlásil kategoricky. „Dám vám príklad. Stalo sa vám, že ste sa ako malý stratili rodičom pri nákupoch v obchodnom dome?"

„Na nič také si nespomínam."

„V päťdesiatych a šesťdesiatych rokoch, keď malé potraviny všade nahrádzali veľké obchodné domy, sa matky ustavične báli, že sa im deti stratia v dave. Deti z tej generácie, najmä tie z veľkých miest, vyrástli v tieni tohto strašiaka a stále počúvali, aby sa počas nakupovania neodtúlali od mamy. V najhlbších spomienkach majú zakorenenú obavu, že sa stratia alebo ich niekto unesie, aj keď si to už vedome nepamätajú."

Vstal a do dvoch pohárov nalial whisky. Jeden postavil predo mňa a sadol si. Potiahol si z cigary, odpil z pohára, pohľadom ma vyzval, aby som spravil to isté, a pokračoval.

„Pred niekoľkými rokmi som spravil experiment. Vybral som si vzorku študentov, ktorí sa narodili v tom období a pochádzali z miest s vyše tristotisíc obyvateľmi. Ani jeden z nich si nepamätal, že by sa ako dieťa stratil v obchodnom dome. Potom som im v stave hypnózy povedal, že sa stratili. Čo sa podľa vás stalo? Tri štvrtiny mi po prebudení tvrdili, že si pamätajú, ako sa v obchodnom dome stratili, a dokonca ten zážitok opísali: ako sa báli, ako ich našli predavači a zaviedli ich k matkám, ako v reproduktoroch oznamovali, že v reštauračnom oddelení sa našiel Tommy či Harry. Väčšina z nich odmietala uveriť, že to spôsobila len hypnóza spolu so starými obavami z detstva. Tú udalosť si ‚pamätali' tak dobre, až nemohli uveriť, že sa nikdy nestala. Keby som však človeku, ktorý sa narodil a vyrástol v New Yorku, tvrdil, že ho v detstve napadol aligátor, výsledok by bol zrejme nulový, lebo si nespomína, že by sa ako malý bál aligátorov."

„Na čo narážate?" spýtal som sa.

Nemal som chuť na alkohol a už len aróma whisky mi po večeri, ktorú som sa prinútil zjesť, spôsobovala nevoľnosť. Bol som unavený a lámal som si hlavu, či ešte chodia autobusy.

„Na čo narážam? Nuž, narážam na to, že keď som sa zaujímal o vašu spomienku z detstva, porozprávali ste mi o niečom bezpečnom a bežnom, o dieťati, ktoré sa hrá s doštičkou na balkóne. Lenže náš mozog takto nefunguje. Musí existovať nejaký veľmi silný dôvod, prečo si pamätáte toto a nie niečo iné, ak teda predpokladáme, že je to pravda. Možno bol v tej doštičke klinček a poranili ste sa, aj keď na tú časť príbehu ste už zabudli. Možno bol balkón vysoko, možno hrozilo, že z neho vypadnete, a keď vás tam mama našla, spustila krik. Pred istým časom som začal pracovať s...''

Zmĺkol, akoby uvažoval, či má pokračovať. Zrejme sa rozhodol, že áno.

„... s ľuďmi, ktorí zažili veľmi traumatické udalosti. Po čase sa z týchto tráum vyvinuli závažné bloky. Je to takzvaný boxerský syndróm: Keď z vás v ringu takmer vymlátia dušu, veľmi ťažko už pozbierate motiváciu na víťazstvo. Pud sebazáchovy sa stáva silným inhibítorom. Ak teda skupinu študentov možno presvedčiť, že sa kedysi stratili v obchodnom dome, prečo by niekoho, kto také niečo naozaj zažil, nebolo možné presvedčiť, že táto traumatická udalosť sa nikdy ne- odohrala a že mama mu v ten deň len kúpila novú hračku? Nezrušíte účinky traumy, ale samotnú traumu."

„Inými slovami, kaličíte človeku pamäť," povedal som a hneď som aj oľutoval, že som to vyjadril tak priamo.

„Ak existuje veľa ľudí, ktorí idú dobrovoľne pod nôž, aby mali krajšie prsia, nosy a zadky, čo je zlé na kozmetic- kej chirurgii, ktorá upravuje pamäť? Najmä keď sa to týka ľudí, ktorí na tom nie sú lepšie než pokazené hračky, nie sú schopní vykonávať svoju prácu ani normálne fungovať."

„Nie je to, o čom hovoríte, vymývanie mozgov? A čo sa stane, keď sa spomienky v nesprávnej chvíli vynoria? Čo ak sa horolezcovi blok odrazu vráti, práve keď visí na lane vo výške deväťsto metrov?"

Pozrel na mňa s údivom a miernym zdesením. Až do- vtedy hovoril trochu povzneseným tónom, teraz som však zachytil náznak strachu zmiešaného s prekvapením.

„To je veľmi dobrá otázka. Vidím, že ste inteligentnejší, ako som si myslel – bez urážky. Hm, čo sa stane v takejto situácii? Niektorí ľudia to možno budú vyčítať tomu, kto horolezcovi ‚dokaličil' myseľ, ak mám použiť vaše slová."

Zazvonil telefón, no nezdvihol ho a mne zišlo na um, či nevolá Laura. Nato použil svoju známu taktiku a zmenil tému. Zrejme mal pocit, že o svojich experimentoch mi už prezradil priveľa.

„Škoda, že Laura nemohla prísť. Možno by sme sa po- rozprávali o veselších témach. Viem o vašom vzťahu, preto mi už nemusíte klamať. S Laurou pred sebou nemáme ta- jomstvá. Povedala vám o Timothym, však?"

Vedel som, že neblafuje, tak som prisvedčil. Hanbil som sa, že ma prichytil pri klamstve, a uvedomil som si, že s Laurou majú hlbší vzťah, ako som predpokladal, že sa delia o tajné miesto, do ktorého ma napriek mojim ilúziám ešte nevpustili ani ako hosťa.

„Keď som sa vás spýtal, aký je medzi vami vzťah, už som vedel, že ste spolu," pokračoval. „Len som vás skúšal."

„A ja som prepadol."

„Povedzme, že ste sa rozhodli zachovať diskrétnosť a ja som zasa nemal vyzvedať," mávol rukou. „Čo pre vás Laura znamená? Presnejšie, čo si myslíte, že pre vás znamená?"

„Veľa."

„Nezaváhali ste," poznamenal. „Dúfajme, že vám dvom to vyjde. Zatiaľ sa vás nikto nevypytoval, prečo sem chodíte?"

„Nie."

„Keby sa o to niekto – ktokoľvek – zaujímal, okamžite mi to povedzte, dobre?"

„Jasné."

„Super, vďaka."

Rozhodol som sa hrať jeho hru a tentoraz som tému zmenil ja: „Boli ste niekedy ženatý?"

„Môj životopis je prístupný verejnosti, Richard. Prekvapuje ma, že ste ho nečítali. Nie, nebol som ženatý. Prečo? Lebo keď som bol mladší, zaujímalo ma iba štúdium a kariéra a tú sa mi podarilo vybudovať až neskôr. Ak sa dvaja ľudia zoznámia v mladosti a potom spoločne starnú, je pre nich jednoduchšie vyrovnávať sa so zvláštnosťami a zvykmi toho druhého. Pre starších je to takmer nemožné. Alebo som len nestretol tú pravú. Raz som bol po uši zamilovaný do jednej peknej mladej dámy, ale dopadlo to veľmi zle."

„Prečo?"

„Nemám vám povedať aj kód môjho trezoru? Na dnes večer stačilo. Chcete vedieť, aká je moja najstaršia spomienka?"

„Mám pocit, že to zistím."

„Ten pocit je správny, kamarát. Bolo by z vás dobré médium. Takže, nesedel som na balkóne a nepokúšal som sa zo skrinky vylomiť doštičku. Bol som v priestrannej záhrade plnej ruží, bolo krásne letné ráno a svietilo slnko. Stál som vedľa kríkov s veľkými červenými kvetmi a pri nohách som mal tigrovanú mačku. Zohýbal sa ku mne nejaký vysoký a pekný dospelý muž – keď ste batoľa, všetci dospelí vám pripadajú vysokí – a niečo mi hovoril. Mal na sebe tmavú uniformu a na hrudi mu viselo niekoľko medailí. Jedna z nich ma zaujala viac ako ostatné, možno preto, lebo sa veľmi leskla. Myslím si, že bola strieborná a mala tvar kríža. Ten mladý muž s nakrátko ostrihanými plavými vlasmi mi venoval pozornosť a ja som bol na to nesmierne hrdý. To je moja spomienka, ktorú stále živo vidím pred očami. Narodil som sa v Nemecku, ak ste to nevedeli, a som Žid. Do Ameriky som prišiel s matkou a so sestrou, keď som mal štyri roky. Moja sestra Inge bola ešte bábätko. Mama mi neskôr povedala, že v ten deň nás ‚navštívili' nemeckí vojaci a strašne zbili môjho otca – o niekoľko dní v nemocnici zomrel. Mne však v mysli uviazla táto spomienka a prekryla bolestnú udalosť. Ja si radšej spomienky nechávam, aj keď bolia. Niekedy ich používam tak, ako katolíci používajú cilicium, ktoré si ovinú okolo pása či stehna a stále ich zviera. Vďaka nim mám stále na pamäti, čoho sú schopní niektorí zdanlivo normálni ľudia a že v nich niekedy číha netvor."

Vstal a zapol svetlo, také ostré, až som sa mykol. Podišiel k oknu a odtiahol záves.

„Vonku je peklo," konštatoval. „A už je takmer polnoc. Určite nechcete prespať?"

„Laura by si robila starosti," odvetil som.

„Môžete jej zavolať," navrhol a ukázal smerom k hale. „Iste to pochopí."

„Nie, to je v poriadku."

„Tak zavolám taxík. Aj ho zaplatím. Je to moja vina, že ste sa zdržali."

„Bol to zaujímavý rozhovor," poznamenal som.

„Ako som vám už povedal, nemusíte klamať," vyhlásil a išiel do haly zavolať taxík.

V skutočnosti som neklamal. Bol to zrejme najzaujímavejší starší človek, s akým som sa dovtedy stretol, a nielen vďaka svojej povesti a sláve, ale aj vďaka nepopierateľnej osobnej charizme. No zároveň akoby zaviazol v akejsi sklenej kocke, akoby ho tam uväznila vlastná neschopnosť pochopiť, že ostatní nie sú len bábky v jeho čudesných psychologických hrách.

Pristúpil som k oknu. Snehové vločky víriace v žiare svetla na balkóne vyzerali ako húfy duchov. Odrazu sa mi zazdalo, že v tme asi tri metre od okna sa mihla postava a skočila doľava za vysoké magnólie, ovisnuté pod ťarchou snehu. Bol som si takmer istý, že sa mi to nemarilo, hoci viditeľnosť bola veľmi zlá, ale rozhodol som sa, že to pred Wiederom nespomeniem, už aj tak bol vystresovaný.

Po niekoľkých pokusoch sa mu podarilo zohnať taxík a o vyše hodiny som zastal pred naším domom. Taxík ma vypľul do snehu kdesi neďaleko pamätníka a odtiaľ som pokračoval pešo, po kolená som sa zabáral do snehu a po tvári ma šibal mrazivý vietor.

O dvadsať minút som sedel na gauči s Laurou, zabalený do deky, a v ruke som držal hrnček s horúcim čajom.

Odrazu povedala: „Pred tromi hodinami tu bol Timothy." Nikdy nepoužívala skrátenú podobu – Tim či Timmy –, tak ako mňa nikdy neoslovovala Dick alebo Richie. „Myslím si, že ma chce zase otravovať. Neviem, čo mám robiť."

„Porozprávam sa s ním. Alebo by si mala zavolať na políciu, ako som ti už vravel."

„Podľa mňa to nemá význam," rýchlo odvetila, ani nevysvetlila, o ktorom návrhu hovorí. „Škoda, že si nebol doma. Mohli sme to vybaviť priamo na mieste."

„Wieder trval na tom, aby som zostal na večeru."

„A ty si mu musel vyhovieť, však? O čom ste sa rozprávali?"

„O pamäti a tak. Čo keby si mi vysvetlila, prečo si v poslednom čase proti nemu? Nebyť teba, nespoznal by som ho. Ponúkol mi prácu. Je to uznávaný profesor a ja som mu chcel zo zdvorilosti vyhovieť, to je všetko. Viem, ako si ceníš vzťah s ním. A opakujem: ty si trvala na tom, že nás zoznámiš."

Sedela na koberčeku pred gaučom s prekríženými nohami, ako keby sa chystala meditovať. Mala na sebe moje tričko, to s logom Giants, a po prvý raz som si všimol, že schudla.

Ospravedlnila sa mi, že použila taký tón, a potom mi oznámila, že jej mama si v ľavom prsníku objavila hrčku. Bola u lekára a čaká na výsledky z mamografie. O svojej rodine mi doteraz hovorila veľmi málo – boli to len útržky a úlomky spomienok – a nikdy som si z tých častí nedokázal poskladať celistvý obraz, hoci ja som jej o našich povedal všetko. Sviatky som plánoval stráviť s mamou a bratom, mali to byť prvé Vianoce bez otca. Pozval som aj Lauru, ale povedala, že radšej pôjde do Evanstonu. Od odchodu na sviatky nás delilo len zopár dní a ja som už v ústach cítil kovovú pachuť lúčenia. Mal to byť najdlhší čas, ktorý strávime bez seba, odkedy sme sa zoznámili.

Na druhý deň som sa v malom ateliéri v centre dal odfotiť do časopisu *Signature*. Po pár hodinách som si fotky vyzdvihol, dve som poslal na adresu časopisu a dve som si nechal: jednu pre Lauru, jednu pre mamu. Pred odchodom na prázdniny som si ich však zabudol vybrať z tašky, a tak som Laure nemohol dať fotku, ktorá bola určená pre ňu. Keď som si na fotky neskôr spomenul v Ithace, zistil som, že zmizli.

Časopis vyšiel koncom januára, no vtedy ma už prenasledovali detektívi a reportéri, takže som si zmenil adresu a autorské výtlačky mi nikdy neprišli. To číslo som uvidel až o pätnásť rokov, keď mi ho dal jeden kamarát ako darček. Natrafil naň v antikvariáte na Myrtle Avenue v Brooklyne. S redaktorom som sa už nikdy nerozprával. Až začiatkom nového tisícročia som sa náhodou dozvedel, že v lete 1990 zahynul pri autonehode na západnom pobreží.

Ako by zrejme povedala Laura, to, ako sa mi časopis aj literárna kariéra vymkli z rúk, bolo možno znamenie. Potom som už nikdy nič neuverejnil, hoci istý čas som ešte písal.

Profesora Wiedera zavraždili v jeho dome niekoľko dní po našej spoločnej večeri, v noci z 21. na 22. decembra 1987. Polícia napriek usilovnému pátraniu páchateľa nikdy nenašla, ale z dôvodov, ktoré si prečítate ďalej, som bol jedným z podozrivých.

6

Ktosi raz povedal, že začiatok a koniec príbehu v skutočnosti neexistujú. Sú to len okamihy, ktoré subjektívne vybral rozprávač, aby čitateľovi priblížil udalosť, ktorá sa začala už skôr a skončí sa o niečo neskôr.

Môj pohľad na celú záležitosť sa o takmer tridsať rokov zmenil. Mal som odhaliť pravdu o udalostiach, ktoré sa odohrali v priebehu tých mesiacov. Nebol to výsledok cieleného úsilia, odhalenie ma zasiahlo ako zablúdená guľka.

Dlho som uvažoval, kedy presne stroskotal môj vzťah s Laurou a s ním zrejme aj celý môj život alebo aspoň spôsob života, o ktorom som dovtedy snível. Azda sa to stalo vtedy, keď deň po Wiederovej vražde bez rozlúčky zmizla z domu a už nikdy som ju nevidel.

V skutočnosti to však medzi nami začalo škrípať ihneď po tom, čo som zostal u profesora na večeru.

Presne ako na zasneženom končiari, kde môže jediný zvuk či padajúci kameň odštartovať obrovskú lavínu, ktorá zmetie všetko, čo jej stojí v ceste, zdanlivo banálna príhoda mala rozmetať všetko, čo som vedel (alebo som sa nazdával, že viem) o Laure a v konečnom dôsledku aj o sebe.

V ten víkend som sa rozhodol, že pôjdem do New Yorku s jedným známym, Bennym Thornom, ktorý ma požiadal, aby som mu pomohol presťahovať nejaké veci a potom uňho zostal na noc. Sťahoval sa do zariadeného jednoizbového bytu a musel sa zbaviť nadbytočného nábytku, ktorý sa mu nepodarilo predať. Laura mi povedala, že nechce byť v noci sama, preto pôjde k priateľke a bude sa venovať písaniu diplomovej práce. Priateľka sa volala Sarah Harperová a bývala v Rocky Hille. Vo Wiederovej knižnici som postupoval rýchlejšie, ako som očakával, tak som si povedal, že ak vynechám tento predvianočný víkend, nič sa nestane.

Benny sa však hodinu predtým, ako ma mal vyzdvihnúť, pri nakladaní vecí do prenajatej dodávky pošmykol na ľade, spadol a zlomil si nohu, takže po mňa neprišiel, a keď som mu telefonoval, nebral to. Nechal som mu odkaz a vrátil som sa domov, kde som chcel počkať, kedy sa mi ozve. O hodinu neskôr, keď mu lekári nohu zasadrovali, mi volal z nemocnice s tým, že akciu musíme odložiť a uchýlime sa k plánu B, čo znamenalo prenajať si skladovací priestor pri letisku a odviezť jeho veci tam.

Zatelefonoval som do firmy, ktorá prenajímala sklady, a zistil som, že za dvadsať dolárov na mesiac sa dá prenajať jedna bunka. Zvyšok dňa som strávil nakladaním škatúľ do dodávky a ich odvozom do skladu. Potom som vrátil dodávku do požičovne. Benny sa zatiaľ taxíkom odviezol domov a ja som ho ubezpečil, že všetko je vybavené. Ešte v ten večer som mu sľúbil doniesť potraviny.

Laura mi nenechala priateľkino číslo, a tak som jej nemohol zavolať, že nepôjdem do New Yorku. Hľadal som ju na univerzite, lenže medzitým odišla. Zostávalo mi iba pobrať sa domov. Rozhodol som sa zájsť k Wiederovi a nechať jej doma odkaz, keby sa náhodou vrátila. Kľúče od profesorovho sídla sme mávali v prázdnom zaváracom pohári na príborníku spolu s mincami, niklákmi a štvrťdolármi. Práve som sa chystal na odchod, keď pri dverách niekto zazvonil.

Otvoril som a zazrel som muža zhruba v mojom veku, vysokého, chudého, s prepadnutými lícami. Hoci bolo veľmi zima a snežilo, mal na sebe iba tvídové sako a dlhý červený šál, s ktorým vyzeral ako francúzsky maliar. Zjavne bol prekvapený, že som mu otvoril ja, a chvíľu mlčal, len na mňa hľadel, s rukami zasunutými do vreciek na menčestrákoch.

„Pomôžem vám nejako?“ spýtal som sa v presvedčení, že u nás zazvonil omylom.

Vzdychol a zatváril sa smutne.

„Asi nepomôžete...“

„Je len jeden spôsob, ako to zistiť.“

„Som Timothy Sanders,“ dodal. „Prišiel som za Laurou.“

Teraz som zasa ja nevedel, čo robiť. Mysľou mi prebehlo viacero možností. Prvá bola zabuchnúť mu dvere pred nosom, druhá nakričať naňho a zavrieť, posledná pozvať ho dnu, zamestnať ho, potajomky zavolať policajtov, a keď príde hliadka, obviniť ho z obťažovania.

Na vlastný údiv som však povedal: „Laura momentálne nie je doma, no ak chcete, môžete ísť ďalej. Som Richard, chodím s ňou.“

E. O. Chirovici

„To som si aj myslel..." začal. Znovu vzdychol a poobzeral sa – už sa stmievalo. Nato vošiel dnu, ale najskôr si na rohožke otriasol z topánok sneh.

Zastal uprostred obývačky.

„Pekné bývanie," poznamenal.

„Kávu?"

„Nie, ďakujem. Môžem si zapáliť?"

„Vnútri nefajčíme, no môžeme vyjsť za dom. Aj ja mám chuť na cigaretu."

Otvoril som zasklené dvere a on vyšiel von za mnou, cestou po vreckách zhľadúval cigaretu. Napokon vylovil pokrčený balíček Lucky Strikes, jednu vytiahol, prihrbil sa a zapálil si ju.

„Počúvajte," oslovil som ho, „Laura mi o vás hovorila."

Venoval mi rezignovaný pohľad.

„To verím."

„Povedala mi o vašom vzťahu a sťažovala sa, že ju obťažujete. Viem, že ste tu boli aj pred pár dňami, keď som nebol doma."

„To nie je pravda," odvetil tónom, ktorý naznačoval, že sa má na pozore.

Z cigarety ťahal tak mocne, že ju vyfajčil na štyri, päť ťahov. Ruky mal neprirodzene biele, s dlhými útlymi prstami, ako vymodelované z vosku.

„A viem aj to, že ste spolu boli v New Yorku," doložil som, no pokrútil hlavou.

„To musí byť nejaký omyl, v New Yorku sme spolu nikdy neboli. Ak mám povedať pravdu, od vlaňajšieho leta som tam ani nenazrel. Rozhádal som sa s našimi a som odkázaný len sám na seba. Dva mesiace som strávil v Európe."

Keď to vravel, hľadel mi do očí. Navyše to hovoril vyrovnaným, neutrálnym tónom človeka, ktorý tvrdí niečo, čo by malo byť každému jasné, napríklad že Zem nie je plochá.

Odrazu som s absolútnou istotou vedel, že vraví pravdu a Laura mi klamala. Pocítil som nevoľnosť a zahasil som cigaretu.

„Už radšej pôjdem," šepol a pozrel do kuchyne.

„Áno, zrejme by ste mali," odvetil som, lebo som sa nechcel ponížiť a ťahať z neho informácie, hoci ma tá možnosť veľmi pokúšala.

Odprevadil som ho k dverám. Na prahu ešte zastal a dodal: „Naozaj mi je to ľúto. Nechcel som vás uviesť do rozpakov. Určite je to len nedorozumenie a všetko sa vysvetlí."

Odpovedal som, že aj ja to tak vnímam, no klamal som. Rozlúčili sme sa a zavrel som za ním dvere.

Vrátil som sa za dom a jednu za druhou som vyfajčil niekoľko cigariet. Necítil som chlad a nedokázal som myslieť na nič iné len na to, ako sa Laura tvárila, keď mi narozprávala všetky tie lži. Neviem prečo, ale spomenul som si na jeden z prvých večerov, ktorý sme strávili ako milenci. Obaja sme sedeli na gauči, prstami som jej prechádzal po vlasoch a žasol som, aké sú jemné. Teraz vo mne vrela zlosť a rozmýšľal som, ako zistiť, kde býva tá jej priateľka Sarah.

Potom mi z ničoho nič napadlo, že Laura v skutočnosti šla k Wiederovi a tá historka o nocľahu u kamarátky je iba ďalšia lož.

Kľúče od profesorovho domu si však nevzala. Našiel som ich na príborníku a vložil som si ich do vrecka ešte predtým, ako zazvonil Timothy Sanders. Neviem prečo, no zmocnilo sa ma pevné presvedčenie, že Laura je u Wiedera, a ak tam pôjdem, nájdem ich spolu. Bol som si istý, že všetko, absolútne všetko, bola jedna veľká lož a mňa iba využili na nejaký cieľ, ktorý neviem odhaliť. Možno som obeťou odporného zvrhlého experimentu, ktorý so svojím profesorom vymyslela.

Pravdepodobne sa na mne celý čas smiali, pozorovali ma ako hlúpučké pokusné morča. Aj moja práca v knižnici mohla byť len ďalšia mystifikácia, zámienka, pod ktorou ma tam z nejakého zvráteného dôvodu držali. Odrazu som celý príbeh uvidel v inom svetle. Aký som len bol slepý, keď som si neuvedomil, že všetko, čo mi kedy povedala, boli klamstvá, a ani sa nemusela veľmi namáhať, aby vyzneli vierohodne.

Vrátil som sa dnu, zavolal som si taxík a v hustnúcej metelici som sa vybral k profesorovmu domu.

Tu sa úryvok z rukopisu končil. Zhrnul som stránky do-
hromady a položil som ich na stolík. Hodiny na stene uka-
zovali čas jedna štyridsaťšesť po polnoci. Bez prestávky
som čítal vyše dvoch hodín.

Čím mala byť kniha Richarda Flynna?

Bolo to oneskorené priznanie? Dočítam sa, že zabil
Wiedera, no napriek podozreniam polície sa mu podarilo
vyviaznuť a teraz sa rozhodol vyjsť s pravdou von? Vo for-
mulári na stránke našej agentúry uviedol, že celý rukopis
má 78 000 slov, takže niečo dôležité sa muselo odohrať aj
po vražde – profesorova smrť nefigurovala v závere knihy,
ale v jej úvodných kapitolách.

Úryvok sa končil v okamihu, keď rozprávač vyštarto-
val do profesorovho domu. S presvedčením, že Laura mu
v mnohom klamala – vrátane skutočnej povahy ich vzťahu –,
sa tam vybral presne v ten večer, keď Wiedera niekto za-
bil. Aj keby to nespáchal Flynn, šiel tam vtedy, keď sa stala
vražda. Prichytil Lauru a profesora spolu? Bol to zločin
z vášne?

Ak ho i nezabil, o veľa rokov neskôr sa mu podarilo záhadu rozlúštiť a rukopis pekne-krásne odhalí skutočného páchateľa, nech už je ním ktokoľvek. Čo tak Laura Bainesová?

Hovoril som si, načo špekulujem, aj tak čoskoro zistím, ako to naozaj je, a to priamo od autora. Dopil som kávu a pobral som sa do postele, rozhodnutý požiadať Flynna, aby mi poslal kompletný rukopis. Knihy o skutočných zločinoch sú populárne, najmä ak ich autori napísali dobre a venujú sa nezvyčajným, záhadným prípadom. Ako ma informoval google, Wieder bol celebrita a stále zostával významnou postavou v dejinách americkej psychológie, a Flynn mal hladký, pútavý štýl. Bol som preto takmer presvedčený, že mám na dosah úspešný rukopis, za ktorý by vydavateľ vypísal šek na vysokú sumu.

Žiaľ, nedopadlo to tak, ako som si prial.

Richardovi Flynnovi som hneď ráno ešte cestou do práce poslal e-mail z mojej súkromnej adresy. V ten deň sa mi neozval, no predpokladal som, že iba využil predĺžený víkend, doprial si krátku dovolenku a správy si počas nej nečíta.

Po dvoch či troch dňoch bez odpovede som zatelefonoval na číslo mobilu, ktoré uviedol v e-maile. Ozval sa mi odkazovač, ale nemohol som zanechať odkaz, pretože bol plný.

Prešlo ešte niekoľko dní a Flynn stále nič, tak som sa po niekoľkých ďalších pokusoch o telefonické spojenie – mobil si už medzitým vypol – rozhodol zájsť na adresu zo sprievodného e-mailu. Bola to ulica neďaleko Penn Station. Je to kuriózne, keď agent naháňa autora, ale ak hora nepríde k vám, občas musíte ísť vy k hore.

Byt sa nachádzal na druhom poschodí činžiaka na Východnej 33. ulici. Zazvonil som dole pri vchode a po čase sa mi ozval ženský hlas. Povedal som, že som Peter Katz a hľadám Richarda Flynna. Žena mi stroho oznámila, že pán Flynn nie je doma. Vysvetlil som jej, že som literárny agent, a stručne som opísal, prečo som tu.

Chvíľu váhala a potom mi na diaľku odomkla. Výťahom som sa odviezol na druhé poschodie. Už stála vo dverách a predstavila sa ako Danna Olsenová.

Bola to štyridsiatnička s tvárou, na akú človek zvyčajne rýchlo zabudne už krátko po tom, čo ju uvidel. Mala na sebe modrý župan, ebenové vlasy, pravdepodobne nafarbené, si začesala dozadu a pridržiavala ich plastová čelenka.

Kabát som nechal na vešiaku v chodbe a vošiel som do malej, ale úhľadnej obývačky. Posadil som sa na kožený gauč. Pri pohľade na farebné koberce, závesy a na ozdôbky rozložené všade navôkol som nadobudol dojem, že byt skôr patrí osamelej žene než páru.

Keď som jej znovu vyrozprával svoj príbeh, zhlboka sa nadýchla a rýchlo sa rozhovorila: „Richarda pred piatimi dňami odviezli do Nemocnice Všetkých svätých. Minulý rok mu diagnostikovali rakovinu pľúc, tretie štádium, čiže neoperovateľné, a musel začať s chemoterapiou. Istý čas ju znášal dobre, no pred dvoma týždňami dostal zápal pľúc a jeho stav sa prudko zhoršil. Lekári mu nedávajú veľkú nádej."

Vyhŕkol som zopár prázdnych utešujúcich fráz, aké sa od človeka v takej situácii očakávajú. Povedala, že v meste nemá nijakých príbuzných. Pochádzala z Alabamy a s Richardom sa zoznámila pred pár rokmi na workshope o marketingu. Potom si chvíľu písali, spravili si výlet do Grand Canyonu a on trval na tom, aby spolu začali žiť. Tak prišla za ním do New Yorku. Priznala sa mi, že mesto sa jej nezapáčilo, a hoci si našla prácu v reklamnej agentúre, je horšia, než by mohla mať inde. Vlastne to miesto prijala iba kvôli Richardovi. Ak vraj o partnera príde, je odhodlaná vrátiť sa domov.

Niekoľko minút ticho, bez vzlykov plakala, oči a nos si utierala papierovými vreckovkami, ktoré vyťahovala zo škatuľky na bočnom stolíku. Keď sa upokojila, trvala na tom, že mi uvarí šálku čaju, a bola zvedavá na ten rukopis. Zjavne nemala ani potuchy, že jej partner píše knihu o svojej minulosti. Zašla do kuchyne, uvarila čaj a na tácke priniesla kanvicu spolu so šálkami a s cukorničkou.

Vyrozprával som jej, o čom bola časť rukopisu, ktorú som dostal so sprievodným e-mailom. Mal som pri sebe Flynnov list, ukázal som jej ho a ona si ho dôkladne prečítala. Na tvári sa jej odrážalo čoraz väčšie prekvapenie.

„Richard mi o tom vôbec nepovedal," vzdychla trpko. „Pravdepodobne čakal, kým sa mu ozvete."

„Neviem, či som jediný, komu písal," pripustil som. „Nekontaktoval vás iný agent alebo vydavateľ?"

„Nie. Prvý deň po Richardovom odvoze do nemocnice som mala jeho hovory presmerované na môj mobil, potom som jeho mobil vypla. Eddie, Richardov brat v Pensylvánii, a kolegovia z firmy o jeho stave vedia, ale všetci majú moje číslo. Nepoznám heslo k jeho e-mailovému kontu, preto som nemohla čítať jeho správy."

„Takže neviete, kde je zvyšok rukopisu?" spýtal som sa a ona moju obavu potvrdila.

Ponúkla sa, že nazrie do notebooku, ktorý tu Richard nechal. Zo zásuvky vybrala malé Lenovo a zapla ho.

„Tej záležitosti zrejme prikladá veľký význam, inak by vám nebol poslal taký dlhý list," zamyslene poznamenala, kým sme čakali, až sa na ploche notebooku objavia ikonky. „Ak by sme rukopis našli, iste chápete, že sa najprv musím porozprávať s Richardom, až potom vám ho môžem odovzdať."

„Samozrejme."

„A čo by to znamenalo z finančného hľadiska?" opýtala sa a ja som jej vysvetlil, že agent je iba sprostredkovateľ, o honorári a preddavku rozhoduje až prípadný vydavateľ.

Založila si okuliare a pustila sa prehľadávať pamäť. Uvedomil som si, že už meškám na inú schôdzku, tak som tomu človeku zavolal, ospravedlnil som sa mu a poprosil som ho, aby sme termín presunuli na neskôr.

Pani Olsenová mi vzápätí oznámila, že rukopis nie je ani na pracovnej ploche, ani v dokumentoch. Skontrolovala každý súbor, nech už bol uložený pod akýmkoľvek názvom. Nijaké súbory chránené heslom tam neboli. Nadhodila, že dokument si mohol uložiť aj v práci alebo na USB kľúč. V zásuvke, kde našla notebook, bolo takých kľúčov niekoľko. Chystala sa za Richardom do nemocnice a sľúbila mi, že sa ho opýta, kam dal rukopis. Uložila si moje číslo do mobilu s tým, že len čo to zistí, zavolá.

Dopil som čaj a ešte raz som zaďakoval. Už som sa chystal na odchod, keď poznamenala: „Richard sa o tejto záležitosti zmienil až pred tromi mesiacmi. Myslím tým Lauru

Bainesovú. Dovtedy o nej nepadlo ani slovo. Raz večer mu niekto volal na mobil a počula som, ako sa s ním háda. Zašiel do kuchyne, aby som nerozumela, o čo ide, no prekvapil ma jeho tón, lebo Richard málokedy vybuchne. Zúril tak strašne, ako som to uňho ešte nezažila. Keď sa vrátil do obývačky, triasli sa mu ruky. Opýtala som sa ho, s kým hovoril, a on mi povedal, že to bola stará známa ešte z Princetonu, nejaká Laura – vraj mu zničila život a on jej to teraz zráta."

O päť dní mi Danna Olsenová zatelefonovala, že Richard zomrel. Dala mi adresu pohrebného ústavu, keby som sa s ním chcel naposledy rozlúčiť. Vysvetlila mi, že sa za ním vybrala ešte v ten deň, keď som ju navštívil, no po sedatívach bol v bezvedomí a onedlho upadol do kómy, takže na rukopis sa ho už opýtať nemohla. Prezrela aj USB kľúče a cédečka, ktoré mali v byte, ale neobjavila nijaký súbor s rukopisom. Firma, v ktorej pracoval, jej v najbližších dňoch pošle jeho osobné veci, potom prezrie aj tie.

Vybral som sa na pohreb, ktorý sa konal v piatok popoludní. Mesto ležalo pod hlbokou snehovou prikrývkou presne ako v ten deň koncom decembra, keď si smrť našla profesora Josepha Wiedera.

Pred katafalkom, na ktorom v zatvorenej rakve spočívalo telo Richarda Flynna, bol rad stoličiek s hŕstkou ľudí v smútočnom oblečení. Vedľa rakvy bola vystavená zarámovaná fotografia s čiernou páskou, na ktorej sa smutne usmieval štyridsiatnik. Mal dlhú tvár s výrazným nosom a láskavými očami, mierne zvlnené vlasy mu už nad čelom redli.

Pani Olsenová sa mi poďakovala, že som prišiel, a dodala, že tá fotografia bola Richardova obľúbená. Nevedela, kto a kde ju urobil, len že si ju Richard nechával v zásuvke, ktorú žartom volal „vlčí brloh". Ospravedlňovala sa mi, že sa jej nepodarilo objaviť zvyšok rukopisu, ktorý bol pre Richarda určite dôležitý, keď na ňom v posledných mesiacoch toľko pracoval. Nato kývla na melancholického muža a predstavila mi ho ako Eddieho Flynna. Sprevádzala ho nízka živá žena so smiešnym klobúčikom na vlasoch červených ako oheň. Keď mi podala ruku, povedala, že sa volá Susanna Flynnová a je Eddieho manželka. Niekoľko minút sme sa zhovárali len zopár krokov od rakvy a ja som nadobudol čudesný pocit, že sme dávni známi, ktorí sa po dlhšom čase znova stretli.

Na odchode som si pomyslel, že pointu toho príbehu sa zrejme nikdy nedozviem. Bolo úplne jedno, čo sa Richard chystal odhaliť – svoje tajomstvo si podľa všetkého zobral do hrobu.

DRUHÁ ČASŤ

John Keller

Keď sme mladí, sami sebe vymýšľame inú budúcnosť,
keď sme starí, druhým vymýšľame inú minulosť.

JULIAN BARNES: *Pocit konca*

1

S mŕtvymi som sa začal rozprávať vďaka pokazenej stoličke.

Ako by možno povedal Kurt Vonnegut, bol rok 2007 a John Keller sa napokon ocitol na mizine. To som ja – teší ma. Absolvoval som kurz tvorivého písania na Newyorskej univerzite, a ak mám byť úprimný, krúžil som okolo vlastných ilúzií, ako keď nočného motýľa priťahuje nebezpečné svetlo žiarovky. So začínajúcim fotografom Neilom Bowmanom som sa delil o dlhý podkrovný byt na Lower East Side a posielal som rozsiahle a márne žiadosti do literárnych časopisov v nádeji, že niekto z redaktorov mi raz ponúkne prácu. Ani jeden z nich však nebol pripravený všimnúť si moju genialitu.

Strýko Frank – mamin starší brat – zbohatol v polovici osemdesiatych rokov, keď investoval do informačných technológií, ktoré sa vtedy nafúkli ako od steroidov. Mal krátko po päťdesiatke a býval v nablýskanom byte na Upper East Side. V tom čase sa zdalo, že nič nerobí, len kupuje starožitnosti a vláči sa s peknými ženami. Bol fešák, opá-

103

lený zo solária a elegantne oblečený. Občas ma pozýval na večeru k sebe domov alebo do reštaurácie a dával mi drahé dary. Ja som ich potom za polovičnú cenu predával istému Maxovi, ktorý bol jedna ruka s majiteľmi akéhosi pochybného obchodu na Západnej 14. ulici.

Starožitný nábytok v strýkovej obývačke pred mnohými rokmi ktosi kúpil v Taliansku. Stoličky boli z vyrezávaného dreva, s hnedým koženým čalúnením, ktoré časom začalo pripomínať zvráskavené líca. Z jednej nešťastnej stoličky odpadlo operadlo alebo také čosi – podrobnosti si už nepamätám.

Strýko zavolal slávnemu reštaurátorovi z Bronxu, ktorý mal zákazky na niekoľko mesiacov dopredu. Keď počul, že Frank mu zaplatí dvojnásobok bežnej ceny, ak ho uprednostní, schytil debničku s nástrojmi a hneď sa dostavil k strýkovi. Náhodou som tam v ten deň bol aj ja.

Reštaurátor, chlapík v strednom veku s oholenou hlavou, so širokými plecami a s prenikavými očami, oblečený v čiernom ako nájomný vrah, si pokazenú stoličku prezrel, niečo zamrmlal a potom sa rozložil na terase. Bol krásny deň, svietilo slnko a budovy na okolí pripomínali obrovské kusy kremeňa, kúpajúce sa v rannej hmle. Kým reštaurátor predvádzal svoje schopnosti, so strýkom Frankom sme pili kávu a rozprávali sa o dievčatách.

Frank si na stole všimol časopis, ktorý tam položil reštaurátor. Volal sa *Ampersand*, mal štyridsaťosem lesklých strán a na tretej strane, kde bola tiráž, sa uvádzalo, že vydavateľom je spoločnosť na čele s Johnom L. Friedmanom.

Strýko mi povedal, že s Friedmanom študoval na Rutgersovej univerzite. Boli kamaráti, ale pred niekoľkými rokmi stratili kontakt. Čo keby mu zavolal, aby ma pozval na pohovor? Vedel som, že svetu vládnu styky a peniaze, ale bol som mladý a naivne presvedčený, že sa presadím sám, a tak som jeho ponuku slušne odmietol. Okrem toho, vysvetlil som mu po opatrnom prelistovaní časopisu, o okultizme, paranormálnych javoch a o *new age*, čo boli zjavne jeho hlavné témy, nič neviem a ani ma to nezaujíma.

Frank namietol, aby som nebol taký tvrdohlavý. Finančnej intuícii starého kamaráta plne dôveroval – už na vysokej škole bol schopný predať hocičo hocikomu – a dobrý reportér predsa musí zvládnuť akúkoľvek tému. Navyše je oveľa zaujímavejšie písať o Veľkej pyramíde než o nejakom zápase alebo o obyčajnej vražde, nehovoriac o tom, že dnešní čitatelia sú aj tak tupci.

Zavolali sme reštaurátora, aby si dal s nami kávu. Zapojil sa do rozhovoru a stíšeným hlasom nás presviedčal o tom, že starý nábytok má v sebe zakonzervované pozitívne i negatívne energie ľudí, ktorí ho v priebehu rokov používali. Tvrdil, že ich pri dotyku s takým predmetom občas aj pocíti – zachvejú sa mu prsty. Odišiel som, keď Frank priniesol fľašu whisky a reštaurátor začal rozprávať historku o príborníku, ktorý jeho majiteľom priniesol nešťastie.

O dva dni mi strýko zavolal na mobil, že Friedman ma na druhý deň očakáva vo svojej kancelárii. Vraj potrebuje človeka, ktorý pozná abecedu – šéfredaktor, mierne vyšinutý typ, zaplnil redakciu bizarnými postavičkami, ktoré sotva vedia písať. Časopis začal vychádzať pred pár mesiacmi a stále sa neuchytil na trhu.

Aby som svoje rozprávanie skrátil, nechcel som sa so strýkom Frankom pohádať, preto som za Friedmanom zašiel. Prekvapilo ma, že som k nemu hneď pocítil sympatie, a zrejme to bolo obojstranné. Paranormálne javy mal v paži a v duchov absolútne neveril, ale na trhu sa práve objavil priestor pre tento typ časopisu, najmä medzi generáciou *baby boomu*.

Ponúkol mi oveľa väčší plat, než som očakával, a tak som priamo na mieste podpísal zmluvu. Prvú reportáž som venoval reštaurátorovi, keďže som mal pocit, že som mu za vstup do okultnej novinárčiny v istom zmysle zaviazaný. Pre časopis *Ampersand* som pracoval asi dva roky, počas ktorých som sa zoznámil s polovicou všetkých čudákov v meste. Zúčastňoval som sa na vúdú seansách v Inwoode, navštevoval som údajne strašidelné domy v East Harleme. Dostával som listy od čitateľov, ktorí mi pripadali ešte uletenejší ako Hannibal Lecter, aj od kňazov, ktorí ma varovali, že skončím v pekle.

Potom sa Friedman rozhodol vydávanie časopisu ukončiť a pomohol mi získať miesto reportéra v *New York Poste*, kde som pracoval štyri roky, kým ma jeden kamarát nezlanáril do nového časopisu, ktorý vymysleli nejakí investori z Európy. O dva roky, keď internetové periodiká zničili všetko, čo ešte zostalo z tlačených malých denníkov, som sa ocitol bez práce. Začal som písať blog a neskôr spravodajskú stránku, na ktorej som takmer nič nezarobil, žil som na voľnej nohe, z ruky do úst, nostalgicky som spomínal na staré zlaté časy a čudoval som sa, že krátko po tridsiatke si pripadám ako dinosaurus.

*

V tom čase mi kamarát Peter Katz, literárny agent z firmy Bronson & Matters, povedal o rukopise Richarda Flynna. Zoznámili sme sa ešte počas štúdií na Newyorskej univerzite a stali sa z nás kamaráti. Bol to veľmi hanblivý samotár – na večierku by ste si ho splietli s umelou kvetinou –, ale bol veľmi kultivovaný a dalo sa od neho veľa naučiť. Šikovne sa vyhýbal prefíkaným pascám, ktoré mu v spolupráci s rodinami vydajachtivých dievčat nastražila matka, a tvrdohlavo zostával slobodným mládencom. Navyše si vybral dráhu literárneho agenta, aj keď pochádzal zo starej právnickej dynastie, a tak sa doma stal čiernou ovcou.

Peter ma pozval na obed a vybral reštauráciu Candice's na Východnej 32. ulici. Niekoľko dní husto snežilo, hoci sa už začal marec, a doprava kolabovala. Obloha mala farbu roztopeného olova, ktoré sa chystá vyliať na mesto. Peter prišiel v takom dlhom zimníku, až sa oň potkýnal ako jeden zo siedmich trpaslíkov. Niesol starú koženú aktovku, ktorá sa mu v pravej ruke kývala, keď kľučkoval medzi kalužami na chodníku.

Pri šalátc mi vyrozprával príbeh rukopisu. Richard Flynn pred mesiacom zomrel a jeho družka Danna Olsenová tvrdila, že po knihe nenašla ani stopu.

Keď nám priniesli steaky, predložil mi svoju žiadosť. Vedel, že mám dostatočné reportérske skúsenosti, aby som vedel pozháňať informácie. Hovoril s nadriadenými a tí usúdili, že na knižnom trhu má táto téma veľký potenciál. Úryvok z miliónového rukopisu však sám osebe nie je hoden ani cent.

„Som odhodlaný porozprávať sa so slečnou Olsenovou a dohodnúť sa s ňou," povedal mi a zagúľal na mňa tými svojimi krátkozrakými očami. „Pôsobí ako praktická žena. Dohovoriť sa s ňou nebude jednoduché, no myslím si, že dobrú ponuku neodmietne. Flynn jej v poslednej vôli zanechal všetok majetok okrem niekoľkých vecí, ktoré odkázal bratovi Eddiemu. Z právneho hľadiska by nám celkom stačila dohoda so slečnou Olsenovou, chápeš?"

„A ako podľa teba vypátram ten rukopis?" spýtal som sa. „Myslíš si, že na spodnej strane obrúska nájdem nakreslenú tajnú mapu? Alebo mám odletieť na ostrov v Tichom oceáne a kopať pod dvoma palmami, ktoré rastú na severozápade?"

„No tak, neblázni!" upokojoval ma. „Flynn nám v úryvku poskytol množstvo stôp. Poznáme postavy, prostredie a časový horizont. Ak nenájdeš rukopis, môžeš rekonštruovať zvyšok skladačky a úryvok sa stane súčasťou novej knihy, ktorú napíšeš buď ty, alebo niekto iný. Čitateľov predsa zaujíma príbeh Wiederovej vraždy, nie nevyhnutne nejaký Richard Flynn. Ide o rekonštrukciu toho, čo sa udialo v posledných dňoch profesorovho života, chápeš?"

Jeho zvyk opakovať slovo „chápeš" vo mne vyvolal nepríjemný pocit, že pochybuje o mojej inteligencii.

„Chápem," ubezpečil som ho. „Lenže môže to byť aj strata času. Flynn zrejme vedel, čo chce povedať verejnosti, keď sa rozhodol knihu napísať, ale my ani netušíme, čo hľadáme. Máme vyriešiť vraždu, ktorá sa stala pred vyše dvadsiatimi rokmi!"

„Ďalšia hlavná postava Laura Bainesová pravdepodobne ešte žije. Môžeš ju nájsť. Navyše prípad je stále v policajných archívoch, tým som si istý. Je odložený, ako vravia policajti, no spis určite existuje."

Vzápätí na mňa záhadne žmurkol a stíšil hlas, ako keby sa bál, že nás niekto začuje.

„Zdá sa, že profesor Wieder vykonával tajné psychologické experimenty. Len si predstav, čo by si mohol odhaliť!"

Poslednú vetu vyslovil tónom matky, ktorá zaťatému decku sľubuje výlet do Disneylandu, ak si spraví úlohu z matematiky.

Bol som zvedavý, ale ešte som sa nerozhodol.

„Pete, nezišlo ti na um, že ten človek, Flynn, si to celé možno vymyslel? O mŕtvych len dobre, no čo ak vykonštruoval príbeh o smrti slávneho človeka, aby mohol svoj projekt ešte pred smrťou predať, ibaže to nestihol dotiahnuť do konca?"

„Zvažoval som aj túto možnosť. Ako to však zistíme, ak nezačneme pátrať? Podľa toho, čo som sa doteraz dozvedel, Richard Flynn nebol patologický klamár. Naozaj Wiedera poznal a pracoval preňho, naozaj mal kľúče od jeho domu a istý čas ho aj považovali za podozrivého. To všetko som našiel na internete. Potrebujem niekoho dobrého, niekoho ako ty, aby odhalil zvyšok príbehu."

Už ma takmer presvedčil, ale ešte som ho chvíľu nechal v napätí. Po obede som si objednal espreso a on si dal tiramisu.

Dopil som kávu a prestal som ho trápiť. Povedal som, že ponuku prijímam, a podpísal som zmluvu s dodatkom o mlčanlivosti, ktorú priniesol so sebou. Z aktovky vytiahol menší stoh papierov. Podal mi ho so slovami, že je to kópia Flynnovho rukopisu s poznámkami, ktoré si medzitým napísal a od ktorých by som sa mohol pri pátraní odraziť. Papiere som si spolu so svojím exemplárom zmluvy

E. O. Chirovici

vložil do tašky s množstvom priečinkov a vreciek, ktorú som od reportérskych čias vždy nosil so sebou.

Odprevadil som ho k metru, vrátil som sa domov a celý večer som čítal rukopis Richarda Flynna.

2

Na druhý deň som večeral so svojou priateľkou Sam. Bola odo mňa o päť rokov staršia, vyštudovala angličtinu na Kalifornskej univerzite v Los Angeles a po sérii džobov v televíznych staniciach na západnom pobreží sa presťahovala do New Yorku. Stala sa producentkou ranných správ stanice NY1, čiže začínala o piatej ráno a zvyčajne končila o ôsmej večer. Vtedy aj zaspala bez ohľadu na to, či sme boli spolu, alebo nie. Zriedka sme sa rozprávali dlhšie ako päť minút bez toho, aby mi oznámila, že musí niekam zatelefonovať, a strčila si do ucha bezdrôtové slúchadlo od mobilu.

Tri roky bola vydatá za istého Jima Salva, moderátora správ v malej televíznej stanici v Kalifornii. Bol to ten typ sukničkára, ktorému po štyridsiatke zostanú len zlozvyky a pečeň obrastená tukom. Hneď na začiatku vzťahu mi oznámila, že pred štyridsiatkou sa v nijakom prípade druhý raz nevydá a dovtedy chce len nezáväzný vzťah.

Pomedzi telefonáty, karhanie čašníčky, že k nám neprišla skôr, a citácie z akejsi hádky, ktorú mala so šéfmi, si vy-

E. O. Chirovici

počula príbeh rukopisu Richarda Flynna. Zdalo sa, že ju
zaujal.

„John, toto by mohla byť bomba!" povedala. „Je to ako
od Trumana Capoteho, nemyslíš? Čitatelia takéto témy
strašne žerú."

Z jej úst to bol ten najlepší možný verdikt. Ak niečo ne-
mohla byť „bomba", bola to pre ňu strata času, či už šlo
o televízne správy, vydanie knihy, alebo o sex.

„Hej, mohla by, lenže najskôr musím objaviť rukopis
alebo rozlúštiť tú záhadnú vraždu."

„Ak nie, na základe toho úryvku napíšeš knihu. Na tom
si sa predsa dohodol s Petrom, nie?"

„Jasné, no na také veci nie som odborník."

„Časy sa menia a ľudia sa musia meniť s nimi," stručne
ma poučila. „Myslíš si, že dnes vyzerá televízia tak ako
pred pätnástimi rokmi, keď som prvý raz vkročila do spra-
vodajského štúdia? Všetci musíme robiť všeličo možné,
čo sme predtým robiť nemuseli. Úprimne ti poviem, bu-
dem radšej, ak ten rukopis nenájdeš. Chcem totiž o ne-
jaký rok vidieť tvoje meno na obálke knihy vo výklade
u Rizzoliho."

Po odchode z reštaurácie som sa pobral domov a pus-
til som sa do práce. Rodičia sa pred dvoma rokmi odsťa-
hovali na Floridu, staršia sestra Kathy si vzala chlapíka zo
Springfieldu v Illinois, a len čo skončila vysokú, odsťaho-
vala sa tam. Býval som vo štvrti Hell's Kitchen alebo Clin-
ton, ako ju dnes realitní agenti volajú, v štvorizbovom byte,
v ktorom som vyrástol. Budova bola stará, miestnosti malé
a tmavé, byt mi však patril a aspoň som si nemusel robiť
starosti s nájomným.

Začal som tým, že som si znovu prečítal úryvok z rukopisu a rôznofarebne som si podčiarkoval úseky, ktoré sa mi zdali dôležité: modrou fixkou to, čo súviselo s Richardom Flynnom, zelenou pasáže týkajúce sa Josepha Wiedera a žltou tie s Laurou Bainesovou. Meno Dereka Simmonsa som si podčiarkol modrým perom, pretože Richard v úryvku zdôraznil, že tento muž zohral v celej záležitosti významnú rolu. Spísal som si osobitný zoznam zvyšných mien, ktoré sa v rukopise vyskytovali a pri troche šťastia by mohli poslúžiť ako zdroje informácií. Ako reportér som už dávnejšie zistil, že ľudia väčšinou radi hovoria o svojej minulosti, akurát ju trochu prikrášľujú.

Načrtol som si tri hlavné smery pátrania.

Prvý a najjednoduchší bol nahodiť siete do hlbokého jazera internetu, zatiahnuť a zistiť, čo sa o vražde a o jej aktéroch vynorí na hladinu.

Druhý – vystopovať ľudí spomenutých v rukopise, najmä Lauru Bainesovú, a presvedčiť ich, aby mi porozprávali, čo o prípade vedia. Peter v poznámkach uviedol, že Richard Flynn sa podľa jeho družky krátko pred smrťou telefonicky pohádal so ženou menom Laura, ktorá mu, ako tvrdil, „zničila život" a teraz jej to chcel „zrátať". Bola to Laura z jeho rukopisu?

Tretí by ma zaviedol do policajného archívu vo West Windsore v okrese Mercer, kde by som sa mal pokúsiť vyhľadať výpovede, hlásenia a záznamy z výsluchov, ktoré pri riešení prípadu zhromaždili detektívi. Wieder bol verejne známa obeť a vyšetrovanie pravdepodobne prebehlo podľa pravidiel, aj keď s nulovým výsledkom. Moje postavenie reportéra na voľnej nohe mi u policajtov zrejme nepomôže,

E. O. Chirovici

ale ak niekde uviaznem, požiadam Sam, aby povolala po-
sily – čiže všemocnú stanicu NY1.

A tak som začal Richardom Flynnom.

Všetky informácie, ktoré som už o ňom mal, zodpo-
vedali tým, ktoré som našiel na internete. Naozaj praco-
val pre malú reklamnú agentúru Wolfson & Associates.
Na firemnej stránke som si otvoril jeho krátky životopis,
ktorý mi potvrdil zopár údajov z rukopisu. Študoval an-
gličtinu na Princetonskej univerzite, promoval v roku 1988
a o dva roky neskôr získal magisterský titul na Cornello-
vej univerzite. V agentúre prešiel nižšími pozíciami, kým
ho povýšili do stredného manažmentu. Z ďalších strá-
nok som zistil, že tri razy venoval peniaze Demokratic-
kej strane, bol členom klubu športových strelcov a v roku
2007 vyjadril hlbokú nespokojnosť so službami istého ho-
tela v Chicagu.

Keď mi strýčko google prestal klebetiť o Flynnovi, pus-
til som sa do hľadania správ o Laure Bainesovej. Prekva-
pilo ma, že som nenašiel nič... alebo takmer nič. Existo-
valo veľa osôb s rovnakým menom, ale tie, o ktorých sa mi
podarilo čosi nájsť, sa nezhodovali so ženou, po ktorej som
pátral. Našiel som ju v zozname absolventov štúdia mate-
matiky na Chicagskej univerzite v roku 1985 a štúdia psy-
chológie na Princetonskej univerzite v roku 1988, odvtedy
som však nenarazil ani na jedinú zmienku o tom, čo robí
alebo kde žije. Ako keby sa rozplynula. Pomyslel som si, že
sa zrejme vydala a zmenila priezvisko, takže sa k nej bu-
dem musieť dostať inak, ak, pravda, ešte žije.

Ako som očakával, najviac informácií bolo o profesorovi
Josephovi Wiederovi. Wikipédia mu venovala podrobné

114

heslo a jeho životopis mal čestné miesto medzi všetkými významnými osobnosťami, ktoré za tie roky na Princetone učili. Zistil som, že stránka Google Scholar uvádza vyše dvadsaťtisíc odkazov na jeho knihy a články. Niektoré jeho publikácie sú stále v tlači a dajú sa kúpiť v internetových kníhkupectvách.

Z toho, čo som prečítal, som zistil toto: Joseph Wieder sa narodil v Berlíne v roku 1931 v stredostavovskej židovsko-nemeckej rodine. V množstve rozhovorov uviedol, že jeho otca, lekára, na jar 1934 zbili nemeckí vojaci pred očami jeho tehotnej manželky a zakrátko zomrel.

O rok, po narodení jeho sestry, sa všetci traja vysťahovali do Spojených štátov, kde mali príbuzných. Najprv bývali v Bostone, potom v New Yorku. Wiederova ovdovená matka sa druhý raz vydala za architekta Harryho Schoenberga, ktorý bol od nej o štrnásť rokov starší. Aj keď si jej deti adoptoval, na pamiatku si ponechali priezvisko biologického otca.

Nanešťastie Joseph a jeho sestra Inge už o desať rokov osireli, keď Harry a Miriam Schoenbergovci zahynuli počas plavby na Kubu. Harry bol vášnivý jachtár a jachta, na ktorej sa plavili spolu s ďalším manželským párom z New Yorku, zmizla bez stopy počas búrky. Telá sa nikdy nenašli.

Siroty zdedili veľký majetok, odišli bývať k strýkovi na sever štátu a ich životy sa uberali iným smerom. Joseph bol študijný typ, najprv navštevoval Cornellovu univerzitu, potom Sorbonnu a Cambridge. Inge sa stala modelkou, koncom päťdesiatych rokov pomerne slávnou, krátko nato sa vydala za bohatého talianskeho podnikateľa a presťahovala sa do Ríma, kde sa natrvalo usadila.

Joseph Wieder vydal jedenásť kníh, pričom jedna z nich mala silne autobiografický obsah. Volala sa *Spomínanie na budúcnosť: Desať esejí o ceste k sebe* a vyšla vo vydavateľstve Princeton University Press v roku 1984.

Našiel som aj množstvo správ o vražde.

Wiederovo telo objavil Derek Simmons, v článku uvádzaný ako údržbár v dome obete a potenciálny podozrivý. Dvadsiateho druhého decembra 1987 o 6.44 zavolal z profesorovho domu na núdzovú linku a spojovateľke povedal, že ho našiel ležať v kaluži krvi v obývačke. Zdravotníci, ktorí prišli na miesto činu, už nič nezmohli a vyhlásili ho za mŕtveho.

Obhliadač na základe pitvy zistil, že Wieder zomrel asi o druhej hodine ráno. Odhalil vnútorné i vonkajšie krvácanie, ktoré okolo polnoci spôsobili údery tupým predmetom, zrejme bejzbalovou palicou, a na svedomí ich mal jeden páchateľ. Kriminalisti predpokladali, že obeť dostala prvý úder, keď sedela na gauči v obývačke. Vrah vošiel prednými dverami a prikradol sa zozadu. Profesorovi, ktorý bol fyzicky zdatný, sa podarilo vstať z gauča a pokúsil sa ujsť k oknu obrátenému k jazeru, pričom odrážal ďalšie údery, ktoré mu spôsobili fraktúry oboch predlaktí. Potom sa uprostred miestnosti obrátil a chcel sa brániť. Počas zápasu s útočníkom televízor spadol na dlážku. Tu dostal smrteľný úder do oblasti ľavého spánku. (Vyšetrovatelia na základe toho usúdili, že vrah bol s najväčšou pravdepodobnosťou pravák.) Wieder zomrel o dve hodiny na zastavenie srdca a vážne mozgové poranenie spôsobené posledným úderom.

Derek tvrdil, že keď ráno prišiel k profesorovmu domu, predné dvere boli zamknuté a okná zavreté bez stopy po násilnom vniknutí. Preto sa predpokladalo, že vrah mal kľúče od domu, odomkol si, Wiedera prekvapil a po spáchaní vraždy za sebou zamkol. Pred odchodom sa ešte prehrabával v obývačke. Motívom však nemohla byť lúpež. Profesor mal na ľavom zápästí rolexky a na pravej ruke prsteň s drahokamom. V nezamknutej zásuvke polícia našla okolo sto dolárov v hotovosti. Z domu nezmizli nijaké cenné starožitnosti.

Detektívi v obývačke objavili dva nedávno použité poháre, na základe čoho predpokladali, že domáci pán v ten večer s niekým popíjal. Obhliadač zistil, že profesor pred vraždou požil značné množstvo alkoholu, stopy po narkotikách či po liekoch v tele neobjavil. Nevedelo sa, že by chodil s nejakou ženou. Nemal stálu partnerku a nikto z jeho priateľov a kolegov si nespomínal, že by mal v poslednom čase s niekým vzťah. Detektívi preto dospeli k záveru, že to zrejme nebol zločin z vášne.

Podľa správ v novinách som zhruba zrekonštruoval, čo sa stalo v období po vražde.

V novinách sa meno Laury Bainesovej nespomenulo ani raz, hoci meno Richarda Flynna sa tam vyskytlo niekoľkokrát. Ako som už vedel z rukopisu, Flynn bol chvíľu podozrivý, keď z vyšetrovania vylúčili Dereka Simmonsa, ktorý mal „silné alibi“. Nenašiel som ani zmienku o tom, že by sa Wieder podieľal na tajných psychologických experimentoch. Opakovane sa však zdôrazňovalo, že v policajných kruhoch v New Jersey a v New Yorku bol známou postavou, keďže pôsobil ako súdny znalec pri posudzovaní duševného zdravia páchateľov trestných činov.

Aj túto jeho aktivitu brali detektívi ako možnú stopu. Preštudovali všetky prípady, v ktorých Wieder svedčil, najmä tie, ktoré pre obvineného nedopadli priaznivo. Čoskoro sa však ukázalo, že je to slepá ulička. Nikoho z usvedčených na základe Wiederovho svedectva v poslednom čase neprepustili, s výnimkou istého Gerarda Panka, ktorý vyšiel zo štátnej väznice Bayside. Panko však takmer ihneď po prepustení utrpel infarkt. Z nemocnice sa dostal len týždeň pred profesorovou vraždou a lekári dospeli k záveru, že by fyzicky nebol schopný útoku. Táto hypotéza sa teda zamietla.

Richarda Flynna opakovane vypočúvali, ale nikdy ho oficiálne nevyhlásili za podozrivého ani neobvinili. Najal si obhajcu Georgea Hawkinsa, ktorý policajtov obvinil zo šikanovania a naznačil, že chcú z Flynna spraviť obetného baránka, aby zakryli vlastnú nekompetentnosť.

A aká bola Flynnova verzia udalostí? Čo presne povedal detektívom a reportérom? Na základe článkov, ktoré som našiel, sa zdalo, že jeho výpovede sa líšili od toho, čo uviedol v rukopise.

Po prvé, vôbec nespomenul, že Wiederovi ho predstavila Laura Bainesová. Vyjadril sa, že s profesorom ich zoznámil „spoločný priateľ", lebo profesor hľadal niekoho vhodného na prácu na čiastočný úväzok do knižnice. Flynn bol zamestnaný vo Firestonovej knižnici a Wieder potreboval človeka, ktorý by mu tú jeho vedel usporiadať pomocou počítačového systému. Profesor mu dal kľúče, keby chcel pracovať, keď nebude doma. Často totiž cestoval mimo mesta. Flynn kľúče zopár ráz použil a vošiel do profesorovho domu, keď bol preč. Wieder ho niekoľkokrát pozval, aby sa s ním navečeral. Raz v piatok hral s profesorom a s jeho dvoma kolegami poker. (Táto epizóda sa v rukopise neobjavila.) Zoznámil sa aj s Derekom Simmonsom, pričom jeho príbeh mu porozprával Wieder osobne.

S profesorom nemal nijaký konflikt a ich vzťah by sa dal opísať ako „bezproblémový a priateľský". Wieder mu nikdy nepovedal, že sa niekým alebo niečím cíti ohrozený. Naopak, bol uvoľnený a rád žartoval. Ochotne hovoril o svojej novej knihe, ktorá mala vyjsť na nasledujúci rok, a očakával, že dosiahne veľký akademický aj komerčný úspech.

Žiaľ, Flynn nemal na noc vraždy alibi. Na konci rukopisu tvrdil, že k profesorovi sa vybral možno dvadsať minút po návšteve Timothyho Sandersa, čo by znamenalo, že to bolo okolo šiestej večer. Vypočítal som si, že cesta tam by mu trvala dvadsať minút, v zlom počasí možno aj dlhšie, a cesta naspäť podobne. Lenže vyšetrovateľom povedal, že k Wiederovi vyrazil okolo deviatej, keďže sa s ním chcel pred odchodom na vianočné sviatky ešte porozprávať o niečom, čo sa týkalo knižnice. Ďalej uviedol, že domov sa vrátil o desiatej po rozhovore s profesorom a krátko nato si šiel ľahnúť. Klamal počas vyšetrovania alebo klamal pri písaní rukopisu? Alebo ho zradila pamäť?

V tých rokoch, ako potvrdil sám Flynn v rukopise, bola v New Yorku veľmi vysoká kriminalita, najmä po náhlom prílive metamfetamínu a kreku do predmestí. Zopár dní po Wiederovej smrti, medzi Vianocami a Novým rokom, len o dve ulice od jeho domu spáchali dvojnásobnú vraždu. Obeťami boli manželia Eastonovci, on mal sedemdesiatosem a ona sedemdesiatdva rokov. Detektívi zistili, že páchateľ sa k nim vlámal o tretej ráno, manželov zavraždil a potom vykradol dom. Ako vražedné zbrane použil mäsiarsky nôž a kladivo. Keďže vrah vzal z príbytku hotovosť a šperky, motívom bola jednoznačne lúpež. Ukázalo sa, že tu nie je veľa podobností s Wiederovým prípadom. Policajtov to nezastavilo. Využili, že podozrivého zatkli len o týždeň neskôr, keď sa v záložni v Princetone pokúšal predať šperky ukradnuté z domu starých manželov. A tak sa Martin Luther Kennet, dvadsaťtriročný černoch so záznamom v registri trestov a známy narkoman, stal hlavným podozrivým aj vo vyšetrovaní vraždy Josepha Wiedera.

Odvtedy – teda od začiatku januára 1988 – v článkoch o vražde spomínali Richarda Flynna iba letmo. Wiederova sestra Inge Rossiová zdedila celý majetok okrem malej sumy, ktorú nebohý v poslednej vôli odkázal Simmonsovi. „STRAŠIDELNÝ DOM NA PREDAJ" – tak znel titulok článku, ktorý vyšiel 20. apríla 1988 v *Princeton Gazette* o vile nebohého profesora Wiedera. Reportér tvrdil, že po tragédii má zlú povesť. Dvaja ľudia vo štvrti vraj boli ochotní odprisahať, že videli, ako sa vnútri pohybovali zvláštne svetlá a tiene, takže realitné kancelárie zrejme budú mať čo robiť, aby ju predali.

Martin Luther Kennet odmietol ponuku štátneho zástupcu v okrese Mercer – keby ho uznali vinným, nedostal by trest smrti – a do konca tvrdil, že je nevinný.

Priznal, že predával drogy v areáli univerzity a na Nassau Street, a tvrdil, že jeden z jeho občasných zákazníkov, ktorého meno nepoznal, mu nechal šperky ukradnuté Eastonovcom ako záruku výmenou za isté množstvo trávy. Na noc, keď zavraždili starých manželov, nemal alibi. Bol sám doma a pozeral videokazety, ktoré si požičal deň pred-

tým. Keď sa zákazník po šperky nevrátil, Kennet, neve-
diac, že sú kradnuté, ich odniesol do záložne. Keby vedel,
odkiaľ sú, prečo by bol taký hlúpy a pokúsil sa ich za bie-
leho dňa strčiť do záložne, o ktorej sa vie, že udáva klien-
tov polišom? Čo sa týka Wiedera, v živote o ňom nepočul.
Ak si dobre pamätá, večer, keď ho zavraždili, bol v herni
a odišiel z nej na druhý deň skoro ráno.

Kennet však mal iba obhajcu ex offo, ktorého mu pri-
delil súd, s menom neveľmi vhodným pre odvážneho bo-
jovníka proti nespravodlivosti – Hank Pelican. Všetci to
chceli mať čím skôr z krku a ušetriť peniaze daňovníkov,
takže o pár týždňov ho porota uznala vinným a sudca mu
dal doživotie. V tom čase v štáte New Jersey síce ešte exis-
toval trest smrti – zrušili ho v roku 2007 –, no podľa re-
portérov sudca vzal do úvahy Kennetov mladý vek, a preto
mu neudelil trest smrti, ktorý navrhoval štátny zástupca.
Mal som pocit, že dôkazy obžaloby sudcu Ralpha M. Jack-
sona, starého harcovníka, vôbec nepresvedčili. Žiaľ, po-
rote stačili.

V každom prípade prokurátori sa napokon rozhodli ne-
obviniť Kenneta z Wiederovej vraždy. Ďalšie stopy nenašli.
Do správ sa dostali iné titulky a rozruch postupne utíchol.
Zo zločinu vo West Windsore sa stal odložený prípad.

O jedenástej večer som si pozrel správy na NY1 – bol to
zvyk z reportérskych čias. Potom som si uvaril čaj, vypil
som si ho pri okne a pokúšal som sa dať dokopy informácie
z Flynnovho rukopisu s tým, čo som našiel na internete.
Vzťah medzi profesorom Wiederom a jeho chránenky-
ňou Laurou Bainesovou, ktorý bol možno viac než profe-

sionálny, musel byť medzi vyučujúcimi na katedre psychológie známy, a tak som si položil otázku, prečo mladú ženu nevypočúvala polícia. Aj keby kľúče, ktoré jej dal profesor, mal v ten večer so sebou Richard Flynn, kedykoľvek predtým si mohla dať spraviť ďalšie. Vyzeralo to, že na ňu policajtov a novinárov nikto neupozornil: ani Flynn, ani profesorovi kolegovia, ani jej spolužiaci, ani Derek Simmons, ktorého zopár ráz vypočúvali. Ako keby ich vzťah musel byť pred verejnosťou za každú cenu utajený.

Profesor bol silný chlap, ktorý v mladosti posilňoval a boxoval. Prvý úder prežil, a dokonca sa pokúšal s útočníkom bojovať. Keby naňho zaútočila žena, musela by byť výnimočne silná, aby odolala protiútoku takého muža, najmä keď bojoval o život. Brutalita vraždy skôr poukazovala na to, že vrahom bol muž. Bolo nepravdepodobné, že by Laura Bainesová – ktorú Flynn opísal ako krehkú a neveľmi fyzicky zdatnú ženu – mohla byť páchateľka. A to najdôležitejšie: aký by mala motív? Prečo by chcela zabiť človeka, ktorý jej pomohol a od ktorého zrejme závisela jej kariéra?

Lenže Flynn svojej družke povedal, že Laura mu „zničila život“ a že „jej to teraz zráta“. Podozrieval ju z vraždy alebo jej iba vyčítal, že mu dala kopačky a nechala ho v kaši? Jeho konanie mi však nepripadalo veľmi logické. Ak ho Laura nechala v kaši, prečo sa jej nepomstil počas vyšetrovania, keď bol sám podozrivý a nemal ani alibi? Prečo ju neodhalil pred novinármi a nepokúsil sa presunúť na ňu aspoň časť viny? Prečo ju ochraňoval a názor zmenil až po vyše dvoch desaťročiach? Prečo si myslel, že mu Laura zničila život? Hrozbe obžaloby napokon unikol. Stalo sa potom ešte niečo?

Kým som zaspal, stále som nad tým všetkým rozmýšľal. Bol som takmer stopercentne presvedčený, že pod povrchom prípadu sa skrýva niečo oveľa temnejšie a záhadnejšie ako to, čo Flynn prezradil v úryvku z rukopisu alebo čo v tom čase zistila polícia. Bol som vďačný Petrovi, že mi túto hádanku zveril.

V mysli sa mi vynoril ešte jeden detail, ktorý ma zaujal – nejaký dátum, meno, čosi, čo tam nesedelo. Bol som však vyčerpaný a v polospánku, takže som si na to nevedel spomenúť. Ako keď niečo na zlomok sekundy zazriete kútikom oka a po chvíli už neviete, či ste to naozaj videli.

3

Na druhý deň ráno som si spísal zoznam ľudí, ktorých som potreboval vyhľadať, a ak to bude možné, aj presvedčiť, aby sa so mnou porozprávali. Na prvom mieste bola Laura Bainesová, lenže som netušil, ako ju mám nájsť. Zároveň som začal listovať v starých adresároch, hľadal som kontakt alebo známeho na polícii vo West Windsore, ktorá od čias tragédie z konca osemdesiatych rokov stále sídlila na tej istej adrese.

Pred niekoľkými rokmi, keď som robil pre *New York Post*, som sa zoznámil s istým Harrym Millerom. Bol to súkromný detektív z Brooklynu, ktorý sa špecializoval na pátranie po nezvestných osobách. Tento nízky a obézny chlapík, ktorý večne chodil v pokrčenom obleku s úzkou kravatou a s cigaretou za uchom, vyzeral ako postava z filmových detektívok zo štyridsiatych rokov. Býval vo štvrti Flatbush a potreboval solventných zákazníkov, keďže bol ustavične na mizine. Bol to hazardér, tipoval v konských dostihoch a väčšinou prehrával. Zavolal som mu na mobil a ozval sa mi z nejakej hlučnej krčmy, kde každý hosť musí zvýšiť hlas, aby ho bolo počuť.

„Nazdar, Harry, si to ty?"

„Keller? Dávno sme sa nevideli. Prežívam ďalší deň na planéte opíc," odvetil kyslo. „Predstieram, že nie som človek, aby som neskončil v klietke. Odporúčam ti to isté. No vyklop, čo máš na srdci!"

Zhruba som mu opísal, o čo ide, požiadal som ho, aby si zapísal dve mená – Derek Simmons a Sarah Harperová –, a porozprával som mu, čo o tých dvoch viem. Kým si robil poznámky, počul som, ako mu na stole pristál tanier a ďakuje nejakej Grace.

„Pre koho teraz pracuješ?" spýtal sa podozrievavo.

„Pre jednu literárnu agentúru."

„Odkedy sa literárne agentúry vŕtajú v starých vraždách? Musia v tom byť pekné prachy, čo?"

„Jasné, o to sa neboj. Hneď ti môžem niečo poslať. Mám aj ďalšie mená, no chcem, aby si začal s týmito dvomi."

Zdalo sa, že mu odľahlo.

„Uvidím, čo sa bude dať robiť. S Derekom by nemal byť problém, ale o tej babe, Sarah Harperovej, si mi povedal len to, že pravdepodobne v osemdesiatom ôsmom promovala na Princetone zo psychológie. Nemám sa veľmi čoho chytiť. O niekoľko dní ti zavolám," ubezpečil ma, nadiktoval mi číslo svojho bankového účtu a zavesil.

Otvoril som si notebook a previedol som mu peniaze na účet. Potom som sa oprel na stoličke a znovu som sa zamyslel nad Laurou Bainesovou.

Pred šiestimi či siedmimi mesiacmi, skôr ako Flynn začal pracovať na rukopise, sa muselo stať čosi, čo ho vyprovokovalo, aby sa do toho pustil. Niečo mimoriadne dôležité, aby to zmenilo celý jeho pohľad na udalosti, ktoré

sa odohrali v roku 1987, ako naznačil v sprievodnom liste
Petrovi Katzovi. Keď sa Danna Olsenová stretla s Pet-
rom, bola rozrušená z Flynnovej choroby a mohla pre-
hliadnuť určité detaily, ktoré by môjmu pátraniu možno
pomohli. Rozhodol som sa, že najlepšie bude porozprá-
vať sa s ňou, a zavolal som na číslo, ktoré som dostal od
Petra. Nikto nedvíhal, a tak som nechal odkaz. Predsta-
vil som sa, vysvetlil som, o čo mi ide, a dodal som, že ešte
zavolám. Nedostal som sa k tomu, lebo už o pár minút sa
mi ozvala.

Hneď na začiatku rozhovoru som zistil, že Peter s ňou
už telefonoval. Spomenul moje meno s tým, že do knihy
o skutočných kriminálnych prípadoch zhromažďujem in-
formácie o smrti Josepha Wiedera.

Ešte bola v New Yorku, ale o týždeň, dva sa chystala
odísť. Rozhodla sa, že byt predsa len nepredá, a kontak-
tovala realitnú kanceláriu, aby ho prenajala. Poprosila ju
však, aby to začala zariaďovať až po jej odchode – nezniesla
predstavu, že by jej cudzí ľudia snorili po byte, kým tam
ešte býva. Niečo venovala charite a veci, ktoré si chcela zo-
brať so sebou, začala postupne baliť. So sťahovaním jej mal
prísť pomôcť synovec z Alabamy s vlastnou dodávkou. Vy-
rozprávala mi to tak podrobne, ako keby hovorila s kama-
rátom, no hlas mala monotónny, priam robotický, a medzi
slovami robila dlhé pauzy.

Pozval som ju na obed, ale odmietla, vraj sa so mnou
radšej stretne doma. Tak som pešo vyrazil k Penn Station
a o dvadsať minút som zazvonil na zvonček.

Byt bol hore nohami, ako to býva pred sťahovaním.
V predsieni sa povaľovali kartónové škatule zalepené pás-

kou. Na každej bolo čiernou fixkou napísané, čo obsahuje, takže som videl, že väčšina z nich je plná kníh. Danna Olsenová ma pozvala do obývačky a urobila čaj. Pili sme ho a zdvorilo sme konverzovali. Porozprávala mi, ako ju šokovalo, keď sa s ňou počas hurikánu Sandy istá mladá žena pohádala pri čakaní v rade na čerpacej stanici. V Alabame síce počúvala o záplavách a hurikánoch, no boli to samé hrdinské príbehy, v ktorých susedia riskovali životy, aby zachránili ostatných, alebo policajti a hasiči ratovali uprostred kataklizmy vozičkárov. Dodala, že vo veľkomeste človek nevie, čoho sa má v takýchto prípadoch báť – či hnevu prírody, alebo reakcie iných ľudí.

Mala upravený účes a zdravú farbu, ktorú ešte zvýrazňovali prosté čierne šaty. Rozmýšľal som, koľko má rokov – vyzerala mladšie ako jej štyridsaťosemročný nebohý partner. Vyžaroval z nej príjemne malomestský dojem. Jej slová a gestá naznačovali dobrú výchovu z čias, keď sa ľudia ráno jeden druhého pýtali, ako sa má, a mysleli to úprimne.

Hneď na začiatku ma požiadala, aby som ju oslovoval Danna, a vyhovel som jej.

„Danna, pána Flynna ste poznali oveľa lepšie ako ja. Viem o ňom len to, čo som čítal v úryvku z jeho rukopisu. Spomínal vám niekedy profesora Wiedera alebo Lauru Bainesovú? Hovoril o období na Princetonskej univerzite, keď sa zoznámili?"

„Richard nebol veľmi otvorená povaha. Bol skôr samotársky a melancholický, od ľudí si väčšinou zachovával odstup, preto mal aj málo známych a ani jedného blízkeho priateľa. S bratom sa stretával iba zriedka. O otca prišiel, keď bol na vysokej, a mama mu koncom deväťdesiatych rokov zomrela na rakovinu. Za tých päť rokov, čo sme boli spolu, nás nikto neprišiel pozrieť a ani my sme nikoho nenavštevovali. Vzťahy v práci mal čisto profesionálne a neudržiaval ani kontakt so spolužiakmi z vysokej školy."

Zmĺkla a doliala nám čaj.

„Len raz dostal pozvánku od Princetonského klubu na Západnej 43. ulici. Bola to nejaká stretávka absolventov a organizátori vypátrali jeho adresu. Presviedčala som ho, že by sme tam mali spolu ísť, ale odmietol. Vraj na vysokú školu nemá príjemné spomienky. Už viem, že hovoril pravdu, lebo som čítala ten úryvok z rukopisu – Peter mi dal kópiu. Je možné, že epizóda s tou ženou, Laurou Bainesovou, natoľko ovplyvnila všetky jeho spomienky, že celé tie časy mu pripadali pochmúrne. Nemal nijaké suveníry, fotografie, jednoducho nič, čo by mu to obdobie pripomínalo, len výtlačok časopisu *Signature*, kde uverejnil poviedky, ktorý spomína v rukopise. Aj ten mu daroval starý známy, keď naň naďabil v antikvariáte. Už som ho odložila do škatule, ale ak chcete, vytiahnem ho. Nepovažujem sa za odborníčku na literatúru, no jeho poviedky mi pripadajú výnimočné. V každom prípade chápem, prečo si ľudia zachovávali od Richarda odstup. Väčšina ho považovala za mizantropa a možno mali do istej miery pravdu. Keď ste ho však lepšie spoznali, uvedomili ste si, že pod tým pancierom, ktorý si roky pestoval, sa skrýval veľmi dobrý človek. Správal sa kultivovane a dalo sa s ním porozprávať takmer o všetkom. Bol úprimný a ochotný pomôcť hocikomu, kto ho o to požiadal. Preto som sa doňho zamilovala a presťahovala sa sem. Neprišla som za ním preto, lebo som bola osamelá alebo že by som chcela vypadnúť z malomesta v Alabame. Bolo to preto, lebo som ho úprimne ľúbila. Mrzí ma, že vám neviem viac pomôcť. Hovorím tu len o Richardovi, hoci vás skôr zaujíma profesor Wieder, však?"

„Vravíte, že ste si prečítali ten úryvok..."

„Áno, prečítala som si ho. Pokúšala som sa nájsť zvyšok rukopisu, keďže sama som zvedavá, ako to bolo ďalej. Žiaľ, nepodarilo sa mi to. Dá sa to vysvetliť len tak, že Richard si napokon všetko rozmyslel a text vymazal z počítača."

„Nazdávate sa, že žena, ktorá mu v ten večer volala, bola Laura Bainesová? Tá, o ktorej sa pred vami vyslovil, že mu zničila život?"

Neodpovedala hneď. Stratila sa vo vlastných myšlienkach, ako keby zabudla, že som tam. Očami blúdila po miestnosti, akoby niečo hľadala, potom bez slova vstala, prešla do vedľajšej miestnosti a nechala otvorené dvere. Po niekoľkých minútach sa vrátila a sadla si do toho istého kresla.

„Možno by som vám predsa len vedela pomôcť," vyhlásila úradne znejúcim tónom, ktorý dovtedy nepoužívala. „Musíte mi však niečo sľúbiť: bez ohľadu na to, čo zistíte, vo svojej knihe nevrhnete tieň na Richardovu pamiatku. Chápem, že vás zaujíma Wieder a Richard pre vás nie je až taký dôležitý, preto by ste mohli vynechať niektoré záležitosti, ktoré sa týkajú len a len jeho. Sľubujete?"

Nie som svätec a ako reportér som neraz klamal, aby som sa dostal k informáciám, ktoré som potreboval do článku. Povedal som si však, že táto žena si zaslúži úprimnosť.

„Danna, ako novinár vám to nemôžem sľúbiť. Ak zistím niečo dôležité o Wiederovom živote a práci a bude to priamo súvisieť s Richardom, nemôžem to vypustiť. Nezabúdajte, že sám o tých udalostiach písal, takže ich chcel zverejniť. Vravíte, že si to rozmyslel a všetko vymazal. Ja mám na to iný názor. Podľa mňa je pravdepodobnejšie, že rukopis niekde ukryl. Bol to praktický človek. Pochybujem, že by po týždňoch písania, keď určite premýšľal aj o dôsledkoch prípadného publikovania, odrazu rukopis len tak vymazal. Som si takmer istý, že existuje a Richard ho do poslednej chvíle chcel uverejniť."

„Možno máte pravdu, ale aj tak... Nič mi o tom projekte nepovedal. Mohli by ste ma aspoň priebežne informovať, ak niečo zistíte? Nechcem vás oberať o čas, navyše aj tak odchádzam z New Yorku, ale môžeme si zatelefonovať."

Sľúbil som, že sa jej ozvem, ak o Flynnovi zistím niečo dôležité. Nato zo zápisníka vytiahla pokrčený papier, vyhladila ho, položila medzi naše šálky a ukázala naň.

Vzal som ho zo stola. Bolo na ňom napísané meno a telefónne číslo.

„Večer, keď sa odohral ten telefonát s Laurou, som počkala, kým Richard zaspí, a potom som mu v mobile otvorila zoznam hovorov. Odpísala som si číslo, z ktorého mu volali. Bolo mi to trápne, pripadala som si hlúpo a žiarlivo, no bála som sa oňho, keď bol taký rozrušený. Na druhý deň som na to číslo zavolala a zdvihla nejaká žena. Povedala som jej, že som partnerka Richarda Flynna a musím jej od neho niečo odkázať, ale nedá sa to prebrať telefonicky. Váhala, no napokon môj návrh prijala a stretli sme sa tu nablízku v jednej reštaurácii na obede. Predstavila sa ako Laura Westlaková. Ospravedlnila som sa, že som ju oslovila. Vysvetlila som jej, že mám o Richarda po jeho reakcii na telefonát veľký strach. Ubezpečila ma, že sa nemám čoho báť. S Richardom sú vraj starí známi z Princetonu a nestalo sa nič vážne, iba sa nezhodli v jednej záležitosti z minulosti. Povedala, že spolu zopár mesiacov bývali, ale boli len priatelia. Nemala som odvahu citovať, ako sa o nej Richard vyjadril, no tvrdila som, že ich vzťah nazval mileneckým. Odvetila, že Richard má zrejme bujnú predstavivosť alebo ho možno zrádza pamäť, a zopakovala, že ich vzťah bol čisto platonický."

„Povedala vám, kde pracuje?"

„Vyučuje psychológiu na Kolumbijskej univerzite. Po odchode z reštaurácie sme sa rozlúčili a to bolo všetko. Netuším, či sa s ňou potom ešte Richard rozprával. To telefónne číslo možno ešte stále platí."

Poďakoval som sa jej, sľúbil som, že ju budem informovať o tom, čo o Richardovi zistím, a odišiel som.

Naobedoval som sa v reštaurácii v Tribece a notebookom som sa pripojil na wi-fi. Tentoraz už bol strýčko google štedrejší.

Laura Westlaková bola profesorka v Medicínskom centre Kolumbijskej univerzity a viedla spoločný výskumný program s Cornellovou univerzitou. V roku 1988 promovala na Princetone a o štyri roky získala doktorát na Kolumbijskej univerzite. V polovici deväťdesiatych rokov vyučovala v Zürichu, potom sa vrátila na Kolumbijskú. V jej životopise bolo veľa detailov o odbornej príprave a o výskumných programoch, ktoré za tie roky viedla, a spomínala sa tam aj významná cena, ktorú jej udelili v roku

2006. Inými slovami, na poli psychológie sa z nej stala celebrita.

Len čo som vyšiel z reštaurácie, skúsil som šťastie a zavolal som do jej kancelárie. Zdvihla to jej asistentka, ktorá sa predstavila ako Brandi. Oznámila mi, že doktorka Westlaková tam momentálne nie je, ale zapísala si moje meno a číslo. Poprosil som ju, aby doktorke povedala, že som volal v súvislosti s pánom Richardom Flynnom.

Večer som strávil doma so Sam. Milovali sme sa a rozprával som jej o pátraní. Mala nostalgickú náladu, potrebovala viac pozornosti ako obyčajne a trpezlivo si vypočula všetko, čo som mal na srdci. Dokonca si vypla zvonenie, čo bolo veľmi vzácne, a mobil dala do kabelky, ktorú mala položenú na dlážke pri posteli.

„Možno je celý Richardov príbeh len fraška," poznamenala. „Čo ak použil skutočnú udalosť a spojil ju s fikciou tak ako Tarantino v *Nehanebných bastardoch*, pamätáš?"

„Je to možné, ale reportér narába s faktmi," odvetil som. „Zatiaľ budem pracovať s predpokladom, že všetko, čo napísal, je pravda."

„Berme to realisticky," uvažovala. „Fakty sú to, čo redaktori a producenti zaradia do novín, do rádia a do telky. Bez nás by nikto nevedel, že v Sýrii sa ľudia navzájom vyvražďujú, že senátor má milenku alebo že v Arkansase sa stala vražda. Nič z toho by ľudia netušili. Ich nezaujíma realita, len príbehy, John. Možno chcel Flynn napísať príbeh, nič viac."

„To sa dá zistiť len jedným spôsobom, nie?"

„Presne tak."

Prevalila sa na mňa.

„Vieš, jedna kolegyňa sa mi dnes zverila, že je tehotná. Veľmi sa teší. Išla som na toalety a desať minút som plakala, nemohla som prestať. Predstavila som si samu seba starú a osamelú, so životom premárneným vecami, ktoré o dvadsať rokov nebudú mať nijakú cenu, pričom to podstatné mi pretieklo cez prsty."

Položila si hlavu na moju hruď a ja som ju zľahka pohladkal po vlasoch. Uvedomil som si, že ticho vzlyká. Jej náhla zmena ma prekvapila a nevedel som, ako mám zareagovať.

„Teraz by si mi mohol povedať, že nie som sama a že ma miluješ, aspoň trošku," šepla. „Tak by sa to odohralo v románe pre ženy."

„Jasné. Nie si sama a trošku ťa milujem, miláčik."

Nadvihla hlavu a pozrela sa mi do očí. Na brade som cítil jej teplý dych.

„John Keller, klameš, až sa ti z úst práši! Za starých čias by ťa za to obesili na najbližší strom."

„To boli zlé časy, milosťpani."

„Dobre, už som sa pozbierala, prepáč. Vidím, že ťa ten príbeh celkom zaujal."

„A to je ďalší dôvod, prečo by ma obesili, však? Nevravela si, že je to dobrý príbeh?"

„Vravela, ale riskuješ, že o niekoľko mesiacov skončíš v nejakom opustenom starom dome bez groša, a beztak nič nezistíš. Pomyslel si aj na to?"

„Je to len dočasná robota a vzal som ju iba preto, lebo ma o to požiadal kamarát. Možno nevypátram nič senzačné, nijakú bombu, ako hovorievaš. Muž sa zamiloval do ženy, ale z rozličných dôvodov to nedopadlo dobre a zrejme až

do smrti žil so zlomeným srdcom. Ďalšieho muža zavraž-
dili a ja ani neviem, či tie dva príbehy nejako súvisia. Ako
reportér som sa však naučil riadiť sa inštinktom, a keď som
to nerobil, vždy som to pokašlal. Tento príbeh je možno
ako matrioška, v každom kúsku sa skrýva ďalší. Trochu
absurdné, nie?"

„Každý dobrý príbeh je trochu absurdný. V tvojom veku
by si to už mal vedieť."

Dlho sme ležali v objatí, nemilovali sme sa ani sme sa
nerozprávali, každý sa venoval vlastným myšlienkam, až
sa v byte celkom zotmelo a šum premávky znel, akoby pri-
chádzal z inej planéty.

Laura Bainesová mi zavolala na druhý deň dopoludnia,
keď som bol v aute. Mala príjemný, mierne zachrípnutý
hlas, do ktorého by sa človek vedel zamilovať ešte skôr, ako
uvidí jeho majiteľku. Hoci mala mať už po päťdesiatke, jej
hlas znel oveľa mladšie. Oznámila mi, že dostala môj od-
kaz, a spýtala sa ma, kto som a čo mám spoločné s Richar-
dom Flynnom. Už sa dopočula, že nedávno zomrel.

Predstavil som sa jej a povedal som, že tá téma je pri-
veľmi chúlostivá, aby sme ju preberali telefonicky, preto
som navrhol, aby sme sa stretli.

„Prepáčte, pán Keller, ale nemám vo zvyku stretávať sa
s cudzími ľuďmi!" odbila ma. „Netuším, kto ste a o čo vám
ide. Ak chcete, aby sme sa stretli, budete mi musieť po-
skytnúť viac informácií."

Rozhodol som sa povedať jej pravdu.

„Pani doktorka, pán Flynn pred smrťou napísal knihu
o svojom pôsobení na Princetonskej univerzite a o udalos-

tiach, ktoré sa odohrali na jeseň a v zime v osemdesiatom siedmom. Zrejme viete, o čom hovorím. Hlavnými postavami v tomto príbehu ste vy a profesor Wieder. Na žiadosť vydavateľa knihy preverujem pravdivosť tvrdení v rukopise."

„Mám to chápať tak, že vydavateľ už rukopis kúpil?"

„Ešte nie, ale prijala ho literárna agentúra a..."

„A vy, pán Keller, ste súkromný detektív alebo niečo také?"

„Nie, som reportér."

„Do akých novín píšete?"

„Už dva roky som na voľnej nohe, ale predtým som pracoval pre *New York Post*."

„Nazdávate sa, že práca pre taký bulvár je to správne odporúčanie?"

Mala dokonale pokojný hlas, takmer bez emócií. Stredozápadný prízvuk, ktorý Flynn spomínal v rukopise, celkom zmizol. Predstavil som si ju, ako prednáša študentom v posluchárni, na nose tie isté okuliare s hrubým rámom, aké nosila v mladosti, blond vlasy pevne zopnuté do drdola, pedantná a sebaistá. Bol to príťažlivý obraz.

Mlčal som, nebol som si istý, čo mám odvetiť, a tak pokračovala: „Použil Richard v knihe skutočné mená alebo ste len nejako vydedukovali, že ide o Josepha Wiedera a o mňa?"

„Použil skutočné mená. Samozrejme, označuje vás vaším dievčenským menom Laura Bainesová."

„Mám zvláštny pocit, keď to hovoríte, pán Keller. Nepočula som to meno už veľmi veľa rokov. Uvedomuje si ten literárny agent, ktorý si vás najal, že vydaniu Richardovho rukopisu by sa dalo súdnou cestou zabrániť, ak by mi jeho obsah spôsobil nejakú materiálnu či morálnu ujmu?"

„Prečo si myslíte, že by vám rukopis pána Flynna mohol poškodiť, pani doktorka?"

„Toto na mňa neskúšajte, pán Keller! Rozprávam sa s vami len preto, lebo som zvedavá, čo Richard v tej knihe napísal. Spomínam si, ako vtedy sníval, že sa stane spisovateľom. No dobre, navrhujem vám výmenný obchod – vy mi dáte kópiu rukopisu a ja sa s vami na pár minút stretnem a porozprávame sa."

Keby som jej vyhovel, porušil by som dodatok o mlčanlivosti v zmluve, ktorú som podpísal s agentúrou. Lenže keby som ju odmietol, určite by hneď zavesila. Zvolil som možnosť, ktorá mi v tej chvíli pripadala najmenej škodlivá.

„Súhlasím. Mali by ste však vedieť, že agentúra mi dala len vytlačený úryvok z Richardovho rukopisu, prvé kapitoly. Príbeh sa začína, keď ste sa prvý raz stretli. Je to asi sedemdesiat strán."

Chvíľu sa nad tým zamýšľala.

„Tak dobre," ozvala sa napokon. „Som v Medicínskom centre Kolumbijskej univerzity. Čo keby sme sa tam stretli o hodinu, čiže o pol jedenástej? Mohli by ste priniesť ten úryvok?"

„Jasné, prídem."

„Choďte k McKeenovmu pavilónu a ohláste sa na recepcii. Zatiaľ dovidenia, pán Keller."

„Dovidenia a..."

Zavesila, skôr ako som sa jej stihol poďakovať.

Rýchlo som zamieril domov a v duchu som Petra preklínal, že mi nedal rukopis v elektronickej podobe. Z domu som si vzal úryvok a vybral som sa hľadať kopírku. Napokon som jednu prevádzku našiel o tri bloky ďalej.

Kým mi ospalý chlapík so strieborným krúžkom v ľavej nosnej dierke a s potetovanými predlaktiami kopíroval stránky na starom xeroxe, rozmýšľal som, akú taktiku zvolím. Pôsobila chladne a pragmaticky, navyše som ani na okamih nesmel zabudnúť, že jej robotou je hrabať sa ľuďom v hlave. Rovnako kedysi ona sama varovala Richarda pred profesorom Wiederom.

4

Medicínske centrum Kolumbijskej univerzity sa na-chádzalo vo Washington Heights, takže som obi-šiel park smerom k 12. avenue a odbočil som na NY-9A, potom som pokračoval na 168. ulicu. O pol hodiny som zastal pred dvoma vysokými budovami, ktoré boli prepojené zasklenými chodbami.

McKeenov pavilón sa nachádzal na deviatom poschodí Milsteinovej nemocničnej budovy. Na recepcii som nadiktoval svoje meno, povedal som, že ma očakáva doktorka Westlaková, a sekretárka jej zavolala na internú linku.

O niekoľko minút zišla Laura Bainesová dolu. Bola vysoká a pekná. Vlasy nemala zopnuté do pevného drdola, ako som si predstavoval, kučery jej voľne padali na plecia. Bola príťažlivá, o tom nebolo pochýb, ale nebol to typ ženy, za ktorou by sa človek obrátil na ulici. Nemala okuliare a zišlo mi na um, či za tie roky prešla na kontaktné šošovky.

Bol som jediný človek na recepcii, takže zamierila priamo ku mne a vystrela ruku.

„Laura Westlaková," predstavila sa. „Pán Keller?"

„Teší ma. Ďakujem, že ste si našli čas."

„Dáte si kávu alebo čaj? Na druhom poschodí je kaviareň. Pôjdeme?"

Výťahom sme sa odviezli o sedem poschodí nadol, potom sme prešli cez dve chodby a ocitli sme sa v kaviarni. Steny boli zo skla a mali sme cez ne krásny výhľad na rieku Hudson. Laura kráčala rázne, s vystretým chrbtom, a celý čas som mal dojem, akoby bola zabratá do vlastných myšlienok. Nepovedali sme si ani slovo. Zdalo sa mi, že nie je namaľovaná, ale cítil som diskrétny parfum. Mala hladkú tvár takmer bez jedinej vrásky, mierne opálenú a s neveľmi výraznými črtami. Kúpil som si kapučíno, ona si vybrala čaj. Kaviareň bola takmer prázdna, jej zariadenie v štýle *art nouveau* príjemne oživilo nemocničné prostredie.

Kým som stihol otvoriť ústa, znovu prehovorila.

„Ten rukopis, pán Keller," povedala, otvorila maličký téglik s mliekom a naliala si ho do čaju, „ako ste sľúbili."

Vytiahol som z tašky papiere a podal som jej ich. Zopár sekúnd v nich listovala, potom ich zasunula naspäť do obalu a odložila ho na stôl po svojej pravej strane. Vytiahol som malý diktafón a zapol som ho, ale odmietavo pokrútila hlavou.

„Vypnite to, pán Keller. Neposkytnem vám interview. Súhlasila som, že sa s vami chvíľu porozprávam, to je všetko."

„Mimo záznamu?"

„Isteže."

Vypol som diktafón a vrátil som ho do tašky.

„Pani doktorka, smiem sa vás spýtať, kedy a ako ste sa zoznámili s Richardom Flynnom?"

„No, bolo to už dávno... Ak si dobre pamätám, na jeseň v osemdesiatom siedmom. Obaja sme študovali na Princetonskej univerzite a istý čas sme bývali v malom dome neďaleko pamätníka bitky o Princeton. Odsťahovala som sa odtiaľ pred Vianocami, takže sme spolu bývali zo tri mesiace."

„Predstavili ste ho profesorovi Wiederovi?"

„Áno. Povedala som mu, že doktora Wiedera dobre poznám, a on sa dožadoval, aby som ich zoznámila, keďže profesor bol v tom čase slávna osobnosť. Doktor v rozhovore s Richardom spomenul svoju knižnicu. Ak si dobre pamätám, chcel ju reorganizovať a elektronicky katalogizovať. Flynn potreboval peniaze, tak sa ponúkol, že to spraví, a profesor jeho ponuku prijal. Žiaľ, pokiaľ viem, neskôr mal Flynn veľa problémov, dokonca bol podozrivý zo zločinu. Profesora totiž brutálne zavraždili. To viete, však?"

„Áno, viem, a práve preto agentúru, pre ktorú pracujem, tak zaujíma tento prípad. Boli ste s Flynnom aj viac než len spolubývajúci? Nerád som indiskrétny, ale Richard v knihe jasne uvádza, že ste mali sexuálny vzťah, dokonca ste boli do seba zaľúbení."

Medzi obočím sa jej zjavila vráska.

„Pripadá mi trochu smiešne rozprávať o takýchto veciach, ale áno, pamätám sa, že Richard bol do mňa zamilovaný, presnejšie, bol mnou posadnutý. Nikdy sme však spolu nechodili. Vtedy som totiž mala priateľa..."

„Timothyho Sandersa?"

Zatvárila sa prekvapene.

„Áno, Timothyho Sandersa. To meno poznáte z rukopisu? Fíha, Richard musel mať úžasnú pamäť alebo si z toho obdobia odložil poznámky či denník! Nečakala by som, že po toľkých rokoch si vybaví takéto detaily, aj keď v istom zmysle ma to neprekvapuje. Takže takto. Bývala som so svojím priateľom, ale potom sa musel v rámci výskumného programu na pár mesiacov presťahovať do Európy. Nájomné za byt som si už nemohla dovoliť, preto som si našla iné bývanie. Kým bol Timothy preč, bývala som v dome s Richardom. Keď sa Timothy vrátil, tesne pred Vianocami sme sa zase nasťahovali do spoločného bytu."

„Nikdy nepoužívate skrátené podoby mien, ani keď hovoríte o ľuďoch, ktorí vám boli blízki," poznamenal som, lebo som si spomenul na Flynnovo vyjadrenie v rukopise.

„To je pravda. Zdrobneniny považujem za detinské."

„Richard v rukopise spomína, že trochu žiarlil na profesora Wiedera a istý čas mal podozrenie, že s ním máte pomer."

Mykla sa, kútiky úst jej mierne ovisli. Na okamih som mal pocit, že jej maska sa rozpadáva, no potom znovu nasadila kamennú tvár.

„To bola jedna z Richardových obsesií, pán Keller," odvetila. „Profesor Wieder nebol ženatý a s nikým nežil, preto sa niektorí ľudia nazdávali, že musí mať nejaký tajný pomer. Bol to nesmierne charizmatický človek, hoci nie veľmi pekný, a správal sa ku mne ochranársky. Myslím si, že ľúbostné vzťahy ho vôbec nezaujímali, plne sa venoval práci. Ak mám byť úprimná, viem, že Richard mal isté pochybnosti, no medzi Josephom Wiederom a mnou nebolo nič okrem bežného vzťahu medzi študentkou a profesorom. Patrila som k jeho obľúbeným žiačkam, to videl každý, ale to bolo všetko. Zároveň som mu významne pomohla s projektom, na ktorom vtedy pracoval."

Zaváhal som. Ako ďaleko môžem zájsť bez toho, aby som riskoval, že ukončí náš rozhovor? Rozhodol som sa, že to skúsim.

„Richard spomína aj to, že profesor vám dal kľúče od svojho domu a že ste tam často chodili."

Pokrútila hlavou. „Nepamätám si, že by mi dal kľúče od domu. No Richardovi ich tuším poskytol, aby mohol pracovať v knižnici, keď nebol doma. Preto mal neskôr problémy s políciou."

„Myslíte si, že Richard by bol schopný zavraždiť Wiedera? Istý čas ho pokladali za podozrivého."

„Zvolila som si oblasť, v ktorej sa človek okrem iného naučí aj to, aké klamlivé môže byť zdanie, pán Keller. Keď som sa odsťahovala z domu, Richard ma stále otravoval. Čakal na mňa po každej prednáške, napísal mi desiatky listov, denne mi opakovane telefonoval. Po profesorovej smrti sa s ním Timothy zopár ráz porozprával, dal mu najavo, aby sa staral o seba a nechal nás na pokoji, ale bolo to zbytočné. Nenahlásila som Richarda na polícii, aj tak mal dosť problémov, a v konečnom dôsledku som ho skôr ľutovala, než sa ho bála. Časom sa to, pravda, zhoršilo... No o mŕtvych len v dobrom. Nie, nemyslím si, že by bol schopný vraždy."

„Vravíte, že sa to časom zhoršilo. Ako to myslíte? Z rukopisu viem, že žiarlil. Žiarlivosť je v takýchto prípadoch bežný motív, nie?"

„Pán Keller, on naozaj nemal dôvod žiarliť. Ako som už povedala, boli sme iba spolubývajúci. Nasledujúci rok som išla na Kolumbijskú univerzitu, ale zistil si moju adresu, písal mi a telefonoval. Raz sa dokonca objavil v meste. Potom som na istý čas odcestovala do Európy a takto sa mi ho podarilo zbaviť."

Počúval som ju s netajeným prekvapením.

„Richard Flynn v rukopise tvrdí niečo celkom iné. Uviedol, že to Timothy Sanders bol vami posadnutý a stále vás prenasledoval."

„Prečítam si ten rukopis, preto som vás oň požiadala. Pán Keller, pre človeka ako Richard Flynn neexistujú hranice medzi fikciou a realitou alebo sú len veľmi tenké. V tom období mi spôsobil dosť utrpenia."

„Boli ste v profesorovom dome v ten večer, keď ho zavraždili?"

„Za celý rok som bola u profesora len tri či štyri razy. Princeton je malé mesto a obaja by sme mali problémy, keby sme neuváženým konaním podnietili klebety. Čiže nie, v ten večer som tam nevkročila."

„Vypočúvala vás po vražde polícia? Nevidel som vaše meno v novinách, kým Flynnovo bolo všade."

„Áno, vypočúvala, no tuším len raz. Povedala som, že som bola celý večer s kamarátkou."

Pozrela na hodinky na ľavom zápästí.

„Žiaľ, už musím ísť. Teší ma, že sme si všeličo vyjasnili. Možno by sme sa ešte mohli porozprávať, keď si prečítam rukopis a osviežim si pamäť."

„Prečo ste si zmenili priezvisko? Vydali ste sa?" spýtal som sa, keď sme vstali od stola.

„Nie, na také niečo som nikdy nemala čas. Ak mám byť úprimná, zmenila som si meno, aby som sa zbavila Richarda Flynna a všetkých týchto spomienok. Profesora Wiedera som mala rada a jeho smrť ma zasiahla. Flynn sa nesprával násilnícky, bol len otravný, no už som toho mala plné zuby a zdalo sa, že s tým nikdy neskončí. V deväťdesiatom druhom, predtým, ako som odišla do Európy, sa zo mňa stala Laura Westlaková. Je to dievčenské meno mojej mamy."

Poďakoval som sa jej, vzala si rukopis a kaviareň sme opustili, práve keď sa tam začali trúsiť ľudia.

Prišli sme k výťahu, nastúpili sme a pohli sme sa na deviate poschodie. Vtedy mi ešte čosi napadlo: „Flynnova družka Danna Olsenová mi povedala, že raz večer ho počula, ako s vami telefonuje. Vraj vám potom zavolala a stretli ste sa s ňou. Smiem sa spýtať, o čom ste s ním vtedy telefonovali? Podarilo sa mu znovu vás nájsť?"

„O Richardovi som nepočula vyše dvadsať rokov a odrazu sa objavil pred mojím bytom. Mňa len tak niečo nerozhodí, ale bola som v šoku, najmä keď začal rozprávať nezmysly a bolo jasné, že je veľmi nevyrovnaný. Dokonca mi zišlo na um, či netrpí duševnou chorobou. Vyhrážal sa mi nejakými odhaleniami, nekonkretizoval ich, no zrejme mali niečo spoločné s profesorom Wiederom. Ak mám byť úprimná, dovtedy sa mi takmer podarilo zabudnúť, že som niekedy poznala mladého muža menom Richard Flynn. Napokon som ho požiadala, aby odišiel. Potom mi ešte dva či tri razy telefonoval, ale odmietla som sa s ním stretnúť a prestala som dvíhať telefón. Nevedela som, že je vážne chorý – vôbec to predo mnou nespomenul. Po nejakom čase som zistila, že zomrel. Možno bol vtedy pri mojom byte rozrušený práve z tej choroby. Možno mu ovplyvnila i myslenie. Rakovina pľúc spôsobuje aj iné komplikácie, napríklad pri nej vznikajú metastázy v mozgu. Neviem, či to tak bolo i v Richardovom prípade, ale je to veľmi pravdepodobné."

Keď sme vyšli z výťahu, položil som jej ešte jednu otázku: „Richard v rukopise tvrdí, že profesor Wieder robil tajný výskum. Neviete náhodou, o čo v ňom išlo?"

„Ak to bolo tajné, znamená to, že sme o tom nemali nič vedieť, nie? Čím viac mi o tom rukopise hovoríte, tým som si istejšia, že je to čistá fikcia. Mnohé katedry na významných univerzitách robia výskumné projekty, buď pre federálne agentúry, alebo pre súkromné firmy. Väčšina je tajná, lebo ľudia, ktorí ich financujú, sa nechcú deliť o výnosy zo svojich investícií, nemám pravdu? Profesor Wieder zrejme pracoval na takomto niečom. Ja som mu pomáhala len s knihou, ktorú vtedy písal, a s jeho ďalšími projektmi som nebola oboznámená. Dovidenia, pán Keller, už naozaj musím ísť. Prajem vám príjemný zvyšok dňa."

Ešte raz som sa jej poďakoval, že sa so mnou stretla, a výťahom som sa odviezol na prízemie.

Cestou k parkovisku som rozmýšľal, koľko z toho, čo mi povedala, je pravda a koľko lož, a či si Flynn ich vzťah naozaj vyfantazíroval. Mal som dojem, že za maskou pokoja sa skrýva strach z toho, čo mi Flynn mohol prezradiť o jej minulosti. Bol to skôr pocit než čosi, čo by súviselo s rečou jej tela či s mimikou: ako napríklad charakteristický pach, ktorý nemohla zakryť ani parfumom.

Jej odpovede boli presné – možno až priveľmi –, hoci viac ráz zdôraznila, že si nepamätá podrobnosti. Ako by však mohla, dokonca aj po toľkých rokoch, zabudnúť na spolubývajúceho, ktorý ju celé mesiace obťažoval a bol obvinený z vraždy jej učiteľa a priateľa?

5

O niekoľko hodín mi zavolal Harry Miller. Práve som mal za sebou stretnutie s jedným zo svojich starých zdrojov, s detektívom z oddelenia vrážd na dôchodku, ktorý sľúbil, že sa mi pokúsi zohnať kontakt na človeka z policajného oddelenia vo West Windsore v Jersey. Pozval som ho na obed do reštaurácie Orso na Západnej 46. ulici a práve som sa vracal k autu zaparkovanému o dva bloky ďalej. Pršalo a obloha mala nepeknú farbu kalnej kapustovej polievky. Zdvihol som mobil a Harry mi oznámil, že má nové správy. Schoval som sa pod striešku bistra a spýtal som sa ho, čo vyhrabal.

„Potešíš sa," povedal mi. „Sarah Harperová promovala v osemdesiatom deviatom a nemala veľké šťastie. Po výške sa zamestnala v škole pre postihnuté deti v Queense a desať rokov viedla obyčajný život. Potom sa dopustila tej chyby, že si vzala džezového speváka Gerryho Lowndesa, ktorý jej zo života urobil peklo. Dala sa na drogy a rok pobudla vo väzení. V roku dvetisícosom sa rozviedla a teraz žije v Bronxe v Castle Hille. Zdá sa, že je ochotná debatovať o starých časoch."

„Super! Pošleš mi jej adresu a telefónne číslo? A čo si zistil o Simmonsovi?"

„Derek Simmons stále žije v Jersey s istou Leonorou Phillisovou. Rozprával som sa s ňou, keďže Simmons nebol doma. V podstate sa oňho stará, zväčša žijú z podpory. Vysvetlil som jej, že si reportér, ktorý sa chce s jej druhom porozprávať o prípade profesora Wiedera. Nevie, o čo ide, ale očakáva, že sa jej ozveš. Keď tam pôjdeš, určite si zober hotovosť. Pošlem ti adresu. Ešte niečo?"

„Máš nejaké zdroje v Princetone?"

„Ja mám zdroje všade – veď ma poznáš, kamarát," pochválil sa. „Čo myslíš, ako som našiel Sarah Harperovú? Zavolal som na núdzovú linku?"

„Tak sa pokús zistiť mená nejakých ľudí z osemdesiatych rokov, ktorí pracovali na katedre psychológie a mali blízko k profesorovi Josephovi Wiedcrovi. A nielen kolegov. Zaujímajú ma osoby z jeho okruhu, všetci, čo ho dobre poznali."

Sľúbil, že sa to pokúsi zistiť, a potom sme sa ešte chvíľu rozprávali o bejzbale.

Vybral som sa po auto a zamieril som domov. Zavolal som Sam, a keď zdvihla, jej hlas znel ako zo studne. Povedala mi, že je strašne prechladnutá, a keď sa ráno dotrepala do roboty, šéf ju rovno poslal domov. Sľúbil som, že sa večer zastavím, ale odbila ma, že radšej pôjde skôr spať, navyše nechce, aby som to od nej chytil. Keď sme hovor ukončili, zavolal som do kvetinárstva a objednal som jej kyticu tulipánov. Nechcel som to prehnať, veď sme sa dohodli, že vzťah udržíme v istých medziach, lenže postupne som zisťoval, že keď deň, dva nie sme spolu, Sam mi čoraz viac chýba.

Zavolal som Sarah Harperovej na číslo, ktoré som mal od Harryho, no nedvíhala, tak som jej nechal odkaz. Viac šťastia som mal s Derekom Simmonsom. Ozvala sa jeho družka Leonora Phillisová. Mala silný cajunský prízvuk, asi ako postava zo seriálu *Ľudia z močiarov*. Pripomenul som jej, že hovorila s Harrym Millerom, od ktorého už vie, že sa chcem porozprávať s Derekom Simmonsom.

„Počujte, podľa toho, čo vravel váš kamoš, za to vaše noviny aj zaplatia, hej?"

„Áno, možno z toho budú nejaké peniaze."

„V poriadku, pán..."

„Keller. John Keller."

„Tak dobre, zastavte sa, ja už starému poviem, čo je vo veci. Ten toho veľa nenarozpráva. Kedy prídete?"

„Aj hneď, ak to pre vás nebude neskoro."

„Hm. A koľko je teraz hodín?"

Povedal som jej, že sú tri hodiny a dvanásť minút.

„Čo tak o piatej?"

Súhlasil som a ešte raz som sa jej poďakoval za to, že „starého" presvedčí, aby sa so mnou pozhováral.

Keď som o čosi neskôr vchádzal do tunela a rozmýšľal som o rozhovore s Laurou Westlakovou, odrazu som si spomenul na detail, ktorý mi unikol v ten prvý večer, keď som začal skúmať Wiederov prípad: kniha, na ktorej vtedy profesor pracoval a ktorá mala vyjsť o niekoľko mesiacov. Ako Richard spomenul v rukopise, Laura Bainesová bola

presvedčená, že tá kniha otrasie svetom vedy. Že to bude „bomba", ako by povedala Sam.

Keď som sa však tú publikáciu pokúšal vyhľadať na amazone a na ďalších stránkach, kde mali profesorove diela, nikde o nej nebola ani zmienka. Poslednou Wiederovou publikáciou bola stodesaťstranová štúdia o umelej inteligencii, ktorá vyšla vo vydavateľstve Princeton University Press v roku 1986, vyše roka pred jeho smrťou. Wieder vtedy pred rokmi Richardovi povedal, že už podpísal zmluvu na knihu, na ktorej pracuje, a že medzi kolegami sa o nej klebetí. Wieder teda pred smrťou poslal rukopis alebo edičný návrh vydavateľovi a možno dostal aspoň časť zálohy. Prečo potom kniha nikdy nevyšla?

Povedal som si, že existujú dve možné vysvetlenia.

Po prvé, vydavateľ zmenil názor a rozhodol sa rukopis nevydať. Vzhľadom na to, že už existovala zmluva, to však bolo nepravdepodobné, navyše záhada okolo profesorovej násilnej smrti by, cynicky povedané, predaj knihy nepochybne zvýšila. Vydavateľa by od takéhoto projektu odradil len nejaký násilný zásah. Lenže zásah koho? A čo také rukopis obsahoval? Súvisel nejako s tajným výskumom, na ktorom Wieder pracoval? Chystal sa o ňom vo svojej novej knihe niečo prezradiť?

Druhá možnosť bola, že vykonávateľ Wiederovej poslednej vôle – z novinových článkov som vyrozumel, že existovala a profesor v nej v podstate všetko odkázal svojej sestre Inge – sa postavil proti vydaniu knihy a podarilo sa mu dať dokopy potrebné právne argumenty. Vedel som, že by bolo vhodné porozprávať sa i s profesorovou sestrou, aj keď sa pred mnohými rokmi usadila v Taliansku a zrejme nevedela veľa o tom, čo sa v čase vraždy dialo.

Odbočil som na Valley Road, potom doľava na Witherspoon Street a čoskoro som dorazil na Rockdale Lane, kde neďaleko policajnej stanice býval Derek Simmons so svojou družkou. Trvalo mi to asi hodinu, takže som prišiel skôr, ako som očakával. Zaparkoval som pred školou, zašiel som do blízkej kaviarne a nad šálkou kávy som sa pokúšal usporiadať stopy, na ktoré som pri pátraní narazil. Čím viac som rozmýšľal o profesorovej knihe, tým viac mi vŕtalo v hlave, prečo nikdy nevyšla.

Derek Simmons a Leonora Phillisová bývali v malom bungalove na konci ulice neďaleko ihriska zarasteného burinou. Pred domom bola záhradka, kde začínali pučať ruže. Naľavo od dverí sa na mňa plastovo škeril špinavý záhradný trpaslík.

Stlačil som zvonček a počul som ho zvoniť niekde v zadnej časti domu.

Otvorila nízka hnedovlasá žena s vráskavou tvárou. V pravej ruke držala naberačku a v očiach sa jej zračila nedôvera. Keď som jej povedal, že som John Keller, trochu ožila a pozvala ma ďalej.

Vošli sme do tmavej úzkej predsiene, potom do obývačky zapratanej starým nábytkom. Sadol som si na gauč. Pod váhou môjho tela sa z neho zdvihol oblak prachu. Z ďalšej miestnosti som začul detský plač.

Ospravedlnila sa a zmizla, kdesi vzadu tíšila dieťa.

Poobzeral som si predmety v miestnosti. Boli staré a nehodili sa k sebe, akoby ich kúpili náhodne v garážovom výpredaji alebo našli ležať na ulici. Parkety boli kde-tu vyduté, tapety sa v rohoch odlepovali. Na podobločnici dýchavične tikali staré cestovné hodiny. Zdalo sa, že malá suma, ktorá sa spomínala v profesorovej poslednej vôli, je dávno preč.

Keď sa vrátila, v náručí držala dieťa, ktoré vyzeralo asi na rok a pol a cmúľalo si ľavý palec. Chlapec ma hneď zbadal a uprene na mňa pozrel zamyslenými, vážnymi očami. Mal zarážajúco dospelé črty, neprekvapilo by ma, keby prehovoril dospelým hlasom a bojovne sa ma spýtal, čo tu hľadám.

Leonora Phillisová si sadla oproti mne na pokazenú bambusovú stoličku a jemne hojdala dieťa. Povedala mi, že je to jej vnuk Tom. Chlapcova mama Tricia odišla na Rhode Island na rande s mužom, s ktorým sa zoznámila cez internet, a poprosila ju, aby sa postarala o chlapca, kým sa nevráti – bolo to pred dvoma mesiacmi.

Oznámila mi, že Dereka presvedčila, aby sa so mnou porozprával, ale najlepšie bude, ak najprv preberieme finančné záležitosti. Sťažovala sa, že obaja majú hlboko do vrecka. Pred tromi rokmi sa im podarilo vybaviť malú podporu a to je ich hlavný príjem popri Derekových občasných fuškách. Navyše sa musia starať o jej vnuka. Pri rozprávaní ticho nariekala a Tom na mňa celý čas vrhal tie zvláštne dospelé pohľady.

Dohodli sme sa na sume a podal som jej bankovky. Dôkladne ich prepočítala a vložila do vrecka. Nato vstala, posadila dieťa na stoličku a vyzvala ma, aby som išiel za ňou.

Prešli sme po chodbe a vynorili sme sa na akejsi verande, kde špinavé okná filtrovali svetlo zapadajúceho slnka ako vitráže. Priestor verandy takmer celkom vyplňal obrovský pracovný stôl, na ktorom boli naukladané všemožné nástroje. Pred stolom stála stolička, na ktorej sedel vysoký, dobre stavaný muž v špinavých džínsoch a mikine. Keď ma uvidel, vstal, podal mi ruku a predstavil sa ako Derek. Zaujali ma jeho zelené oči, ktoré sa v matnom svetle slabo ligotali, a veľké, zrobené ruky. Hoci už musel mať po šesťdesiatke, mal dobré držanie tela a zdalo sa, že je v slušnej kondícii. Tvár mu pretínali také hlboké vrásky, že vyzerali ako jazvy, a vlasy mal takmer biele.

Jeho družka sa vrátila do domu a nechala nás samých. Sadol si na stoličku a ja som sa oprel o pracovný stôl. Na zadnom dvore, ktorý bol rovnako malý ako predná záhradka a ohradený plotom obrasteným burinou, stála malá hojdačka. Jej hrdzavá kovová konštrukcia sa ako prízrak dvíhala z holej zeme posiatej trsmi trávy a kalužami.

„Vravela, že sa chcete porozprávať o Josephovi Wiederovi," povedal, pričom na mňa ani nepozrel. Z vrecka vytiahol škatuľku cameliek a jednu si pripálil žltým plastovým zapaľovačom. „Ste prvý, kto sa ma naňho po vyše dvadsiatich rokoch pýta."

Pôsobil, akoby rezignovane hral nejakú úlohu, bol ako vyčerpaný starý klaun, ktorý už zabudol všetky dobré triky a vtipy, takže musí len poskakovať po pilinách v úbohej manéži a zabávať znudené decká, ktoré žujú žuvačku a ťukajú do mobilov.

Stručne som mu porozprával, čo som doteraz zistil o ňom a profesorovi Wiederovi, o Laure Bainesovej a Richardovi Flynnovi. Kým som hovoril, šlukoval a hľadel do prázdna, až mi zišlo na um, či ma vôbec počúva. Zahasil ohorok, zapálil si ďalšiu cigaretu a spýtal sa: „A prečo vás zaujímajú veci, ktoré sa stali tak dávno?"

„Niekto ma požiadal, aby som sa na to pozrel, a platí mi za to. Pracujem na knihe o záhadných prípadoch vrážd, kde nechytili páchateľa."

„Ja viem, kto zabil profesora," vyhlásil bezfarebným hlasom, ako keby sme sa bavili o počasí. „Viem to a vtedy som im to aj povedal, no moja výpoveď nebola hodna ani deravý groš. Každý obhajca by ju na súde rozdupal, lebo niekoľko rokov predtým ma obvinili z vraždy a zavreli do blázinca, takže som bol pre nich cvok, chápete? Bral som všetky možné lieky. Aj tak by tvrdili, že som si to vymyslel alebo že som mal halucinácie. Lenže ja viem, čo som videl, a rozhodne som nebol blázon."

Zdal sa hlboko presvedčený o tom, čo hovorí.

„Vy naozaj viete, kto zabil Wiedera?"

„Všetko som im objasnil. Potom to už nikoho nezaujímalo. Nikto sa už na nič nepýtal, tak som sa staral sám o seba."

„Kto ho teda zabil, pán Simmons?"

„Volajte ma Derek. Spravil to ten chlapec – Richard. A tá potvora Laura bola pri tom, ba možno mu aj pomohla. Porozprávam vám, čo sa stalo..."

Nasledujúcu hodinu fajčil jednu cigaretu za druhou, a kým sa vonku zotmelo, opísal mi, čo videl a počul 21. decembra 1987. Uviedol toľko detailov, až ma prekvapilo, že si ich tak dobre pamätá.

V to ráno prišiel do profesorovho domu opraviť záchod v kúpeľni na prízemí. Wieder bol doma a balil sa na cestu na Stredozápad, kde plánoval stráviť sviatky s nejakými priateľmi. Pozval Dereka, aby zostal na obed, a objednal čínu. Vyzeral strhaný, utrápený a zveril sa mu, že za domom našiel podozrivé stopy – v noci snežilo a ráno boli odtlačky nôh jasne viditeľné. Sľúbil, že sa oňho postará, aj keď bude chvíľu mimo okresu, a prízvukoval mu, aké je dôležité, aby naďalej bral lieky. Derek okolo druhej odišiel z profesorovho domu a vybral sa do univerzitného areálu, kde mal maľovať jeden byt.

Domov sa vrátil po zotmení a navečeral sa. Robil si o Wiedera starosti, keď ho videl takého znepokojeného, preto sa rozhodol, že ho skontroluje. Keď prišiel k profesorovmu domu, obďaleč uvidel zaparkované auto Laury Bainesovej. Už chcel zazvoniť pri dverách, keď zvnútra začul hádku.

Prešiel k zadnej časti domu pri jazere. Bolo asi deväť hodín. V obývačke sa svietilo a boli vytiahnuté žalúzie, takže videl, čo sa dnu deje. Boli tam Joseph Wieder, Laura Bainesová a Richard Flynn. Profesor a Laura sedeli za stolom, Richard stál nad nimi a prudko gestikuloval. Vykrikoval a tým dvom niečo vyčítal.

O niekoľko minút Laura vstala a odišla. Ani jeden sa ju nepokúsil zastaviť. Richard a Wieder sa po jej odchode ďalej hádali. Napokon to vyzeralo, že Richard sa upokojil. Obaja fajčili, vypili kávu a zo dva poháriky alkoholu a atmosféra sa zjavne uvoľnila. Derekovi bola vonku zima a už chcel odísť, keď znovu prepukla hádka. Pokiaľ si pamätal, bolo niečo po desiatej.

Vtom sa Wieder, ktorý dovtedy zachovával pokoj, veľmi rozhneval a zvýšil hlas.

Nato Richard odišiel a Derek rýchlo obišiel dom, aby ho zastihol a spýtal sa ho, čo má za lubom. Hoci mu to k prednej časti domu netrvalo dlhšie ako dvadsať či tridsať sekúnd, Richarda už nezastihol. Derek ho zopár minút hľadal na ulici, ale ako keby sa pod zem prepadol.

Napokon to vzdal a povedal si, že Richard zrejme utiekol. Vrátil sa za dom skontrolovať, či je profesor v poriadku. Wieder bol stále v obývačke, a keď vstal a chcel otvoriť okno, aby vyvetral, Derek sa pobral preč, lebo sa bál, že ho tam uvidí sliediť. Keď však odchádzal, všimol si, že Laura sa vrátila, jej auto stálo zhruba na tom istom mieste ako predtým. Derek si pomyslel, že prišla preto, aby mohla stráviť noc s profesorom, a tak radšej vypadol.

Na druhý deň ráno sa zobudil veľmi skoro. Vybral sa k profesorovi, aby zistil, či je v poriadku. Zazvonil, ale nikto mu neotváral, a tak si odomkol vlastným kľúčom. V obývačke našiel profesorovo telo.

„Som si istý, že ten chalan večer neodišiel, ale skryl sa niekde nablízku, potom sa vrátil a zabil ho," vyhlásil. „V tom čase musela byť v dome aj Laura. Profesor bol silný chlap a sama by ho nepremohla. Vždy som si myslel, že ho zabil Richard a ona bola buď spolupáchateľka, alebo svedkyňa. Policajtom som ju nespomínal, bál som sa, že novinári by to využili a profesorovo meno by povláčili v bahne. Niečo som však povedať musel, a tak som im porozprával, že tam bol ten chalan a pohádal sa s profesorom."

„Myslíte si, že Laura a profesor boli milenci?"

Pokrčil plecami. „Neviem to určite, nevidel som, ako si to rozdávajú, ale občas uňho zostala na noc, chápete? Ten chalan bol do nej paf, to viem na sto percent, lebo mi to sám povedal. Vtedy som sa s ním často rozprával, keď pracoval v knižnici. Veľa toho o sebe vykotkodákal."

„A policajti vám neverili?"

„Možno mi verili, možno nie. Ako som vravel, moje slová by pred porotou neboli hodné ani deravý groš. Štátny zástupca to zamietol, a tak sa policajti na tú stopu vykašlali. Keď si to overíte, zistíte, že som im vo výpovedi povedal presne to isté, čo teraz vám. Určite to ešte majú v papieroch."

„Pamätáte si veľa detailov," poznamenal som. „Myslel som si, že ste stratili pamäť."

„Hej, lenže to platí o minulosti. Volá sa to retrográdna amnézia. Po tom, čo sa mi stalo v nemocnici, som si nemohol spomenúť na nič, čo sa stalo dovtedy. Pamäť mám inak dobrú, lenže je v nej iba to, čo sa udialo odvtedy. Musel som odznova spoznať vlastnú minulosť, ako keď sa učíte o inom človeku – kedy a kde som sa narodil, kto sú moji rodičia, do akej školy som chodil a podobne. Bolo to fakt čudné, no zvykol som si. Veď som ani nemal inú možnosť."

Vstal a zažal svetlo. Keď sme tam tak sedeli na verande, mal som pocit, že sme ako muchy zatvorené v sklenom pohári. Rozmýšľal som, či mu mám veriť, alebo nie. „Chcem sa vás ešte na niečo spýtať."

„Nech sa páči."

„Profesor mal v pivnici posilňovňu. Bola v nej alebo niekde inde v dome bejzbalová palica? Videli ste niečo také?"

„Nie. Viem len, že mal činky a boxerské vrece."

„Policajti tvrdili, že ho zrejme zabili bejzbalovou palicou, ale vražedná zbraň sa nikdy nenašla. Ak profesor nemal v dome bejzbalovú palicu, znamená to, že vrah si ju musel priniesť so sebou. Také niečo sa ťažko nosí pod kabátom. Pamätáte sa, čo mal Flynn v ten večer oblečené, keď ste ho videli cez okno?"

Chvíľu rozmýšľal a potom pokrútil hlavou.

„Nie som si istý... Viem, že takmer vždy nosil vetrovku a možno ju aj mal v ten večer na sebe, no nedal by som za to ruku do ohňa."

„Posledná otázka. Dočítal som sa, že ste spočiatku boli podozrivý, ale potom vás vylúčili, lebo ste mali na čas vraždy alibi. Vy ste však vraveli, že pred jedenástou ste boli pri Wiederovom dome a potom ste išli domov. Podľa toho, čo viem, ste vtedy bývali sám. Môžete mi povedať, aké alibi ste uviedli?"

„Jasné. Skôr ako som sa v ten večer pobral domov, zastavil som sa ešte v bare neďaleko odtiaľ, ktorý bol otvorený do noci. Bál som sa a nechcel som byť sám. Prišiel som tam zopár minút po jedenástej. Majiteľ bol môj kamarát, pomáhal som mu s malými opravami. Polícii potvrdil, že som tam bol, čo aj bola pravda. Policajti ma ešte chvíľu trápili, ale potom mi dali pokoj, napokon, bol som ten posledný človek, ktorý by chcel profesorovi ublížiť. Aký by som mohol mať na vraždu motív?"

„Vravíte, že ste boli v bare. Mohli ste v tom čase piť alkohol, keď ste brali lieky?"

„Nepil som alkohol. Toho som sa nikdy ani nedotkol. V bare si aj teraz dám len kolu alebo kávu. Išiel som tam, aby som nemusel byť sám."

Zahasil ohorok v popolníku.

„Ste ľavák, Derek? Cigaretu držíte v ľavej ruke."

„Áno."

Ešte chvíľu som sa s ním zhováral. Porozprával mi, ako sa mu vyvinul život a ako sa dal dokopy s Leonorou. Už nikdy nemal problémy so zákonom a vyše desať rokov sa nemusel ani každoročne ukázať pred psychiatrickou komisiou.

Rozlúčili sme sa a on zostal vo svojej improvizovanej dielni. Trafil som naspäť do obývačky. Leonora sedela na gauči a pozerala televízor so spiacim dieťaťom na rukách. Ešte raz som sa jej poďakoval, zaželal som jej dobrú noc a odišiel som.

6

O dva dni mi zavolala Laura Bainesová. Práve som čakal na dopravnom inšpektoráte na Západnej 56. ulici, kde mi mali predĺžiť platnosť vodičského preukazu – potreboval som si aktualizovať aj fotku –, a listoval som v časopise, ktorý ktosi nechal na stoličke vedľa mňa.

„Pán Keller, prečítala som si rukopis, ktorý ste mi dali, a potvrdil moje podozrenia. Richard Flynn si všetko alebo väčšinu z toho vymyslel. Možno sa pokúšal napísať román. Spisovatelia často tvrdia, že príbeh, ktorý rozprávajú, nie je výplodom ich predstavivosti, ale že objavili anonymný rukopis, prípadne že rozprávač je skutočná osoba, ktorá medzičasom umrela, skrátka niečo podobné. Chcú tým upútať pozornosť. Alebo po toľkých rokoch skutočne uveril, že sa to všetko odohralo. Získali ste zvyšok rukopisu?“

„Zatiaľ nie.“

„Flynnovi sa ho nepodarilo dokončiť, však? Pravdepodobne si uvedomil, že je to úbohý pokus a hrozia mu zaň nepríjemné právne následky, tak prestal písať.“

Hlas mala pokojný, s náznakom víťazoslávneho tónu, a to ma rozčúlilo. Ak Derek hovoril pravdu, tak mi nehanebne klamala do očí.

„Bez urážky, pani doktorka, ale to, že profesora Wiedera niekto dobil na smrť bejzbalovou palicou, nie je výplod predstavivosti pána Flynna. Iste, úplný rukopis zatiaľ nemám v rukách, no mám veľa iných zdrojov, čiže ak dovolíte, položím vám otázku. V ten večer, keď Wiedera zavraždili, ste sa s ním stretli, však? Potom prišiel aj Flynn. Rozčúlil sa, pretože ste mu klamali, že nocujete u kamarátky. To všetko viem bez najmenších pochybností, čiže sa nemusíte trápiť s vymýšľaním ďalších lží. Čo sa vtedy stalo?"

Chvíľu mlčala a ja som si ju predstavoval ako boxera na dlážke ringu, otraseného úderom, ktorému rozhodca odpočítava sekundy. Zrejme nepredpokladala, že o tom osudnom večere zistím toľko ďalších informácií. Profesor aj Flynn už boli nebohí a ona s najväčšou pravdepodobnosťou netušila, že sa na mieste činu v kritickom čase objavil Derek Simmons. Čakal som teda, či to poprie, alebo sa pokúsi o ďalší úskok.

„Vy ste veľmi zlomyseľný človek, pravda?" ozvala sa napokon. „Povedzte, máte jasnú predstavu, kam smerujete, alebo sa len z dlhej chvíle hráte na detektíva? Ako môžete odo mňa očakávať, že si po toľkých rokoch budem pamätať všetky podrobnosti? Chcete ma vydierať?"

„A mal by som vás čím?"

„Ja v tomto meste poznám veľa ľudí, Keller."

„To znie ako hrozba zo starej detektívky. Mal by som vám odpovedať, že si len robím svoju robotu, smutne sa usmiať, stiahnuť si klobúk do očí a vyhrnúť golier na trenčkote."

„Čože? Tárate nezmysly. Ste opitý?"

„Popierate, že ste v ten osudný večer boli u Wiedera a že Richard Flynn vás kryl a klamal kvôli vám polícii?"

Nastala ďalšia dlhá odmlka, kým položila ďalšiu otázku: „Keller, nahrávate si tento rozhovor?"

„Nie."

„Možno vám preskočilo tak ako Flynnovi. Zdravotná poistka, ak nejakú máte, by vám mala stačiť na zopár terapeutických sedení. Je na to najvyšší čas. Ja som Wiedera nezabila, tak komu po vyše dvadsiatich rokoch záleží na tom, kde som v ten večer bola?"

„Mne, pani doktorka. Mne."

„V poriadku, robte, čo chcete. Len sa so mnou už nikdy nepokúšajte spojiť. Myslím to vážne. Usilovala som sa byť k vám zdvorilá, povedala som vám všetko, čo som k tomu povedať mala, a viac času vám už nevenujem. Ak mi zavoláte alebo sa so mnou opäť akokoľvek skontaktujete, zažalujem vás za obťažovanie. Zbohom."

Zložila a ja som vrátil mobil do vrecka. Hneval som sa na seba, lebo som práve prišiel o mimoriadne dôležitý zdroj informácií. Bol som si istý, že dodrží slovo a po tomto rozhovore sa už so mnou nikdy nebude baviť. Prečo som vlastne vybuchol? Prečo som musel vyložiť karty na stôl a rozpútať hlúpu telefonickú hádku? Derek Simmons mi poskytol tromfy a ja som ich premárnil.

Zakrátko ma zavolali k fotografovi a ten ma spoza objektívu vyzval: „Človeče, skúste sa trochu uvoľniť! Neurazte sa, ale vyzeráte, akoby ste na pleciach niesli ťarchu celého sveta."

„Celého nie, ale časti určite," odvetil som. „A zatiaľ mi za tú námahu ani nezaplatili."

Prešli tri týždne, do mesta pomaly prichádzala jar a ja som za ten čas hovoril s viacerými ľuďmi, ktorí sa dobre poznali s Josephom Wiederom. Kontakty na nich postupne objavil Harry Miller.

Sam po chrípke dostala zápal pľúc, takže musela ležať v posteli. Z Kalifornie sa o ňu prišla starať jej mladšia sestra Louise, študentka výtvarného umenia. Chcel som ju ísť navštíviť, ale zakaždým mi povedala, že musím byť trpezlivý. Vraj rozhodne netúži po tom, aby som ju videl s uslzenými očami a napuchnutým červeným nosom.

Peter bol takmer stále mimo mesta alebo zaujatý prácou, takže som ho o priebehu pátrania informoval iba telefonicky. Povedal mi, že Danna Olsenová stále neobjavila ani stopu po ďalších kapitolách rukopisu.

Nickoľko ráz som zavolal aj bývalej spolužiačke Laury Bainesovej Sarah Harperovej, no nedvíhala a na moje odkazy nereagovala. Nepodarilo sa mi nadviazať kontakt ani s profesorovou sestrou Inge Rossiovou. Našiel som jej adresu a telefónne číslo, ale snažil som sa márne. Telefón zdvihla gazdiná, ktorá sotva vykoktala dve anglické slová. Zapotil som sa, kým som z jej vysvetlenia vyrozumel, že *signor* a *signora* Rossiovci na dva mesiace odcestovali do Južnej Ameriky.

Harry síce vystopoval Timothyho Sandersa, ale nečakala ho dobrá správa – bývalý priateľ Laury Bainesovej v decembri 1998 skonal vo Washingtone. Zastrelili ho pred vlastným domom, bol na mieste mŕtvy. Polícia nenašla páchateľov a dospela k záveru, že to bola ozbrojená lúpež, ktorá pre obeť dopadla tragicky. Sanders do svojej smrti učil sociológiu na prestížnej strednej škole School Without Walls. Nikdy sa neoženil.

Môj telefonát s Eddiem Flynnom bol krátky a nepríjemný. Veľmi sa hneval na nebohého brata za to, že svoj byt odkázal pani Olsenovej, a oznámil mi, že o univerzitnom profesorovi Josephovi Wiederovi nič nevie. Zakázal mi znovu mu volať a zložil.

Porozprával som sa i s niekoľkými bývalými kolegami profesora Wiedera. Musel som si vymyslieť, že robím výskum pre vydavateľa, ktorý chce o ňom vydať životopisnú knihu, a tak o ňom zisťujem čo najviac faktov od ľudí, ktorí ho dobre poznali.

Stretol som sa s penzionovaným profesorom z rovnakej katedry na Princetonskej univerzite, sedemdesiattriročným pánom Danom T. Lindbeckom. Býval v okrese Essex v štáte New Jersey, v impozantnom kaštieli uprostred borovicového lesíka. Porozprával mi, že v dome máta duch ženy, nejakej Mary, ktorá zahynula v roku 1863 počas občianskej vojny. Spomenul som si na časy, keď som robil reportéra v časopise *Ampersand*, a opísal som mu strašidelný dom, ktorý som vtedy navštívil. Všetko si starostlivo zapisoval do starosvetského zošita.

Lindbeck sa vyjadril, že Joseph Wieder bol dosť nezvyčajná osobnosť, človek vedomý si vlastnej dôležitosti, absolútne oddaný svojej práci, špičkový intelektuál, no v osobných vzťahoch neznášanlivý a odmeraný.

Hmlisto si spomínal, že sa chystal vydať knihu, lenže si nepamätal, ktorý vydavateľ rukopis kúpil. Nepokladal za pravdepodobné, že by mal pre výber vydavateľa spory s vedeckou radou. Profesori mohli publikovať, kde chceli, a ak sa kniha dobre predávala, škole to len prospelo. Nepamätal si na nijaký špeciálny výskumný program, na ktorom by katedra v čase Wiederovho pôsobenia pracovala.

Zaujímavé, aj keď rozporuplné informácie mi dodali ďalší dvaja ľudia.

Prvý bol profesor Monroe, ktorý patril k Wiederovým odborným asistentom. Koncom osemdesiatych rokov písal doktorandskú prácu. Druhá bola šesťdesiatnička Susanne Johnsonová. Pracovala ako Wiederova sekretárka a s profesorom mala veľmi dobrý vzťah. Monroe stále vyučoval na Princetonskej univerzite. Johnsonová odišla v roku 2006 do dôchodku a bývala v Astorii v Queense s manželom a s dcérou.

John L. Monroe bol nízky štíhly chlapík, večne zamračený, s pokožkou rovnakého sivého odtieňa ako oblek, ktorý mal na sebe, keď ma prijal v kancelárii. Najprv ma však dlho a dôkladne vypočúval cez telefón. Neponúkol mi kávu ani čaj a počas celého rozhovoru na mňa vrhal podozrievavé pohľady. Vždy keď sa mu do zorného poľa dostali roztrhané kolená mojich džínsov značky Nudie, pohoršene ohrnul nos. Mal slabý hlas, akoby mu niečo postihlo hlasivky.

Na rozdiel od ostatných opísal Wiedera ako nehanebného dobrodruha, ktorý bez váhania vykrádal práce iných ľudí, len aby bol vždy na výslní. Jeho teórie, tvrdil Monroe, boli uvarené z vody, bola to iba paveda pre ignorantskú verejnosť, ten typ zdanlivo šokujúcich odhalení, ktoré človek počúva v rozhlase a v televízii, pričom vedecká komunita ich už vtedy brala s rezervou. Výdobytky neurológie, psychiatrie a psychológie medzitým ukázali, že Wiederove teórie stáli na hlinených nohách, lenže nik by už dnes nemárnil čas dokazovaním takého očividného faktu.

Monroe sa vyjadroval tak jedovato, až mi zišlo na um, že keby si zahryzol do jazyka, asi by sa sám otrávil. Bolo jasné, že Wiedera neznášal, a zrejme bol veľmi rád, že niekto je ochotný počúvať, ako špiní profesorovu pamiatku.

No aspoň si pamätal, kto mal publikovať Wiederovu knihu: vydavateľstvo Allman & Limpkin z Marylandu. Potvrdil mi aj to, že vedecká rada bola pobúrená. Jej členovia Wiederovi vyčítali, že využil školské zdroje na zhromaždenie údajov, ktoré chce zverejniť len vo svoj prospech.

Monroe netušil, prečo kniha napokon nevyšla. Možno ju Wieder nedokončil alebo ho vydavateľ požiadal o zmeny, s ktorými nesúhlasil. Vysvetlil mi, že vydavateľ a autor sa najskôr dohodnú na takzvanom edičnom návrhu, v ktorom autor poskytne vydavateľovi všetky potrebné informácie o svojom projekte, od obsahu po cieľového čitateľa. Väčšinou priloží dve či tri kapitoly a zvyšok rukopisu sa zaviaže dodať neskôr v termíne, na ktorom sa obe strany dohodnú. Konečná zmluva sa podpisuje až po odovzdaní dokončeného rukopisu a po jeho úpravách v súlade s pripomienkami vydavateľa.

O Laure Bainesovej nikdy nepočul, ale povedal, že Wiedera poznal ako notorického donchuana, ktorý mal nespočetne veľa ľúbostných vzťahov – áno, aj so študentkami. Vedecká rada mu na ďalší rok nechcela obnoviť zmluvu. Všetci vedeli, že v lete 1988 Wieder z Princetonu odchádza, a katedra psychológie už zaňho začala hľadať náhradu.

Susanne Johnsonovú som pozval na obed do reštaurácie Agnanti v Queense. Prišiel som skôr, ako sme sa dohodli, sadol som si k stolu a objednal som si kávu. Pani Johnsonová sa objavila o desať minút. Prekvapilo ma, že je na invalidnom vozíčku. Ako mi neskôr vysvetlila, od pása nadol bola ochrnutá. Sprevádzala ju mladá žena, ktorú mi predstavila ako svoju dcéru Violet. Keď sa ubezpečila, že s mamou je všetko v poriadku, odišla s tým, že sa po ňu o hodinu vráti.

Pani Johnsonová bola pre mňa ako závan čerstvého vzduchu – napriek jej stavu z nej vyžaroval optimizmus. Porozprávala mi, že pred desiatimi rokmi počas cesty po Normandii po stopách svojho otca, ktorý bol ako vojak námornej pechoty účastníkom Dňa D, mala za volantom auta, ktoré si prenajala v parížskej požičovni, hroznú nehodu. Našťastie jej manžel Mike, ktorý sedel vpredu s ňou, vyviazol takmer bez zranení.

Dozvedel som sa, že bola nielen Wiederovou sekretárkou, ale aj dôverníčkou. Profesora považovala za génia. Za svoj odbor si vybral psychológiu, no podľa nej by bol zažiaril v hociktorom odvetví. A ako skutočný génius priťahoval nenávisť priemerných, ktorí neboli schopní dosiahnuť jeho úroveň. Na univerzite mal len hŕstku priateľov a stále mu tam pod rozličnými zámienkami hádzali polená pod nohy. Nepriatelia, vždy tí istí, o ňom rozširovali všemožné nepodložené klebety, napríklad že je alkoholik a donchuan.

Susanne Johnsonová sa dosť často stretávala aj s Laurou Bainesovou. Vedela o nej, že je profesorova chránenkyňa, no bola si istá, že inak spolu nič nemali. Potvrdila, že profesor v tom období práve dopísal knihu, niečo o pamäti. To ona mu naklepala rukopis, lebo Wieder ho nenapísal ani na mechanickom, ani na elektrickom písacom stroji, ale iba rukou tak ako vždy. S istotou vedela, že rukopis bol hotový niekoľko týždňov pred jeho smrťou, a doteraz si nikdy nepoložila otázku, či ho vydavateľovi vôbec poslal, alebo prečo vlastne kniha nevyšla.

Pri dezerte som sa jej opýtal, či vie niečo o tajnom projekte, na ktorom sa vraj Wieder podieľal. Pred odpoveďou dlhšie váhala, no napokon priznala, že áno.

„Viem, že sa zapojil do projektu zameraného na terapiu vojakov trpiacich posttraumatickým stresom, viac si nepamätám. Viete, nevyštudovala som psychológiu ani psychiatriu, ale ekonómiu, tak som dokumenty len mechanicky prepisovala, o ich obsahu som veľmi nerozmýšľala. Nebudem vám tajiť, že profesor Wieder bol ku koncu týchto experimentov, nech už boli akékoľvek, psychicky veľmi labilný.“

„Nazdávate sa, že medzi jeho smrťou a projektom, na ktorom pracoval, mohla byť súvislosť?“

„Pravdupovediac, zišlo mi to vtedy na um. Na druhej strane, o takých veciach viem len toľko, čo som sa dočítala v detektívkach alebo čo som videla vo filmoch. Myslím si však, že keby tá vražda súvisela s jeho prácou, tak by sa zaiste pokúsili zamiesť stopy, aby to vyzeralo ako vlámanie či nešťastná náhoda. Skôr sa nazdávam, že ho zabil amatér, ktorý mal len šťastie, a preto ho nenašli. Medzi profesorom a osobami, s ktorými spolupracoval, však určite bolo napätie. Zhruba dva mesiace pred smrťou mi už nedával prepisovať nijaké dokumenty. Predpokladám, že s tými ľuďmi prestal pracovať."

Chvíľu mlčala a potom ticho priznala: „Pán Keller, ja som sa do profesora Wiedera zamilovala, hoci som bola vydatá a – zrejme sa vám to bude zdať ako paradox – manžela a deti som ľúbila. Profesorovi som svoje city neodhalila a zrejme ich ani nikdy nevytušil. Bral ma len ako dobrú kolegyňu, ktorá mu bola ochotná pomáhať aj po pracovnom čase. Dúfala som, že jedného dňa na mňa pozrie inými očami, no to sa nikdy nestalo. Keď zomrel, zdrvilo ma to a dlho som žila s pocitom, že sa mi rozpadol celý svet. Bol to asi ten najúžasnejší človek, s akým som sa kedy stretla."

Presne v tom momente nášho rozhovoru prišla Violet Johnsonová a prijala moje pozvanie, aby s nami ešte zopár minút posedela. Vyštudovala síce antropológiu, ale pracovala ako realitná maklérka. Povedala mi, že trh sa po finančnej kríze posledných rokov začína spamätávať. Až znepokojivo sa podobala na mamu – keď som sa na ne pozrel, mal som dojem, že vidím rovnakú osobu v dvoch rozdielnych životných etapách. Odprevadil som ich na parkovisko, kde si Violet nechala auto, a rozlúčili sme sa. Susanne ma na záver vyobjímala a zaželala mi veľa zdaru.

Hneď na druhý deň ráno som zatelefonoval do vydavateľstva Allman & Limpkin.

Z recepcie ma prepojili k redaktorke, ktorá mala na starosti nové tituly z oblasti psychológie, veľmi milej dáme, ktorá si ma pozorne vypočula a potom mi dala číslo na archívne oddelenie. Podľa jej slov bol profesor Wieder v akademickom svete slávna osobnosť, tak je možné, že edičný návrh jeho knihy uchovali, keďže v tých časoch neexistoval e-mail a s autormi sa korešpondovalo prostredníctvom listov.

V archíve som však nemal šťastie. Človek, s ktorým ma spojili, mi vysvetlil, že s novinármi sa bez povolenia manažmentu nesmie baviť, a hneď zložil.

Zatelefonoval som redaktorke, ktorá mi dala jeho číslo, a znovu som jej položil otázky, na ktoré som hľadal odpovede: či Wiederov edičný návrh skutočne existoval, či profesor odovzdal vydavateľstvu hotový rukopis a prečo kniha nevyšla. Pozbieral som všetok osobný šarm a zrejme to zabralo – redaktorka sľúbila, že sa mi vynasnaží pomôcť.

Nerobil som si veľké nádeje, ale po dvoch dňoch mi od nej v schránke pristál e-mail s informáciami, ktoré sa jej podarilo zistiť.

Wieder poslal edičný návrh v júli roku 1987 spolu s prvou kapitolou chystanej knihy. V edičnom návrhu uvádzal, že rukopis je už hotový a pripravený na odovzdanie. Vydavateľ mu poslal zmluvu o mesiac, v auguste. Okrem iného v nej stálo, že Wieder by mal spolu s redaktorom začať pracovať na zmenách v texte v novembri. Lenže v novembri si profesor vyžiadal zopár týždňov navyše s odôvodnením, že chce rukopis počas prázdnin doladiť. Vyhoveli mu, ale potom sa stala tá tragédia. Kompletný rukopis sa k vydavateľovi nikdy nedostal.

Spolu s e-mailom mi prišiel edičný návrh, sken pôvodného dokumentu, písaného na stroji. Bolo to takmer päťdesiat strán. Zapol som tlač a sledoval som, ako stránky po jednej vychádzajú zo stroja. Prelistoval som ich, spojil som ich kancelárskou spinkou a odložil na stôl, že si ich neskôr prečítam.

V ten večer som sa pokúsil písomne zhrnúť, čo som v pátraní dosiahol a aké mám šance k niečomu dospieť.

O polhodinu som pri pohľade na vlastnoručne načrtnutý graf usúdil, že sa motám dookola ako v bludisku. Vyrazil som po stopách knihy Richarda Flynna, a nielenže som ju nenašiel, ale pochovala ma hora detailov o ľuďoch a o udalostiach, ktoré sa tvrdohlavo odmietali zlúčiť do súvislého obrazu. Nadobudol som pocit, že blúdim v tme, hmatám v podkroví plnom starých rárohov, neviem pochopiť význam vecí nakopených za dlhé roky ľuďmi, ktorých nepoznám a ani o nich nedokážem zistiť nič zmysluplné.

Mnohé z detailov, ktoré som vypátral, si navzájom protirečili. Bola to hotová lavína beztvarých informácií, akoby postavy a dianie z minulosti predo mnou zaťato tajili pravdu. Ba čo viac, keď som s hľadaním začal, hlavnou postavou bol Richard Flynn, autor rukopisu, no postupne sa mi strácal z dohľadu, ustupoval do pozadia a do stredu javiska vykročil patriarchálny zjav profesora Josepha Wiedera. Ako hviezda, ktorou počas svojej kariéry aj bol, odsotil chudáka Flynna do tmavého kúta a spravil z neho prakticky len štatistu.

Pokúsil som sa nájsť súvislosť medzi postavou Laury Bainesovej vo Flynnovom rukopise a ženou, ktorú som stretol v Medicínskom centre Kolumbijskej univerzity, lež márne. Akoby predstavovali dva rozličné obrazy, jeden pravý, jeden imaginárny, a vôbec sa navzájom neprekrývali.

Snažil som sa tiež porovnať Flynna, ktorého som poznal nepriamo, z rukopisu – mladého študenta z Princetonu, plného života, snívajúceho o spisovateľskej dráhe, ktorý už mal za sebou prvé uverejnené poviedky –, s pustovníkom, samotárskym mužom, ktorý žil nudný život s Dannou Olsenovou v skromnom byte, s mizantropom okradnutým o svoje sny. Chcel som pochopiť, prečo ten muž, hoci smrteľne chorý, venoval posledné mesiace života písaniu rukopisu, ktorý si nakoniec vzal so sebou do hrobu.

Pokúsil som sa predstaviť si Wiedera, podľa niektorých génia, podľa iných šarlatána, zamknutého s vlastnými duchmi v tom obrovskom studenom dome, akoby ho tam mátala nejaká neznáma vina. Profesor po sebe zanechal záhadu chýbajúceho rukopisu a to sa akýmsi zvratom osudu stalo aj v prípade Richarda Flynna o vyše dve desaťročia neskôr. Vydal som sa hľadať nezvestný rukopis, ktorý som nenašiel, ale zato som narazil na stopu ďalšej stratenej knihy.

Usiloval som sa dať pevné obrysy všetkým postavám, ktoré moje pátranie vyvolalo z minulosti, no boli to iba tiene bez konkrétnych kontúr. Len si tak poletovali v príbehu, ktorého začiatok, koniec a zmysel som nedokázal odhaliť. Mal som pred sebou hlavolam, ktorého časti do seba nezapadali.

Paradoxne, čím viac som sa hrabal v minulosti, hnaný početnými, ale protirečivými informáciami, tým dôležitejšia sa mi javila prítomnosť. Ako keby som zostupoval do šachty a kruh svetla, ktorý sa mi zmenšoval nad hlavou, mi ako životne dôležité spojivo pripomínal, že sa musím zase vynoriť na povrch, lcbo odtiaľ som prišiel a tam sa skôr či neskôr treba aj vrátiť.

Takmer každý deň som telefonoval so Sam. Hovorila mi, že sa zotavuje. Zistil som, že mi chýba viac, ako by som si bol pred začatím pátrania a pred jej chorobou, ktorá nás rozdelila, schopný predstaviť. Čím klamlivejšie sa ukazovali tiene okolo mňa, tým skutočnejší mi pripadal náš vzťah a nadobudol pevnosť, akú predtým nemal alebo akú som azda odmietal prijať.

Preto ma tak šokovalo, čo sa stalo.

Práve som sa chystal z domu na stretnutie s Royom Freemanom, jedným z detektívov, ktorí kedysi vyšetrovali Wiederov prípad, teraz už na dôchodku, keď mi zazvonil telefón. Bola to Sam a bez okolkov vyrukovala s tým, že sa chce rozísť. Dodala, že rozísť možno nie je ten správny výraz, keďže náš vzťah nikdy nepokladala za „vážny", skôr za nezáväzné priateľstvo.

Tvrdila, že sa chce vydať a mať deti a že jeden kolega ju už dávnejšie balí. Vraj by pre ňu mohol byť mužom na celý život.

Hovorila to tónom, akým by kastingový manažér oznamoval neúspešnému kandidátovi, že na rolu našiel iného, vhodnejšieho herca.

Zišlo mi na um, či ma s tým kolegom aj podvádzala. Uvedomil som si, že je to zbytočná otázka. Sam nepatrila k ľuďom, ktorí si pred rozhodnutím dôkladne neoveria všetky možnosti.

Keď mi vysvetľovala, že celý čas, čo ležala chorá v posteli, rozmýšľala o tom, čo skutočne chce, bolo mi jasné, že s tým chlapíkom už nejaký čas paktuje.

„To ty si vravela, že chceš otvorený vzťah bez záväzkov," pripomenul som jej. „Rešpektoval som tvoje prianie, to však neznamená, že som nechcel nič viac."

„Tak prečo si mi to doteraz nepovedal?"

„Možno som sa na to práve chystal."

„John, poznáme sa až pridobre. Si ako ostatní muži – uvedomíš si, čo pre teba žena znamená, až keď ju strácaš. Priznám sa ti, že kým sme spolu chodili, bála som sa, že jedného dňa stretneš nejakú mladšiu a ujdeš mi s ňou. Vieš, ako ma bolelo, že si ma nikdy nezoznámil s priateľmi, nepredstavil si ma rodičom, ako keby si náš vzťah chcel udržať v tajnosti? Hovorila som si, že som pre teba len staršia žena, s ktorou sa občas rád vyspíš."

„Sam, moji rodičia žijú na Floride. A čo sa týka mojich priateľov, sotva by ti boli sympatickí: chlapíci z redakcie *New York Postu* plus dvaja, traja starí spolužiaci z vysokej, všetko brucháči, ktorí sa po niekoľkých pohárikoch chvascú, ako podvádzajú svoje ženy."

„Myslím to v princípe."

„A ja ti hovorím, ako to je v skutočnosti."

„Nemá význam, aby sme sa obviňovali. To je na konci vzťahu najodpornejšie – keď si pospomínaš na všetky sklamania a začneš kydať špinu."

„Z ničoho som ťa neobviňoval."

„Viem, prepáč. Ja len..."

Rozkašľala sa.

„Si v poriadku?"

„Vraj mi ten kašeľ do dvoch, troch týždňov prejde. Už musím končiť. Možno sa ti ešte ozvem. Prosím ťa, dávaj na seba pozor."

Chcel som sa jej spýtať, či sa radšej nechce stretnúť hneď, porozprávať sa zoči-voči, ale nedala mi šancu. Zložila a ja som po chvíli zízania na telefón, akoby som nechápal, čo to mám v ruke, urobil to isté.

Keď som šiel na stretnutie s Royom Freemanom, uvedomil som si, že celý rozhovor s ním chcem mať čo najrýchlejšie za sebou.

Vedel som, že keby som sa do tejto záležitosti tak nezahĺbil a nehral sa na detektíva, mohol som zachytiť signály blížiacej sa búrky vo vzťahu so Sam. Jej rozhodnutie rozísť sa so mnou bolo poslednou kvapkou, hoci som nevedel vysvetliť prečo.

Nie som poverčivý, no ovládol ma silný pocit, že príbeh Richarda Flynna obsahuje nejakú kliatbu, podobnú kliatbe faraónovej hrobky. Bol som odhodlaný zatelefonovať Petrovi, že sa tomu prestanem venovať, lebo mi je jasné, že sa aj tak nikdy nedopátram, čo sa tej noci odohralo medzi profesorom Josephom Wiederom, Laurou Bainesovou a Richardom Flynnom.

7

Roy Freeman býval v okrese Bergen, za mostom, ale povedal, že aj tak musí v meste niečo vybaviť, preto som nám rezervoval stôl v reštaurácii na Západnej 36. ulici.

Bol vysoký a chudý, vyzeral ako herec, ktorému prideľujú vedľajšie úlohy, napríklad starnúceho policajta, ktorý zdržanlivo kryje chrbát hlavnému hrdinovi v jeho boji proti zloduchom a budí dojem – hoci netušíte prečo, lebo v celom filme povie len jednu či dve vety –, že sa naňho môžete spoľahnúť.

Vlasy aj starostlivo zastrihnutú bradu, ktorá mu pokrývala celú dolnú polovicu tváre, mal takmer úplne biele. Predstavil sa a rozhovor sa mohol začať. Povedal mi, že bol takmer dvadsať rokov ženatý so ženou menom Diana. Mali syna Tonyho, ale vída ho málokedy. Po rozvode koncom osemdesiatych rokov sa bývalá manželka aj s chlapcom presťahovala do Seattlu. Syn vyštudoval vysokú školu a stal sa moderátorom správ v miestnom rádiu.

Freeman bez váhania priznal, že všetka vina za rozpad manželstva padá na jeho hlavu, pretože sa príliš venoval práci a priveľa pil. Bol jedným z prvých policajných detcktívov v New Jersey, ktorý nastúpil do zboru hneď po vysokej, v roku 1969, a niektorí kolegovia na oddelení ho za to mali v zuboch, z veľkej časti aj preto, lebo bol černoch. Ktokoľvek by tvrdil, že rasizmus sa do polovice sedemdesiatych rokov podarilo z policajného zboru vykoreniť, vraj klame. Samozrejme, ešte predtým sa začali nakrúcať filmy, kde černošskí herci hrali sudcov, štátnych zástupcov, vysokoškolských profesorov a policajných riaditeľov, no realita bola iná. Plat mal však dobrý – pochôdzkar vtedy zarobil takmer dvadsaťtisíc dolárov ročne – a o tom, že sa stane policajtom, sníval od detstva.

Vysvetlil mi, že vo West Windsore pracovalo začiatkom osemdesiatych rokov asi pätnásť policajtov, väčšinou okolo štyridsiatky. Mali tam iba jednu ženu, ktorá nastúpila nedávno, a okrem neho a Hispánca Josého Mendeza boli všetci ostatní bieli. Pre New Jersey a New York to bolo temné obdobie: začala sa epidémia kreku, a aj keď Princeton sa najhoršej vlne vyhol, neznamenalo to, že by tam mali policajti ľahký život. Freeman robil na princetonskej polícii jedno desaťročie a v sedemdesiatom deviatom ho prevelili do West Windsoru v okrese Mercer, kde len zopár rokov predtým vznikla policajná stanica.

Náš rozhovor vraj uvítal, keďže na dôchodku žije skoro ako pustovník, lebo väčšina bývalých policajtov nemá veľa dôverných priateľov.

„Prečo sa zaujímate o tento prípad, John?" spýtal sa.

Sám navrhol, aby sme sa oslovovali krstnými menami. Hoci v jeho tóne a výzore ma niečo trochu zastrašovalo, sám neviem prečo, súhlasil som a povedal som mu pravdu.

Už sa mi nechcelo vymýšľať príbehy o imaginárnych postavách a historky o nevyriešených vraždách, navyše som bol presvedčený, že muž predo mnou, ktorý ochotne prijal návrh na stretnutie s neznámym chlapíkom a zveril sa mu aj s nepríjemnými udalosťami z vlastného života, si zaslúži úprimnosť.

Vyrozprával som mu, že Richard Flynn napísal o tom období knihu a časť poslal literárnemu agentovi, no zvyšok rukopisu sa bez stopy stratil. Agent si ma najal, aby som ten prípad preskúmal – alebo aj vyriešil –, a pokúšam sa rekonštruovať fakty. Už som hovoril s mnohými ľuďmi, nič konkrétne som však z toho nevyťažil a dosiaľ nerozumiem, o čo tu ide.

Ukázal na veľkú žltohnedú obálku, ktorú si priniesol.

„Zastavil som sa na bývalom pracovisku a odkopíroval som vám zopár vecí," povedal. „Záznamy sme začali digitalizovať až v prvej polovici deväťdesiatych rokov, preto som sa musel prehrabávať v škatuliach v archíve. Našťastie neboli tajné, takže to šlo bez problémov. Papiere si môžete vziať a prečítať." Obálku som si vložil do tašky.

Nato mi v krátkosti zhrnul, čo si zapamätal: ako prišiel s kriminalistickým tímom do Wiederovho domu, o búrke v tlači, o tom, že bez relevantných stôp sa nedopracovali k nijakej použiteľnej teórii.

„V tom prípade veľa vecí nesedelo," spomínal. „Profesor viedol pokojný život, nebral drogy, nestýkal sa s prostitútkami, nechodieval na nebezpečné miesta. V blízkej minulosti nemal s nikým konflikty, býval v dobrej štvrti a susedia boli slušní ľudia, ktorí sa celé roky poznali, samí akademici a topmanažéri z veľkých firiem. A potom ho z ničoho nič zavraždia vo vlastnom dome. Mal tam množstvo cenností, ale nič nechýbalo, ani len hotovosť či šperky. No pamätám si, že to tam niekto narýchlo prehľadal. Boli tam pootvárané zásuvky a papiere rozhádzané po dlážke. Lenže jediné odtlačky prstov, ktoré sme našli, patrili známym osobám: chalanovi, ktorý profesorovi reorganizoval knižnicu, a údržbárovi, ktorý mal do domu bežne prístup a často tam chodieval."

„Ozaj, k tým papierom na dlážke," zapojil som sa do rozhovoru, „odniesli ste si niektoré z nich ako možné dôkazy?"

„Na také detaily sa už nepamätám, ale v tom, čo som vám priniesol, nájdete všetko. Zato mi zišlo na um, že sme v dome našli malý sejf a nikto nepoznal kombináciu, tak sme museli zavolať zámočníka. Vlámal sa doň, no našli sme tam iba trochu hotovosti, zmenky, fotografie a podobne. Nič, čo by súviselo s prípadom."

„Profesor krátko predtým dokončil knihu a vyzerá to tak, že jej rukopis zmizol."

„Osobné veci prevzala jeho sestra. O pár dní prišla z Európy. Dobre si na ňu spomínam. Správala sa ako nejaká filmová hviezda či čo. Mala na sebe drahý kožuch a množstvo šperkov, hotová primadona, a rozprávala s cudzím prízvukom. To bol pohľad! Položili sme jej niekoľko otázok, ale ona vyhlásila, že s nebohým bratom si neboli veľmi blízki, takže o jeho živote nič nevie."

„Volá sa Inge Rossiová," povedal som. „Už dlho žije v Taliansku."

„Možné to je... Ten rukopis, o ktorom hovoríte, si pravdepodobne vzala ona. Alebo niekto iný. Po niekoľkých

E. O. Chirovici

dňoch sme z domu všetko vypratali. Jeho sestra sa nesťažovala, že by niečo chýbalo, no pochybujem, že mala prehľad o tom, čo jej brat vlastnil. Ako vravím, tvrdila mi, že sa za posledných zhruba dvadsať rokov ani raz nenavštívili. Mala naponáhlo, chcela to mať čím skôr za sebou a hneď po pohrebe sa vrátila domov."

„Viem, že medzi podozrivými bol aj jeden mladý muž, istý Martin Luther Kennet, ktorého neskôr odsúdili za vraždu starých manželov."

„Aha, Eastonovcov. Hej, to bol odporný zločin. Kennet dostal doživotie a stále sedí v base na ostrove Rikers. Z profesorovej vraždy ho však neobvinili."

„Lenže istý čas sa k nemu správali ako k hlavnému podozrivému, nie?"

Pokrčil plecami. „Pochopte, to sa stáva. Wieder bol celebrita, na jeho prípad sa vrhla tlač, dokonca aj celonárodná, a boli sme pod tlakom, aby sme vraždu čo najrýchlejšie vyriešili. Spolupracovali sme aj so šerifom a okresný úrad štátneho zástupcu pridelil z oddelenia vrážd chlapíka menom Ivan Francis. Bol to karierista a mal za sebou politické konexie. My, miestni poliši, sme boli malé ryby, za nitky ťahal štátny zástupca a tento chlap."

Nadýchol sa. „Vtedy som si myslel a nebál som sa to aj povedať, že ten chalan, Kennet, nemal nič spoločné ani s vraždou Eastonovcov, ani s Wiederovým prípadom. Hovorím to smrteľne vážne. Štátny zástupca z neho chcel spraviť hlavného podozrivého aj pri Wiederovej vražde, presne ako vravíte, takže ostatné stopy sme postupne prestali sledovať. Bola to hlúposť a všetci sme to vedeli. Ten chlapec možno nemal veľa rozumu, ale nebol až taký tupý,

180

aby predával cennosti, ktoré vraj šlohol svojim obetiam, v záložni zopár kilometrov od miesta vraždy. Čo by to bol za nezmysel? Prečo s nimi nešiel do New Yorku alebo do Filadelfie? Bol to bezvýznamný díler, to hej, ale dovtedy nesedel za násilné trestné činy. Okrem toho, na noc profesorovej vraždy mal alibi, čiže o možnosti, že Wiedera zabil, sa vôbec nemalo uvažovať."

„Niečo som o tom čítal v novinách. Vy si teda naozaj myslíte, že..."

„Presne ako vám vravím. Bol totiž v herni. V tých časoch tam ešte nemali bezpečnostné kamery, ale dvaja či traja svedkovia hneď potvrdili, že ho tam v čase vraždy videli. Potom sa za nimi vybral Ivan Francis a zrazu zmenili výpovede. Kennetovi navyše ako obhajcu ex offo pridelili úplného idiota, ktorý sa s nikým nechcel hádať. Už mi rozumiete?"

„Richarda Flynna ste teda pomerne rýchlo pustili z pazúrov, však?"

„Veru tak. Aj na toho sme sa spočiatku zamerali. A nebol jediný, koho sme dosť rýchlo pustili z pazúrov, ako vravíte. Na všetky podrobnosti si nespomínam, no tuším bol posledný, kto videl profesora nažive. Zopár ráz sme ho vypočuli, ale nepodarilo sa nám ho prichytiť pri lži. Potvrdil, že tam tej noci bol, no vraj dve či tri hodiny pred časom vraždy odišiel. Priznal sa v tej knihe k niečomu?"

„Ako som povedal, väčšina rukopisu chýba, takže neviem, ako sa ten príbeh odvíjal ďalej. Vtedy ste však rozhodne nevedeli, keďže Richard Flynn aj druhý svedok, Derek Simmons, o tom mlčali, že v ten večer tam bola ešte jedna osoba, študentka menom Laura Bainesová. Údržbár mi prezradil, že ona a Flynn sa s profesorom stretli a pohádali."

Usmial sa. „John, nikdy nepodceňujte poliša. Viem, že ľudia nás občas pokladajú za primitívov, ktorí sa len napchávajú šiškami a nevedia si nájsť ani len vtáka v gatiach. Samozrejme, že sme o tej pipke, ktorá s profesorom zrejme spávala, všetko vedeli, no nič sme jej nedokázali. Sám som ju vypočúval, lenže na celý večer mala nepriestrelné alibi, ak si dobre pamätám. Nemohla byť na mieste činu. Aj pri nej sme teda skončili v slepej uličke."

„No čo ten údržbár?"

„Ach, čo sa týka jeho výpovede... Akože sa volá?"

„Simmons. Derek Simmons."

Odrazu prestal rozprávať a niekoľko sekúnd sa len díval do prázdna. Potom vybral z vrecka malú fľaštičku s liekmi, otvoril ju, prehltol zelenú tabletku a zapil ju vodou. Vyzeral rozpačito.

„Prepáčte, len... No áno, volal sa Derek Simmons, pravdaže. Už som zabudol, čo tvrdil, ale s jeho výpoveďou sme toho veľa podniknúť nemohli. Bol chorý, trpel stratou pamäti a zrejme nemal všetkých doma, ak chápete, ako to myslím. Tak či onak, okrem klebiet sme nemali dôkaz, že profesor a tá študentka boli milenci. Navyše mala ozaj dobré alibi."

„Spomeniete si, kto jej ho poskytol?"

„Všetko je to v papieroch, ktoré som vám dal. Myslím si, že to bol spolužiak... vlastne spolužiačka. Nejaké dievča."

„Sarah Harperová?"

„Vravím, že na všetky detaily si už dobre nepamätám, mená nájdete v tých dokumentoch."

„Laura Bainesová chodila s istým Timothym Sandersom. Možno začal žiarliť, vzal si do hlavy, že jeho dievča má niečo s profesorom. Vypočul ho niekto?"

„Ako som už povedal, Laura Bainesová nebola podozrivá. Prečo by sme vypočúvali jej priateľa? Zistili ste o ňom niečo zaujímavé?"

„Nič, čo by súviselo s prípadom. Pred mnohými rokmi ho zastrelili vo Washingtone. Údajne šlo o lúpežné prepadnutie, z ktorého sa stala vražda."

„To nerád počujem."

Dojedli sme a objednali sme si kávu. Freeman vyzeral unavene a duchom neprítomne, akoby mu pri našom rozhovore došla energia.

„Prečo Flynna oficiálne neobvinili?" pokračoval som v otázkach.

„Nepamätám si, no mám pocit, že Francis by to bol rád urobil. Ak ho nepredhodil porote, musel mať na to dobrý dôvod. Flynn bol študent s čistým registrom a s nikým nemal problémy. Nedrogoval, nepil, aspoň pokiaľ si spomínam, nebol to násilník. Nezodpovedal profilu potenciálneho vraha. A ozaj, viete, že prešiel testom na detektore lži? Takí ľudia sa z ničoho nič neschytia a nepôjdu spáchať vraždu, aj keby boli v obrovskom emocionálnom strese. Niekto jednoducho nie je schopný zabiť iného človeka, aj keby jemu alebo jeho príbuznému šlo o život. Pred niekoľkými rokmi som sa dočítal o jednej štúdii, z ktorej vyplynulo, že väčšina vojakov v druhej svetovej vojne strieľala radšej do vzduchu ako do Nemcov či do Japoncov. Navyše domlátiť niekoho bejzbalovou palicou je čertovsky ťažké, nie ako vo filmoch. Aj keby ste tak mali odpraviť človeka, ktorý podľa vás znásilnil vašu dcéru. Nie, podľa mňa to ten Flynn nespravil."

„Roy, myslíte si, že by to bola schopná urobiť žena? Myslím fyzicky."

Chvíľu uvažoval.

„Hm, rozmlátiť chlapovi hlavu bejzbalkou? Skôr nie. Ženy zabíjajú oveľa zriedkavejšie ako muži a takmer nikdy nie tak brutálne. Žena pri vražde použije skôr jed alebo inú nekrvavú metódu. Prípadne strelnú zbraň. Na druhej strane, kriminalistika síce pozná vzorce správania, nikdy však nemá stopercentnú istotu. Detektív by preto rozhodne nemal vylúčiť nijakú hypotézu. Pokiaľ si spomínam, Wieder bol silný chlap, fyzicky zdatný a ešte dosť mladý, aby sa ubránil útoku. Iste, pred smrťou si vypil. Hladina alkoholu v krvi vám veľa napovie o tom, v akom stave bola obeť v čase útoku, no nevysvetlí všetko. Jeden človek má pri rovnakej hladine alkoholu takmer normálne reflexy, kým iný už nie je schopný sa brániť. Je to individuálne."

„Považovali za podozrivého aj Simmonsa?"

„Kto je Simmons? Aha, pardon, ten údržbár, ten, čo má o koliesko viac..."

„Hej. V minulosti ho obvinili z manželkinej vraždy, no oslobodili ho – pre duševnú poruchu. Prečo nebol podozrivý aj teraz?"

„Veľmi ochotne spolupracoval a mal alibi, čiže potenciálnym podozrivým bol iba chvíľu, to však boli vlastne všetci, ktorí nejako súviseli s obeťou. Niekoľkokrát sme ho vypočúvali, ale pôsobil neškodne. Nechali sme to tak."

*

Na stretnutie prišiel vlakom a naspäť do New Jersey som ho odviezol. V aute mi ešte vyrozprával, aké bolo byť v tých rokoch policajtom. Býval v jednoposchodovom starom dome obklopenom borovicami, na konci poľnej cesty neďaleko diaľnice. Keď sme sa lúčili, požiadal ma, aby som mu dal vedieť, ako pokračuje moje pátranie. Sľúbil som mu, že ak zistím niečo zaujímavé, ozvem sa mu, hoci som už vedel, že sa na to celé vykašlem.

Napriek tomuto odhodlaniu som si ešte večer prečítal papiere, ktoré mi doniesol, ale neobjavil som v nich nič, čo by som už nevedel.

Richarda vypočúvali tri razy a zakaždým poskytol jasné, priame odpovede. Dokonca súhlasil so skúškou na detektore lži a prešiel ňou.

Meno Laury Bainesovej sa spomínalo len vo všeobecnej správe o Wiederových kontaktoch a známych. Neoznačili ju ani za podozrivú, ani za svedkyňu, a vypočúvali ju iba raz. Zrejme mali isté podozrenie, že v ten večer mohla byť na mieste činu a dom opustila o deviatej, keď prišiel Richard. Obaja to však popreli. Flynn s profesorom si vraj spolu vypili a Flynn tvrdil, že Laura tam vôbec nebola.

Neskôr som surfoval po internete, napoly duchom neprítomný, a myslel som na Sam: ako sa na mňa usmievala, akú má zvláštnu farbu očí a aké maličké znamienko má na ľavom pleci. Pochytil ma čudný pocit, že moje spomienky na ňu už postupne blednú, po jednej sa ukrývajú v tej tajnej komnate premárnených šancí, od ktorej človek zahodí kľúč, pretože spomienky za dverami sú priveľmi bolestné.

Zaspal som až nadránom. Počul som hlboký dych mesta, milióny snov a príbehov sa splietali dohromady, vytvárali gigantickú guľu, ktorá sa pomaly dvíhala k oblohe, pripravená každú chvíľu prasknúť.

Počas predchádzajúcich týždňov som sa viac ráz pokúšal spojiť so Sarah Harperovou. Napokon sa mi ozvala deň po stretnutí s Freemanom, práve keď som sa chystal zavolať Petrovi a celé to zabaliť. Mala príjemný hlas a povedala mi, že sa so mnou chce stretnúť čo najskôr, lebo plánuje na istý čas odísť z mesta. Pamätala si, že sa rozprávala s Harrym Millerom, a chcela vedieť, čo od nej potrebujem.

Ak mám byť úprimný, o stretnutie s ňou som už stratil záujem. Mal som za sebou rozhovory s mnohými ľuďmi a všetci mi narozprávali príbehy, ktoré si protirečili. Navyše rozchod so Sam ma natoľko šokoval, že som sa nedokázal sústrediť na čosi, čo sa stalo pred mnohými rokmi, na čosi, čo ma už celkom prestalo zaujímať. Odrazu mi tie udalosti pripadali ako kresby bez obsahu, ako ilustrácie v detskej knižke, dvojrozmerné a neschopné nadchnúť ma. Nechcelo sa mi trepať sa až do Bronxu na stretnutie s narkomankou, ktorá mi zrejme narozpráva len ďalšiu zmes lží v nádeji, že si rýchlo zarobí na dávku.

Sarah Harperová sa však ponúkla, že príde do mesta za mnou, a tak som súhlasil. Dal som jej adresu podniku na rohu. Oznámila mi, že tam príde asi o hodinu a že ju spoznám podľa zelenej cestovnej tašky.

Meškala desať minút, práve som pil espreso. Zamával som na ňu, prišla ku mne, podala mi ruku a sadla si.

Vyzerala úplne inak, ako som si ju predstavoval. Bola nízka a krehká, mala takmer telo tínedžerky a veľmi bielu pokožku, ktorá ladila s broskyňovými vlasmi. Aj keď bola oblečená jednoducho – v džínsoch, v tričku s dlhými rukávmi s nápisom *Život je fajn* a v ošúchanej džínsovej bunde –, pôsobila veľmi upravene a bolo z nej cítiť nevtieravú vôňu drahého parfumu. Ponúkol som sa, že ju pozvem na pohárik, ale povedala, že po poslednom pobyte na liečení už rok abstinuje. Ubezpečila ma, že odvtedy sa vyhýba aj iným drogám. Ukázala na tašku, ktorú si položila na vedľajšiu stoličku. „Ako som vám vravela do telefónu, na istý čas odchádzam, tak reku, radšej sa s vami ešte predtým porozprávam."

„Kam idete?"

„Do Maine s priateľom. Budeme bývať na ostrove. Zamestnal sa v nadácii, ktorá sa stará o chránené krajinné oblasti. Už dávno som po takom niččom túžila, ale chcela som mať istotu, že som v poriadku a pripravená, ak chápete, ako to myslím. New York mi bude chýbať. Žila som tu celý život, no človek občas potrebuje aj nový začiatok, nie?"

Rozprávala sa so mnou uvoľnene, hoci sme sa len teraz zoznámili. Pomyslel som si, že zrejme stále navštevuje podporné skupiny typu Anonymných alkoholikov. Tvár mala takmer bez vrások, ale pod tyrkysovými očami sa jej črtali hlboké kruhy.

„Ďakujem, že ste ochotná porozprávať sa so mnou, Sarah," povedal som, keď som jej stručne vysvetlil, ako je to s rukopisom Richarda Flynna a s mojím pátraním po udalostiach z konca roka 1987. „Najprv vás však musím upozorniť, že agentúra, pre ktorú pracujem, nemá na takýto typ zbierania informácií veľký rozpočet, čiže..."

Mávnutím ruky ma prerušila. „Neviem, čo vám povedal ten Miller, ale nepotrebujem od vás peniaze. V poslednom čase sa mi podarilo trochu ušetriť a tam, kam idem, nebudem mať veľké výdavky. So stretnutím som súhlasila z iného dôvodu. Súvisí to s Laurou Bainesovou – alebo Westlakovou, ako sa teraz volá. Myslela som si, že by ste o nej mali vedieť zopár vecí."

„Dám si ešte jedno espreso. Môžem niečo priniesť aj vám?"

„Vďaka, prosím si bezkofeínové kapučíno."

Išiel som k baru a objednal som nám kávu, potom som sa vrátil k stolu. Bolo piatkové popoludnie a podnik sa začínal napĺňať hlučnými zákazníkmi.

„Spomínali ste Lauru Bainesovú," naznačil som.

„Poznáte ju dobre?"

„Skôr vôbec. Osobne sme sa rozprávali polhodinu a zo dva razy aj telefonicky, to je všetko."

„A aký na vás urobila dojem?"

„Ak mám byť úprimný, nie veľmi dobrý. Mal som pocit, že mi klamala, keď som sa jej spýtal, čo sa vtedy stalo. Je to len pocit, no nazdávam sa, že niečo skrýva."

„S Laurou sme boli dobré priateľky, chvíľu sme spolu aj bývali, potom sa nasťahovala k frajerovi. Aj keď pochádzala zo Stredozápadu, bola voľnomyšlienkarka, veľmi rozhľadená a mala charizmu, ktorá nepôsobila len na chlapcov, ale i na dievčatá. Hneď si získala veľa priateľov, pozývali ju na všetky večierky a profesori ju chválili. Bola najobľúbenejšia študentka v našom ročníku."

„Aký mala presne vzťah s Wiederom? Viete o tom niečo? Niektorí ľudia mi tvrdili, že mali pomer, a naznačuje to aj Richard Flynn v rukopise. Ona však trvá na tom, že medzi nimi nikdy nič nebolo."

Na chvíľu sa zamyslela a hrýzla si spodnú peru.

„Rozmýšľam, ako by som to vyjadrila... Neverím, že medzi nimi bolo niečo telesné, ale jeden pre druhého veľa znamenali. Profesor nepôsobil ako typ, ktorý má slabosť na mladšie ženy. Len mal v sebe akúsi energiu. Všetci sme ho obdivovali a mali radi. Jeho prednášky boli super. Mal úžasný zmysel pre humor. Každému bolo jasné, že vie, o čom hovorí, a naozaj chce, aby ste sa niečo naučili, a nie že len odvádza robotu, za ktorú je platený. Poviem vám príklad. Raz počas jesenných ohňostrojov – vtedy sa robili všelijaké hlúpe rituály a niektoré zrejme ešte stále pokračujú – takmer celý posledný ročník išiel so zopár profesormi pred univerzitné múzeum výtvarných umení. Tam sme čakali, kým sa zotmie, aby sa to mohlo začať. O polhodinu takmer všetci študenti obstúpili Wiedera, hoci nič nehovoril."

„Niektorí jeho bývalí kolegovia vraveli, že bol sukničkár a preháňal to s alkoholom."

„Nemyslím si, že je to pravda, a ani Laura mi nikdy nič také nespomínala. Pravdepodobne to boli len klebety. Navyše Laura mala vtedy priateľa..."

„Timothyho Sandersa?"

„Áno, tak sa tuším volal. Mená väčšinou zabúdam, ale zrejme to bol on. Mala som pocit, že Laure na ňom záleží, ak niečoho takého vôbec bola schopná. Odhliadnuc od jej vzťahov s tým chlapcom či s Wiederom, Laura mi zrazu začala ukazovať inú tvár a to ma dosť vystrašilo."

„Ako to myslíte?" spýtal som sa.

„Bola veľmi, veľmi... dravá. Veľmi dravá a priebojná, to je ten správny výraz, ale aj vypočítavá. V tom veku takmer nikto z nás – myslím zo študentov – nebral život príliš vážne. Napríklad pre mňa bolo flirtovanie s chlapcami dôležitejšie ako budúca kariéra. Premárnila som veľa času na nepodstatné veci, kupovala som si čačky alebo som chodila do kina, celé noci som preklebetila s kamarátkami... Laura však bola iná. Raz mi povedala, že v osemnástich prestala s atletikou, lebo si uvedomila, že ceny, ktoré dovtedy získala, jej nezabezpečia miesto v tíme na olympiádu v Los Angeles a o štyri roky bude na túto šancu pristará. Spýtala som sa, ako to spolu súvisí. Moja otázka ju prekvapila. Odvetila: ‚Aký má zmysel drieť, ak nemáš príležitosť dokázať, že si najlepšia?‘ Chápete? Šport bol pre ňu len prostriedok, cieľom bolo uznanie. Po tom túžila najväčšmi alebo to možno bolo jediné, po čom prahla: aby ostatní uznali, že je najlepšia. Podľa toho, čo viem, bola už od detstva mimoriadne súťaživá a časom to prerástlo do posadnutosti. Čokoľvek robila, musela byť najlepšia. Čokoľvek chcela, musela to dosiahnuť čo najrýchlejšie. Pritom si to ani neuvedomovala. Považovala sa za otvoreného, štedrého človeka, ochotného obetovať sa pre druhých. Lenže každý, kto jej stál v ceste, bol prekážkou, ktorej sa musela zbaviť. Myslím si, že práve preto bol pre ňu dôležitý vzťah s Wiederom. Lichotilo jej, že si ju všimol najcharizmatickejší profesor, génius, ktorého všetci obdivovali. Pripadala si výnimočná – vyvolená spomedzi dievčat, ktoré Wiedera považovali za boha. Timothy bol len chlapec, ktorý sa za ňou vláčil ako mopslík a s ktorým občas spávala."

Zdalo sa, že rozprávanie ju vyčerpáva, a na lícach sa jej zjavili dve červené škvrny. Stále si odkašliavala, akoby mala suché hrdlo. Dopila kávu, tak som sa jej spýtal, či si ešte dá, no poďakovala sa.

„Nazdávam sa, že preto sa so mnou na začiatku skamarátila. Hoci som z New Yorku, nebola som veľká svetáčka a ona ma ohúrila, čím sa jej len potvrdilo, že nemusí mať na východnom pobreží komplexy pre svoj vidiecky pôvod. V istom zmysle si ma vzala pod ochranné krídla. Cválala za slávou a ja som ju všade nasledovala ako Sancho Panza na oslíkovi. Netolerovala ani najmenší prejav nezávislosti. Raz som si kúpila topánky a predtým som sa s ňou neporadila. Podarilo sa jej presvedčiť ma, že sú to najškaredšie topánky na svete a že také niečo by nosil len človek bez vkusu. A tak som sa ich zbavila."

„Okej, čiže to bola chladná a vypočítavá potvora, takých je však veľa. Je podľa vás možné, že bola zapletená do Wiederovej smrti? Aký motív mohla mať?"

„Knihu, ktorú Wieder napísal," odvetila. „Tú prekliatu knihu."

Porozprávala mi, že Laura profesorovi s jeho knihou pomáhala. S pomocou jej poznatkov z matematiky vytvoril modely na hodnotenie zmien v správaní, ktoré spôsobujú traumatické udalosti.

Laura svoj príspevok k jeho práci podľa Sarah dosť zveličovala. Bola presvedčená, že keby mu nepomohla, Wiederovi by sa ten projekt nepodarilo dokončiť. Požiadala ho, aby ju uviedol ako spoluautorku, a profesor – ako Laura s potešením Sarah oznámila – súhlasil. V tom čase Timothy odišiel robiť nejaký výskum na jednu európsku univerzitu a Laura najskôr krátko bývala v jednoizbovom byte, ktorý mala Sarah prenajatý, potom sa však presťahovala do domu k Richardovi Flynnovi. Neskôr sa kamarátke zverila, že Flynn je pomýlený rojko, navyše je do nej šialene zamilovaný. Očividne sa na tom bavila.

Jedného dňa Laura, ktorá pomerne často chodila do profesorovho domu, našla kópiu edičného návrhu, ktorý Wieder poslal vydavateľovi. Jej meno tam nebolo uvedené. Uvedomila si, že profesor jej klamal a nemal v úmysle urobiť z nej spoluautorku.

Podľa Sarah sa vtedy u jej kamarátky prejavili horšie stránky. Nezúrila, netrieskala veci o zem, nevykrikovala – hoci to by bolo možno lepšie. Namiesto toho požiadala Sarah, aby u nej mohla prespať, a hodinu, dve len tak sedela, pozerala do prázdna a mlčala. Potom začala vymýšľať bojový plán ako generál odhodlaný zničiť nepriateľa.

Laura vedela, že medzi profesorom a ľuďmi, s ktorými pracoval na nejakom tajnom projekte, boli nezhody, a tak ním začala manipulovať, aby si myslel, že ho niekto sleduje a že keď je preč, prehľadávajú mu dom. V skutočnosti to robila ona – presúvala veci a zanechávala ďalšie drobné stopy po vniknutí, jednoducho sa s ním sadisticky zahrávala.

Okrem toho v profesorovi vyvolala dojem, že je zamilovaná do Richarda Flynna, ktorého mu aj predstavila – chcela, aby žiarlil. Pokúšala sa dosiahnuť, aby Wieder oddialil odovzdanie rukopisu, a medzitým ho chcela presvedčiť, aby sa opäť dohodli na jej spoluautorstve.

Podľa Sarah si profesor uvedomil, že Laurine požiadavky sú absurdné. Nemala ešte ani dokončené magisterské štúdium a už by jej meno bolo na obálke akademického diela. Iba čo by sa o nich klebetilo a jeho kariéra by vážne utrpela.

Spomenul som si, čo Flynn v rukopise napísal o prvom stretnutí s Wiederom. Ak Sarah Harperová hovorila pravdu, bol vtedy len bábkou. Jeho úlohou bolo vyvolať v profesorovi žiarlivosť, stal sa iba postavičkou v Laurinom predstavení.

„V tú noc, keď profesora zavraždili, prišla Laura do môjho bytu," pokračovala Sarah. „Boli asi tri hodiny nadránom. Išla som spať skoro, lebo na druhý deň som cestovala domov na sviatky a kamarát mi ponúkol, že ma zvezie do New Yorku. Vyzerala vystrašene a tvrdila, že sa pohádala s Flynnom, ktorý jej flirtovanie zobral vážne a začal ňou byť posadnutý. Vzala si z domu všetky veci, mala ich v kufri auta. Tak či tak sa pred pár dňami vrátil Timothy a zase mali bývať spolu."

„Podľa Richardových slov mu Laura povedala, že chcela stráviť deň s vami a prespať vo vašom byte."

„Ako som vravela, prišla ku mne až nadránom. Netuším, kde bola dovtedy, ale prosila ma, aby som potvrdila, že sme boli spolu celý večer, keby sa na to niekto pýtal. Sľúbila som, že to spravím. Myslela som si, že ide o Richarda Flynna."

„Kde ste v tom čase bývali, Sarah?"

„V Rocky Hille, asi osem kilometrov od univerzitného areálu."

„Ako dlho by podľa vás Laure trvalo, kým by tam prišla z domu, v ktorom bývala s Flynnom?"

„Nie dlho, hoci bola noc a zlé počasie. Bývali niekde na Bayard Lane. Tipujem tak dvadsať minút."

„Vzhľadom na počasie a stav ciest by jej cesta z profesorovho domu vo West Windsore k Flynnovi trvala polhodinu. Plus ďalšia hodina, kým by sa zbalila – takže dve hodiny. Ak mám správne informácie a naozaj sa v tú noc vrátila do Wiederovho domu, znamená to, že odtiaľ odišla okolo jednej a nie o deviatej, ako Flynn tvrdil policajtom. Inými slovami, bolo to až po Wiederovej vražde...“

„Už vtedy som vedela, že niečo nie je v poriadku a že Laura klame. Väčšinou sa správala sebaisto, ale v tú noc bola vystrašená, to je to správne slovo. Nemohla som sa dočkať, kedy si zase ľahnem, takže som nemala trpezlivosť počúvať všetky podrobnosti. Vtedy sme sa už odcudzili, a ak mám byť úprimná, o jej priateľstvo som nadobro stratila záujem. Postlala som jej na gauči, oznámila som jej, že skoro ráno odchádzam, a išla som si ľahnúť. Keď som sa o siedmej zobudila, bola preč. Nechala mi odkaz, že ide k Timothymu. Ja som vyrazila okolo ôsmej a v kamarátovom aute som sa z rádia dozvedela, čo sa stalo. Poprosila som ho, aby odbočil z diaľnice – boli sme pri výpadovke na Jersey –, a pamätám sa, že som vystúpila a vracala. Hneď mi zišlo na um, či Laura nie je do profesorovej smrti nejako zapletená. Kamarát ma chcel odviezť do nemocnice. Pokúsila som sa upokojiť, a keď som prišla domov, sviatky som strávila v posteli. Medzi Vianocami a Novým rokom mi volala polícia. Vrátila som sa do New Jersey a vypovedala som. Tvrdila som im, že Laura bola v ten deň so mnou, od obeda až do rána. Prečo som kvôli nej klamala, keď som vedela, že je zapletená do niečoho takéto vážneho? Neviem. Asi ma ovládla a nedokázala som jej nič odmietnuť.“

„Potom ste sa s ňou ešte rozprávali?"

„Krátko nato, ako ma vypočúvala polícia, sme spolu zašli na kávu. Stále mi ďakovala a ubezpečovala ma, že s vraždou nemá nič spoločné. O alibi ma vraj prosila len preto, aby ju neotravovali policajti a novinári. Tvrdila, že profesor konečne prijal jej príspevok ku knihe a sľúbil, že ju uvedie ako spoluautorku, čo mi pripadalo trochu zvláštne. Prečo by odrazu zmenil názor, navyše tesne predtým, ako ho zavraždili?"

„Čiže ste jej neuverili?"

„Nie. Bola som však fyzicky aj duševne vyčerpaná a túžila som len ísť domov a na všetko zabudnúť. Prerušila som štúdium a do školy som sa vrátila až na jeseň. Vtedy tam už Laura nebola. Zopár ráz mi zavolala domov, ale nechcela som sa s ňou baviť. Rodičom som povedala, že mám za sebou ťažký rozchod, a išla som na terapiu. Keď som sa skoro po roku vrátila na Princeton, Wiederova vražda už dávno nebola novinka a takmer nikto o nej nehovoril. Odvtedy sa ma na ten prípad nik nepýtal."

„Ešte ste sa s ňou niekedy stretli alebo ste sa s ňou rozprávali?"

„Nie," odvetila. „No minulý rok som náhodou našla toto."

Otvorila tašku, vytiahla knihu v tvrdej väzbe a po stole ju posunula ku mne. Jej autorkou bola doktorka Laura Westlaková. Vzadu na prebale bola nad krátkym životopisom jej čiernobiela fotografia. Pozrel som sa na fotku a konštatoval som, že za posledné dve desaťročia sa takmer nezmenila: rovnaké nevýrazné črty, oživené len rozhodným výrazom, ktorý jej dodával veľmi dospelý výzor.

E. O. Chirovici

„Túto knihu som našla v knižnici liečebne, kde som bola na odvykačke. Vyšla v deväťdesiatom druhom. Spoznala som ju podľa fotky na obálke a uvedomila som si, že si zmenila meno. Bola to jej prvá publikácia. Ako som neskôr zistila, zožala s ňou veľkú slávu a postavila na nej celú svoju kariéru. Som si istá, že je to kniha, ktorú chcel vydať Wieder."

„Rozmýšľal som, prečo nikdy nevyšla," poznamenal som. „Rukopis sa po vražde stratil bez stopy."

„Neviem, či to v profesorovej vražde zohralo nejakú úlohu, ale predpokladám, že ukradla rukopis, o ktorom hovorila ešte pred zločinom. Možno Flynna zmanipulovala, aby spáchal vraždu, a knihu vzala. A tak som niečo spravila..."

Obrúskom zo stojana na stole si utrela pery, pričom na ňom zanechala stopu rúžu, a znova si odkašľala.

„Našla som Flynnovu adresu. Nebolo to jednoduché, keďže býval v New Yorku a žije tu kopa ľudí s takým priezviskom, no vedela som, že študoval angličtinu na Princetonskej univerzite a promoval v osemdesiatom ôsmom, takže som ho napokon vypátrala. Vložila som knihu do obálky a poslala som mu ju bez sprievodného listu."

„Zrejme nevedel, že Laura ukradla Wiederov rukopis, a myslel si, že to bol ľúbostný trojuholník, ktorý vyústil do tragédie."

„Aj ja si to myslím. Po nejakom čase som zistila, že Flynn zomrel. Neviem, či dal svoj príbeh na papier po tom, čo som mu tú knihu poslala, no možno sa chcel takto pomstiť Laure za to, že mu klamala."

„Laura teda vyviazla bez trestu vďaka tomu, že ste jej vy a Richard kryli chrbát." Znelo to drsne, ale bola to pravda.

„Vždy vedela využiť ľudí, ktorým na nej záležalo. S informáciami, ktoré som vám dala, môžete robiť, čo chcete, ale ja nie som pripravená oficiálne vypovedať."

„Nemyslím si, že by to bolo potrebné," odvetil som. „Kým nemáme v rukách zvyšok Flynnovho rukopisu, celé to stojí na vode."

„Podľa mňa je to takto lepšie," konštatovala. „Je to starý príbeh, ktorý už aj tak nikoho nezaujíma. Ak mám byť úprimná, dokonca ani mňa. V ďalších rokoch plánujem premýšľať nad vlastnými príbehmi."

Rozlúčil som sa so Sarah Harperovou a pomyslel som si, aký jc to paradox – možno sa mi podarilo rozuzliť celú záležitosť tesne po tom, čo pre mňa prestala byť dôležitá.

Už som nemal záujem poslúžiť spravodlivosti. Nikdy som nebol fanatik v službách takzvanej pravdy a mal som dosť rozumu, aby mi bolo jasné, že pravda a spravodlivosť neznamenajú vždy to isté. Minimálne v jednej veci som súhlasil so Sam – väčšina ľudí uprednostňuje jednoduché a pekné príbehy pred zložitými a neužitočnými pravdami.

Joseph Wieder zomrel takmer pred tridsiatimi rokmi a Richard Flynn bol už tiež pod zemou. Laura Bainesová si pravdepodobne vybudovala kariéru na klamstvách a možno na vražde. Ľudia však vždy uctievali a označovali za hrdinov práve takýto typ ľudí – stačí nazrieť do učebnice dejepisu.

Cestou domov som si predstavil Lauru Bainesovú, ako v dome hľadá rukopis, zatiaľ čo Wieder leží na dlážke v kaluži vlastnej krvi. Čo medzitým robil Richard Flynn, ktorý sa možno zahnal bejzbalovou palicou? Ešte bol tam alebo odišiel? Pokúšal sa zbaviť vražednej zbrane? Ak to však spravil pre Lauru, prečo mu dala kopačky a prečo ju aj potom kryl?

A nemohol tento sled udalostí existovať len v hlave Sarah Harperovej, ženy, ktorá klesala na dno, zatiaľ čo jej bývalá priateľka si budovala skvelú kariéru? Koľkí z nás sú naozaj schopní tešiť sa z úspechu druhých a tajne nesnívajú, že tí úspešní skôr či neskôr doskáču? Ak to chcete vedieť, pozrite si správy.

Lenže moje otázky, tak ako ostatné podrobnosti, už neboli dôležité. Možno som len chcel uveriť, že Laura Bainesová, tá chladná, vypočítavá žena, trafila ako pri biliarde jednu guľu a tá potom zasiahla ďalšiu a ďalšiu. Richard Flynn, Timothy Sanders a Joseph Wieder boli pre ňu len biliardové gule, ktoré do seba udierali, až kým nedosiahla svoj cieľ.

Najparadoxnejšie zo všetkého by v takejto verzii bolo, že Wieder, človek, ktorý sa tak rád hrabal druhým v hlave, napokon dostal smrteľný šachmat od svojej študentky. V tom prípade by si Laura Bainesová svoj neskorší úspech zaslúžila, veď dokázala, že vie ľudskú myseľ pitvať šikovnejšie než jej učiteľ.

Na druhý deň som sa v reštaurácii Abraçeo v East Villagei stretol s Petrom.

„Ako sa ti darí?" spýtal sa. „Vyzeráš unavený. Stalo sa niečo?"

Povedal som mu, že som dokončil prácu, ktorú mi zadal, a odovzdal som mu písomnú správu o prípade. Obálku si vložil do tej svojej hlúpej aktovky, ani sa na ňu poriadne nepozrel. Dal som mu aj výtlačok knihy Laury Bainesovej.

Na nič viac sa ma nevypytoval, zdalo sa, akoby bol mysľou inde. A tak som sa pustil do reči ja. Vyrozprával som mu možnú verziu toho, čo sa stalo na jeseň a v zime roku 1987. Neprítomne ma počúval, pohadzoval si papierové vrecúško s cukrom a občas si odpil zo šálky čaju.

„Možno máš pravdu," pripustil napokon, „ale uvedomuješ si, aké bude ťažké uverejniť niečo také bez dôkazov, však?"

„Ja nehovorím o uverejnení," odvetil som a mal som pocit, že mu odľahlo. „Porovnal som kapitolu v edičnom návrhu, ktorý Wieder poslal do vydavateľstva Allman & Limpkin, s prvou kapitolou v Laurinej knihe. V podstate sú totožné. Samozrejme, mohol by to byť dôkaz, že rukopis profesorovi ukradla, alebo to len potvrdzuje, že spolupracovali a jej podiel bol veľmi výrazný. Tak či onak by to nedokázalo, že ho zabila, aby mohla ukradnúť rukopis, a že Richard Flynn bol jej spolupáchateľ. Písomné svedectvo od Flynna by bolo niečo iné."

„Nejde mi do hlavy, že muž, ktorý mi poslal rukopis, bol vrah," poznamenal Peter. „Nevravím, že tú vraždu nemohol spáchať, ale..." Odvrátil zrak. „Myslíš si, že ten rukopis bol priznanie?"

„Áno. Už mu nezostávalo veľa času, nezáležalo mu na tom, akú povesť zanechá, a nemal ani potomkov. Možno mu Laura Bainesová klamala a zmanipulovala ho, aby zavraždil Wiedera, potom ho odkopla a vybudovala si kariéru na zisku z vraždy, ktorú spáchal. Keď dostal tú knihu a zistil, čo bolo v stávke, uvedomil si, čo sa v tých mesiacoch dialo. To klamstvo mu zničilo život. Laura ho od začiatku do konca vodila za nos. Možno mu kedysi sľúbila, že sa k nemu vráti, že ich rozchod je len bezpečnostné opatrenie, aby nevzniklo ďalšie podozrenie."

„Fajn, je to zaujímavý prípad, lenže rukopis zmizol a ty nie si ochotný napísať knihu," vrátil sa Peter k téme.

„Presne tak. Vyzerá to, že som len márnil tvoj čas."

„To je v poriadku. Pravdupovediac, nemyslím si, že by bol nejaký vydavateľ ochotný podstúpiť všetky právne úskalia takejto publikácie. Mám pocit, že právnici Laury Bainesovej by si to vyprosili."

„Súhlasím. Vďaka za kávu."

Išiel som domov, zhromaždil som všetky dokumenty, ktoré sa týkali môjho pátrania za posledné týždne, dal som ich do škatule a odložil som ju do šatníka. Potom som zavolal Danne Olsenovej, že sa mi nepodarilo zistiť nič nové a že sa tým prestávam zaoberať. Uznala, že je to tak lepšie: mŕtvym treba dopriať pokoj a živí nech si žijú. Pomyslel som si, že jej slová znejú ako epitaf pre nebohého Richarda Flynna.

V ten večer som navštívil strýka Franka na Upper East Side a všetko som mu porozprával.

Viete, čo povedal, keď si sústredene vypočul môj asi hodinový monológ? Že som zahodil najzaujímavejší príbeh, aký kedy počul. Strýko však vždy bol nerozvážny rojko.

Ďalej sme sa len tak zhovárali, vypili sme niekoľko pív a pozreli sme si v telke bejzbal. Pokúšal som sa zabudnúť na Sam a na všetky príbehy o stratených knihách. Zrejme sa mi to podarilo, lebo v tú noc som spal ako bábätko.

O pár mesiacov mi zavolal bývalý kolega z *New York Postu*, ktorý sa presťahoval do Kalifornie, a ponúkol mi miesto scenáristu pre nový televízny seriál. Ponuku som prijal a rozhodol som sa, že pred odchodom na západné pobrežie prenajmem svoj byt. Keď som robil poriadok v šatníku, našiel som papiere o Wiederovom prípade a zatelefonoval som Royovi Freemanovi, či ich nechce. Oznámil mi, že niečo zistil.

„Vďaka, že ste na mňa nezabudli – aj ja som vám chcel zavolať," povedal. „Tuším mám v rukách priznanie."

Zovrelo mi žalúdok.

„Ako to myslíte? Však to bola Laura Bainesová? Priznala sa?"

„No, pokiaľ viem, nebola to ona. Počúvajte, čo keby ste prišli na kávu? Doneste tie papiere a porozprávam vám celý príbeh."

„Jasné, kedy?"

„Kedykoľvek chcete, som doma a nikam nechodím. Pamätáte sa, kde bývam? Tak fajn a, prosím, nezabudnite tie papiere, ešte mi v nich niečo nedá pokoja."

TRETIA ČASŤ

Roy Freeman

Kto jasne hovorí, čo videl a čo počul od iných.
Pretože táto kniha bude pravdivá.

MARCO POLO: *Milión, Kniha 1, Prológ 1*

1

Matt Dominis mi zatelefonoval počas jedného z tých večerov, keď človeku príde ľúto, že nechová mačku. Keď sme sa dorozprávali, vyšiel som na verandu pred domom a niekoľko minút som tam postál, usporadúval som si myšlienky. Stmievalo sa, na oblohe žiarilo zopár hviezd a premávka na hlavnej ceste sa v diaľke ozývala ako bzukot včelieho roja.

Keď človek konečne odhalí pravdu o prípade, ktorým bol dlhšie posadnutý, omráči ho pocit, akoby stratil spoločníka. Zhovorčivého, všetečného a možno nevychovaného, ale zvykol si, že ho každé ráno po zobudení privíta. Tým bol pre mňa posledné mesiace Wiederov prípad. To, čo mi oznámil Matt, ťažkým vekom zaklaplo všetky hypotézy, ktoré som vydumal za tie nespočetné hodiny strávené v malej kancelárii, provizórne zriadenej v druhej spálni. Povedal som si, že takto sa to skončiť nemôže, že tam ešte stále niečo nesedí, aj keby všetko, čo tvrdil môj priateľ, bola pravda.

*

Vrátil som sa dnu, zavolal som Mattovi a opýtal som sa ho, či sa môžem porozprávať s Frankom Spoelom, ktorý sa zopár mesiacov pred termínom svojej popravy priznal k vražde profesora Josepha Wiedera. Matt bol dlhoročný dozorca v nápravnovýchovnom ústave v Potosi a riaditeľ mu tú láskavosť urobil, len čo zistil, že žiadosť o návštevu podal detektív, ktorý na prípade koncom osemdesiatych rokov pracoval. Chcel som toho chlapíka vidieť na vlastné oči, na vlastné uši si vypočuť jeho príbeh o vražde vo West Windsore. Nebol som presvedčený, že hovorí pravdu. Mal som podozrenie, že sa len pokúša upútať na seba pozornosť, keď začul, že nejaký spisovateľ z Kalifornie chce jeho meno uviesť vo svojej knihe. Wiedera zavraždili ihneď po tom, čo Spoela pustili z ústavu pre duševne chorých. Zrejme sa vtedy potuloval po New Jersey a o vražde sa dočítal v novinách.

Navštívil ma John Keller a priniesol mi všetky papiere, ktoré k prípadu zhromaždil. Nevedel, že som sa po našom rozhovore na jar znovu zahryzol do Wiederovej vraždy, a o Spoelovom priznaní sme sa pozhovárali pri káve. Povedal mi, že tento príbeh ho pripravil o priateľku.

„Neverím, že vúdú funguje, ale tento prípad je akoby zakliaty," upozornil ma, „takže by ste si mali dávať pozor. Som rád, že som sa naň vykašľal, a už sa do toho nemienim zapliesť. Ani teraz, ani potom. Tak či onak je zjavne koniec, nie?"

Odvetil som, že to tak vyzerá, a zaželal som mu veľa šťastia v novej práci. V skutočnosti som si vôbec nebol istý, či konečne vyšla najavo pravda o Wiederovom prípade, a tak keď mi Matt oznámil, že je všetko zariadené, cez internet som si kúpil letenku na ďalší deň a do malej cestovnej tašky som si zabalil veci.

Taxík po mňa prišiel o piatej ráno a o polhodinu som bol na letisku. Matt mal na mňa čakať v St. Louis, odkiaľ ma mal odviezť do Potosi.

Počas letu som sedel vedľa obchodného cestujúceho. Bol to ten typ, ktorý by ešte aj pred popravou presviedčal svojich katov, aby si od neho kúpili nový vysávač. Predstavil sa mi ako John Dubcek a až o desať minút si všimol, že som príliš začítaný do novín, aby som ho naozaj počúval.

„Stavím sa, že stc stredoškolský učiteľ," povedal.

„Prehrali ste. Nie som."

„Nikdy sa nemýlim, Roy. Učíte dejepis?"

„Pardon, ale ste celkom vedľa."

„Moment, už to mám. Matematiku."

„Nie."

„Dobre, vzdávam sa. Poznám pri letisku jednu malú pokojnú reštauráciu, pozývam vás na raňajky. Nerád jedávam sám, takže platím."

„Vďaka, no príde po mňa priateľ."

„Okej, okej, ešte ste mi však nepovedali, čím sa živíte."

„Som bývalý policajt, detektív na dôchodku."

„Fíha, tak to by som nebol uhádol. Poznáte ten o troch polišoch, ktorí vojdú do baru?"

Povedal mi jeden z tých nudných vtipov, pričom pointu som nepochopil.

Po pristátí mi dal svoju navštívenku, takú vyčačkanú, že vyzerala skôr ako malá vianočná pohľadnica, a hrdo mi oznámil, že dokáže zohnať všetko, na čo si spomeniem, stačí len zavolať. Keď som kráčal k východu, zazrel som ho v rozhovore s dievčinou vymódenou ako country speváčka v leviskách, károvanej košeli, koženej veste a s kovbojským klobúkom na plavých vlasoch.

Matt ma čakal pri novinovom stánku. Vyšli sme pred letisko a zamierili sme do neďalekej kaviarne. Do väzenia som mal ísť až o pár hodín.

Osem rokov sme s Mattom boli kolegovia na polícii vo West Windsore. Začiatkom deväťdesiatych rokov sa usadil v Missouri, ale zostali sme kamaráti. Z času na čas sme si zatelefonovali, ako sa máme, a dva či tri razy som ho aj navštívil a boli sme na poľovačke. Matt pracoval vo väzení dlhých jedenásť rokov a jednou nohou bol už na dôchodku. Tento zaprisahaný starý mládenec sa pred dvoma rokmi oženil s kolegyňou Juliou a pozvali ma na svadbu. Odvtedy sme sa nevideli.

„Zdá sa, že ti manželstvo ide k duhu," zalichotil som mu a nasypal som si vrecko cukru do kávovej šálky veľkej ako miska. „Omladol si."

Smutne sa usmial. Vždy mal ubitý výraz človeka, ktorý je presvedčený, že ho onedlho postihne nejaká katastrofa. Keďže bol vysoký a dobre stavaný, s kolegami sme ho volali Fozzie podľa postavy z Muppetov. Bola to milá prezývka, nie výsmešná – Matta Dominisa mal každý rád.

„Nemôžem sa sťažovať. Julia je úžasná a všetko je fajn. V tomto veku však už iba túžim odísť do dôchodku a užívať si jeseň života. Človek sa ani nenazdá a dostane porážku, potom sa už len pomočuje ako decko. Chcem sa vybrať na výlet do Louisiany alebo stráviť dlhú dovolenku vo Vancouveri. A možno zájdeme aj do Európy, ktožehovie?

Mám plné zuby stráženia tých magorov. Julia však tvrdí, že by sme ešte mali počkať."

„Ja som na dôchodku tri roky a okrem jednej cesty do Seattlu, keď sa mi narodila vnučka, a zopár ciest sem za tebou som nikde nebol, kamoško."

„Okej, rozumiem. Možno nepôjdem do Louisiany ani do Vancouveru, no chcem ráno vstať, vypiť si kávu a prečítať si noviny bez toho, aby som na zvyšok dňa musel ísť do tej betónovej škatule strážiť väzňov. Ozaj, keď už hovoríme o Seattli, ako sa darí Diane a Tonymu?"

Diana, moja bývalá žena, sa po rozvode presťahovala do Seattlu a náš syn Tony sa chystal osláviť tridsiate ôsme narodeniny. Bolo nad slnko jasnejšie, že z rozvodu viní mňa, nikdy mi to neprestal vyčítať. Vždy hovorieval: „Poondial si to." Mal pravdu, naozaj som to poondial. Mám však pocit, že ľudia by si občas mali odpustiť. Za svoju hlúposť som zaplatil vysokú cenu a takmer tridsať rokov som prežil sám.

Tony sa pred tromi rokmi oženil a moja vnučka Erin mala teraz rok a pol. Videl som ju iba raz, krátko po narodení.

Povedal som Mattovi zopár veselých historiek o malej, ktoré mi rozprávala Diana, keď naraz zmenil tému.

„Čo vravíš na to, čo sa stalo s tým Frankom Spoelom? Po toľkých rokoch...""

„Čírou náhodou mi v súvislosti s týmto príbehom pred tromi mesiacmi volal jeden reportér. Preto som sa do toho prípadu zase pustil."

„Naozaj náhoda...""

„Čo to doňho vošlo, že sa tak zrazu priznal? Koľko mu zostáva do popravy?""

„Päťdesiatosem dní. Tridsať dní pred injekciou ho presunú do väznice v Bonne Terre, kde v tomto štáte vykonávajú popravy. Je to asi polhodina cesty odtiaľto. A čo to doňho vošlo? Ako som ti už do telefónu vravel, navštívil ho akýsi človek z Kalifornie, profesor, ktorý píše knihu o myslení zločincov či čo. Zaujímalo ho, ako sa zo Spoela stal vrah. Dovtedy sa vedelo, že prvú vraždu spáchal v osemdesiatom ôsmom v okrese Carroll v Missouri. Dobodal starca, ktorý urobil tú chybu, že ho na ceste číslo 65 vzal do auta. Vtedy mal Spoel dvadsaťtri rokov a za sebou dva roky natvrdo v Trentonskej psychiatrickej nemocnici v Jersey. Po zatknutí za lúpež v roku 1985 ho totiž vyhlásili za duševne chorého. Už nemá čo stratiť – v base sedí od roku 2005, najvyšší súd v Missouri mu pred dvoma mesiacmi zamietol odvolanie a guvernér Nixon by si radšej strčil búchačku do úst, ako by mal takú kreatúru omilostiť. Rozhodol sa teda dať si svoje veci do poriadku, aby dejiny o jeho úžasnom živote zaznamenali pravdu a nič než pravdu... Prepáč mi na chvíľu.“

Vysunul svoje mohutné telo spoza stola a zamieril na toalety. Bol som unavený a poprosil som čašníčku, aby mi doliala kávu. Vyhovela mi a usmiala sa. Podľa menovky sa volala Alice a bola asi vo veku môjho syna. Pozrel som sa na nástenné hodiny s motívom nindža korytnačiek – stále bolo dosť času.

„Ako som hovoril,“ pokračoval Matt, len čo si zase sadol za stôl a čašníčka mu doliala kávu, „Spoel sa rozhodol chlapíka z Kalifornie presvedčiť, že to celé sa začalo nejakou šialenosťou, ktorú mu pred rokmi urobil profesor Wieder.“

„On teda tvrdí, že zavraždil Wiedera, ale mohla za to obeť?"

„No, je to trochu komplikované. Ako som vravel, keď mal Spoel dvadsať, pohádal sa s nejakými chlapmi, jednému šlohol hotovosť a dosť škaredo ho zmastil. Jeho obhajca požiadal o psychiatrické testy a vykonal ich práve Wieder. Zistilo sa, že Spoel trpí duševnou poruchou, a zavreli ho do nemocnice. Obhajca ho ubezpečil, že o nejaké dva, tri mesiace požiada Wiedera o zopakovanie testov a potom ho pustia. Namiesto toho zostal zavretý dva roky, lebo Wieder sa postavil proti jeho prepusteniu."

Pokrčil som plecami. „Už som ti spomínal, že som sa na prípad nedávno znovu pozrel, keď sa mi ozval ten reportér. V tom čase som uvažoval aj o tejto stope, o pomste niekoho z ľudí, ktorých Wieder ako súdny znalec vyšetroval. Nikdy sa v tej súvislosti neobjavilo meno Frank Spoel."

„Ktovie, možno bol vtedy malá ryba. Obyčajný sopliak. Nepovažoval si ho za dôležitého. On ti už povie, o čom to celé bolo. Mne sú historky takých imbecilov, ako je on, ukradnuté. Som rád, že si tu. Prenocuješ u nás?"

„Nie, prerábam si dom a rád by som skončil, kým prídu dažde. Niekedy inokedy, kamarát. Poďme, okej?"

„Pokojne, nemusíme sa ponáhľať. O takomto čase je premávka na I-55 plynulá. O hodinu a pol sme tam." Zhlboka vzdychol. „Spoel sa sťažuje, že ho do blázinca poslali, hoci bol zdravý. A skutočných bláznov často nezavrú do ústavu, ale do basy. Vieš, že tretina chlapov za mrežami vo väzniciach s maximálnym zabezpečením má o koliesko viac? Pred dvoma mesiacmi som bol v Chicagu na seminári o kriminalite. Prednášali nám samé esá z Washingtonu. Vyzerá to, že po dvadsaťročnom období poklesu kriminality sa začal opačný cyklus. Psychiatrie sú preplnené a v base sa medzi bežnými trestancami môžu ocitnúť aj úplní šialenci. A ľudia ako ja, ktorí ich strážia, si s takými exotmi musia každý deň ničiť nervy."

Pozrel sa na hodinky. „No čo, vyrazíme?"

Keď sme vyšli na diaľnicu, rozmýšľal som o Frankovi Spoelovi, ktorého prípad som začal študovať pred cestou do St. Louis. Bol to jeden z najnebezpečnejších vrahov v cele smrti. Kým ho chytili, zabil sedem ľudí – osem, ak je pravda, že zavraždil aj Wiedera – v troch štátoch. Usvedčili ho i zo štyroch znásilnení a z množstva prepadnutí. Jeho posledné dve obete boli tridsaťpäťročná žena a jej dvanásťročná dcéra. Prečo to spravil? Povedal, že žena pred ním schovávala prachy. Svoju obeť dva mesiace predtým zbalil v bare a bývali spolu v prívese pri rieke.

Ako Matt povedal, vyšetrovatelia neskôr zistili, že Frank Spoel spáchal svoju prvú známu vraždu v roku 1988 ako dvadsaťtriročný. Narodil sa a vyrastal v okrese Bergen v New Jersey a prvý vážny zločin spáchal v roku 1985. O dva roky ho prepustili zo psychiatrickej nemocnice a vybral sa na Stredozápad, kde istý čas robil všetko možné. Jeho prvou obeťou bol sedemdesiatštyriročný muž z okresu Carroll v Missouri, ktorý Spoelovi zastal s dodávkou na ceste číslo 65. Akú získal korisť? Zopár dolárov, starú džínsovú bundu a topánky, ktoré mu náhodou sadli.

Potom sa rozhodol, že pôjde do Indiany, kde spáchal druhú vraždu. Neskôr sa zaplietol s gangom z Marionu, ktorý sa špecializoval na vlámania. Keď sa gang rozpadol, Spoel sa vrátil do Missouri. Bolo zaujímavé, že osem rokov nespáchal nijaký zločin a pracoval v pizzerii v St. Louis. Nato sa vybral do Springfieldu a ďalšie tri roky pracoval na čerpacej stanici. A odrazu s tým začal znovu. Zatkli ho v roku 2005, keď ho zastavila náhodná cestná kontrola.

V čase Wiederovej vraždy som sa rozvádzal a býval som sám v dome, ktorý bol pre mňa priveľký. Ako každý pravý alkoholik som si z toho spravil zámienku, aby som mohol do seba liať ešte viac fliaš a plakať na pleci každému, kto ma bol ochotný počúvať. S poslednými zvyškami zdravého rozumu som sa pokúšal pracovať, no vždy som mal pocit, že Wiederov prípad, tak ako zopár ďalších z toho obdobia, som pokašlal. Môj šéf Eli White bol veľmi dobrý človek. Na jeho mieste by som sám seba vykopol s takým zlým odporúčaním, že by ma už nevzali ani za nočného strážnika do obchodného domu.

Keď sme išli po diaľnici I-55 cez prériu, Matt otvoril okná a zapálil si cigaretu. Začínalo sa leto a bolo pekné počasie.

„Kedy si bol naposledy v base?" spýtal sa a musel hovoriť hlasno, aby prekričal Dona Williamsa, ktorý z country stanice kvílil o dievčati, čo ho vôbec nepoznalo.

„Naposledy tuším na jeseň v dvetisíc ôsmom," odvetil som. „Na ostrove Rikers som zapisoval výpoveď chlapa v súvislosti s prípadom, na ktorom som pracoval. Vyzeralo to tam zle, kamoš."

„Myslíš si, že tam, kam ideme, to vyzerá lepšie? Každé ráno na začiatku šichty mám chuť niečo roztrieskať. Doriti, prečo sme nešli na medicínu alebo na právo?"

„Asi nám to dosť nepálilo, Matt. Okrem toho by sa mi aj tak nechcelo rezať ľudí."

2

Nápravnovýchovný ústav v Potosi bola veľká stavba z červenkastých tehál, obohnaná elektrickým ostnatým plotom, ležiaca uprostred prérie ako obrovské zviera chytené do pasce. Bola to väznica s maximálnym stupňom stráženia, kde žilo asi osemsto odsúdených s asi stovkou dozorcov a pomocného personálu. Jediným náznakom farby v tej smutnej krajine bolo zopár neduživých stromov pri parkovisku pre návštevníkov.

Keď Matt zaparkoval auto, zamierili sme k bráne pre zamestnancov na západnej strane, prešli sme cez nádvorie vydláždené krvavočerveným kameňom a ocitli sme sa na chodbe, ktorá sa tiahla do útrob budovy. Matt zdravil uniformovaných dozorcov, mohutných mužov s drsnými tvárami, ktorí už toho určite videli viac než dosť.

Prešli sme cez kontrolu, z plastových podnosov sme si vyzdvihli veci a zamierili sme do miestnosti bez okien, kde stálo niekoľko stolov a stoličiek, pevne priskrutkovaných k dlážke pokrytej linoleom.

E. O. Chirovici

Dozorca s menovkou Garry Mott a s výrazným južanským prízvukom mi odrecitoval pokyny: „Stretnutie trvá presne hodinu. Keby ste ho chceli ukončiť skôr, povedzte to dozorcom, ktorí sprevádzajú odsúdeného. Počas stretnutia nie je povolený telesný kontakt a akýkoľvek predmet, ktorý by ste chceli dať odsúdenému alebo ktorý by on chcel dať vám, musí najprv prejsť kontrolou. Celé stretnutie bude nakrúcané na bezpečnostnú kameru a všetky informácie, ktoré získate, sa neskôr môžu použiť pri právnych úkonoch."

Po odrecitovaní pokynov, ktoré som už poznal, dozorca odišiel. S Mattom sme sa posadili.

„Takže tu pracuješ," poznamenal som.

„Nie je to najveselšie miesto na svete," zamrmlal pochmúrne. „A vďaka tebe som sa sem musel trepať aj cez voľno."

„Keď odtiaľto vypadneme, pozývam ťa na obed."

„Dúfam, že mi objednáš aj niečo tvrdé."

„Uhm, ale piť budeš musieť sám."

„Potom mávni týmto smerom," ukázal bradou do rohu, odkiaľ na nás zízala kamera. „Dnes má službu Julia."

Vstal.

„Musím bežať. Ešte ma čakajú nákupy. O hodinu po teba prídem. Správaj sa slušne a daj pozor, aby sa nikomu nič nestalo."

Pred odchodom ešte zamával do kamery a ja som si predstavil jeho manželku, ako sedí na stoličke a sleduje monitory. Bola to silná žena, takmer rovnako vysoká ako Matt, pochádzala odniekiaľ zo Severnej alebo z Južnej Karolíny.

Zopár minút som čakal. Zrazu zabzučali dvere a v sprievode dvoch ozbrojených dozorcov vošiel Frank Spoel. Mal na sebe sivú kombinézu. Na ľavej strane hrude mu svietila biela menovka. Ruky mu spútali za chrbtom a nohy spojili reťazou, ktorá mu skracovala kroky a ostro rinčala.

Bol nízky a šľachovitý, a keby ste ho stretli na ulici, ani by ste si ho nevšimli. Lenže veľa ľudí, ktorí za zverské zločiny skončia v base, vyzerá rovnako ako on – v podstate priemerný chlapík, ktorého by ste odhadovali na mechanika alebo na šoféra autobusu. Do osemdesiatych rokov ste mohli kriminálnikov spoznať podľa väzenského tetovania, lenže dnes už má tetovanie pomaly každý.

Spoel si sadol oproti mne na stoličku a usmial sa – zuby mal žlté ako praženica. Ovisnuté fúzy pieskovej farby sa mu spájali s bradou. Plešivel a tých pár zostávajúcich vlasov mal zlepených od potu.

Jeden dozorca povedal: „Budeš sekať dobrotu, Frankie?"

„Inak sa môžem rozlúčiť s podmienkou, čo?" odsekol Spoel, ani sa neobrátil. „Čo podľa vás asi tak spravím?" pokračoval rečníckou otázkou. „Vytasím vtáka a odomknem si ním putá?"

„Dávaj si bacha na hubu, princeznička!" zahriakol ho dozorca a potom sa obrátil ku mne: „Keby ste nás potrebovali, budeme hneď pri dverách. Ak začne vymýšľať, sme tu ako na koni."

Obaja dozorcovia vyšli von a nechali ma s odsúdeným.

„Zdravím," oslovil som ho. „Som Roy Freeman. Vďaka, že ste ochotný porozprávať sa so mnou."

„Ste policajt?"

„Bol som. Už poberám dôchodok."

„Ha! Bol by som odprisahal, že ste poliš. V deväťdesiatom siedmom som v Indiane stretol jedného cvoka, volal sa Bobby. Mal psa Chilla, ktorý zaňuchal poliša, aj keď bol v civile, chápete? Bohovský pes! Nikdy som neprišiel na to, ako to robí. Keď zacítil poliša, vždy sa rozbrechal."

„Super pes," prisvedčil som.

„Hej... Počul som, že sa zaujímate o ten starý príbeh z New Jersey."

„Patril som k detektívom, ktorým pridelili Wiederov prípad. To bol ten profesor, ktorého dobili na smrť."

„Pamätám si to meno... Máte cigaretu?"

Nefajčil som už pätnásť rokov, ale na Mattovu radu som si so sebou zobral kartón cameliek. Vedel som, že vo väznici sú cigarety hlavné platidlo hneď po drogách a práškoch na spanie. Siahol som do tašky, vytiahol som kartón, ukázal som mu ho a potom som ruku stiahol.

„Dostanete ho, keď odídem," povedal som. „Chlapci ho musia skontrolovať."

„Vďaka. Vonku nikoho nemám. Rodinu som nevidel už tridsať rokov. Ani neviem, či ešte žijú. O niekoľko týždňov ma popravia a klamal by som, keby som tvrdil, že sa nebojím. Vy teda chcete vedieť, čo sa stalo, však?"

„Tvrdíte, že ste zabili Josepha Wiedera, Frank. Je to pravda?"

„Áno, bol som to ja. Poviem vám pravdu: nechcel som to spraviť, nebol som vrah. Vtedy ešte nie. Chcel som mu len vyprášiť kožuch, chápete? Aby skončil v nemocnici, nie v márnici. Ten chlap ma svinsky odrbal a chcel som mu to vrátiť. Lenže to nedopadlo dobre a stal sa zo mňa vrah. Po dvoch rokov v cvokárni ma však už nič nemohlo prekvapiť."

„Čo keby ste mi porozprávali, ako to celé bolo? Máme na to hodinu."

„Jasné, chlapci mi zatiaľ vonku umyjú jaguára," uškrnul sa. „Prečo nie? Poviem vám to tak, ako som to vyrozprával tomu druhému chlapíkovi, tomu, ktorý písal knihu."

Frank v pätnástich odišiel zo strednej školy a začal sa stýkať s ľuďmi, ktorí prevádzkovali herňu. Robil im poskoka. Jeho otec pracoval na benzínke a mama bola žena v domácnosti, mal ešte o päť rokov mladšiu sestru. O dva roky sa rodina odsťahovala z Jersey a Frank ich odvtedy nevidel.

Ako dvadsaťročný sa už pohyboval v podsvetí, robil všetko možné: nosil kradnuté veci priekupníkom v Brooklyne, predával pašované cigarety a pirátske elektrické spotrebiče. Kde-tu vyberal menšie splátky pre úžerníkov a občas robil niekoľkým prostitútkam pasáka.

V gangoch je veľa takýchto pešiakov, malých rýb v zložitom potravovom reťazci, ktorý sa vinie od ulíc v chudobných štvrtiach až po mnohomiliónové domy s bazénmi. Väčšina z nich sa nikdy nikam neposunie, naháňajú sa za pár dolármi, sú čoraz starší a menej dôležití. Niektorí postúpia vyššie a začnú nosiť drahé obleky a drahé hodinky. A niekoľkí sa dopustia vážneho trestného činu, takže zhnijú v base, všetkými zabudnutí.

Na jeseň 1985 Spoel predal dva kartóny cigariet dvom chlapíkom z Princetonu a tí mu za ne zaplatili francúzskym parfumom. Neskôr zistil, že v polovici fliaš je voda, takže si šiel pýtať peniaze naspäť. Našiel jedného z tých dvoch, strhla sa bitka, Spoel ho zmlátil a obral o všetku hotovosť, ktorú mu našiel vo vreckách. Náhodou išla okolo policajná hliadka, ktorá ho zatkla za lúpež. Cigarety nespomenul, aby si nenarobil ešte väčšie problémy.

Súd Spoelovi priradil obhajcu ex offo Terryho Duanna. Chlap, ktorého zmlátil, mal ako na potvoru čistý register trestov. Bol to tridsaťosemročný majiteľ malého obchodíka, ženáč, otec troch detí. Zato Spoel bol niktoš, ktorý nedokončil ani strednú školu a už dostal niekoľko varovaní za porušenie zákona. Duanne sa pokúsil dospieť k dohode s obeťou, ale nič z toho nebolo.

Frank mal na výber: buď ho budú súdiť ako dospelého, čo by znamenalo, že vyfasuje päť až osem rokov natvrdo, alebo si nájde odborníka, ktorý mu diagnostikuje duševnú poruchu. Obhajca Frankovi odporučil druhú možnosť. Naznačil mu, že jedného takého odborníka pozná a že Franka o pár mesiacov z nemocnice prepustia. Trentonská psychiatrická nemocnica nebola extra príjemná, ale vždy lepšia ako väznica Bayside.

Franka Spoela vyšetril profesor Joseph Wieder a dospel k záveru, že trpí bipolárnou poruchou. Odporučil, aby ho prijali do ústavu pre duševne chorých. O niekoľko dní ho odviezli do Trentonu a Frank si bol istý, že zanedlho bude vonku.

„Prečo vás potom neprepustili?" spýtal som sa.

„Boli ste niekedy v cvokárni?"

„Nie."

„Ani tam nechoďte. Bolo to strašné. Keď som tam prišiel, musel som vypiť čaj, prebral som sa o dva dni a nevedel som ani to, ako sa volám. Boli tam chlapíci, ktorí zavýjali ako divé zvery alebo na vás skočili a bez dôvodu vás zmlátili. Jeden sestričke odhryzol ucho, keď sa ho pokúšala nakŕmiť. Čo všetko som tam videl... Počul som, že ešte do šesťdesiatych rokov vytrhávali pacientom zuby a odôvodňovali to tým, že to robia preto, aby sa predišlo infekciám. To iste..."

Porozprával mi všetko o pobyte v ústave. Bili ho dozorcovia aj pacienti. Tvrdil, že dozorcovia boli skorumpovaní – ak mal človek peniaze, dostal všetko, čo len chcel, no ak bol na mizine, mali ho v paži.

„Ľudia si myslia, že keď sedíte v base, myslíte na ženy," vysvetľoval. „Verte mi, že to tak nie je. Jasné, sex vám chýba, ale najdôležitejšie sú prachy. Ak nemáte prachy, ste v riti – nikto sa na vás ani len nepozrie, teda okrem tých, ktorí vás chcú zmlátiť. A ja som nemal ani fuka. V base môžete makať a niečo si zarobiť, aj keď vám rodina nič neposiela. Lenže v cvokárni musíte celý deň zízať na steny, ak vám nikto nepošle prachy. A mne nikto neposlal ani cent."

Tri týždne po nástupe ho umiestnili na špeciálne oddelenie, kde bolo asi desať ďalších pacientov. Všetci mali medzi dvadsiatkou a tridsiatkou, napospol to boli páchatelia násilných trestných činov. Neskôr zistil, že jemu aj ostatným dávali experimentálne lieky v rámci programu, ktorý koordinoval profesor Joseph Wieder.

„Niekoľkokrát som sa rozprával so svojím obhajcom, no ten ma len odbíjal. Napokon mi rovno povedal, že o rok sa môžem odvolať, aby ma prepustili alebo poslali do nemocnice s nižším stupňom stráženia. Nemohol som uveriť tomu, čo sa so mnou dialo. Dvaja chlapi ma odrbali, začo som jedného z nich zmlátil a z peňaženky som mu vzal osemdesiat dolárov, ktoré mi ani nepokryli stratu na cigaretách, a odrazu ma na rok zavreli do blázinca!"

„Nemali ste príležitosť porozprávať sa s profesorom Wiederom?"

„Jasné, občas prišiel na naše oddelenie. Dával nám všemožné otázky, museli sme si vyberať farby, vypĺňať dotazníky a podobne. Boli sme len pokusné králiky, laboratórne potkany, chápete? Rovno som mu povedal: ‚Ten chuj Duanne mi vravel, že vás pozná, preto som súhlasil, že pôjdem do blázinca, aby som sa vyhol niečomu horšiemu. Som rovnako duševne zdravý ako vy, tak kde je problém?‘ Len sa na mňa pozrel tými svojimi mŕtvolnými očami – ešte aj teraz si ich viem predstaviť – a viete, čo mi odvetil? Že nevie, o čom hovorím, že som tam, lebo mám psychické problémy, a že je v mojom vlastnom záujme liečiť sa, takže tam zostanem, pokiaľ to bude považovať za potrebné. Kraviny!"

Ďalej mi Spoel hovoril, že začal mávať strašné nočné mory, dokonca si nebol istý, či bdie, alebo spí, a že lieky, ktoré dostával, narobili viac škody ako osohu. Takmer všetci pacienti na oddelení trpeli neznesiteľnými bolesťami hlavy, a ako liečba pokračovala, mnohí trávili väčšinu času priviazaní na posteli a mali halucinácie. Takmer každý vyvracal všetko, čo zjedol, a mal vyrážky.

O rok za ním prišiel ďalší obhajca, istý Kenneth Baldwin. Oznámil mu, že prevzal prípad od Duanna, ktorý odišiel z New Jersey. Spoel mu porozprával, ako sa sem dostal a ako znela pôvodná dohoda. Nevedel, či mu nový právnik uveril, ale aspoň podal žiadosť, aby sudca znovu posúdil prípad jeho klienta. Spoel sa opäť ocitol zoči-voči Wiederovi, ktorý zamietol žiadosť o prepustenie a odmietol schváliť presun do Marlborskej psychiatrickej nemocnice, kde bol miernejší režim. Spoela odviezli nazad do Trentonu.

„Asi šesť mesiacov predtým, ako som odtiaľ vypadol,"
pokračoval, „nás presunuli na iné oddelenia a experimen-
tálne oddelenie zavreli. Zmenili mi liečbu a začal som sa
cítiť lepšie. Už som nemal nočné mory ani bolesti hlavy,
no stále som sa prebúdzal a nevedel som, kto som. Nervy
som mal na prasknutie, hoci som to tajil a správal som sa
čo najlepšie, aby som ukázal, že nie som šialenec. Ako mi
to mohli spraviť? Jasné, nebol som neviniatko, ale nikoho
som nezabil a ani toho chlapa by som nebol zmlátil, keby
ma nepodviedol. Správali sa ku mne ako k zvieraťu a všet-
kým to bolo fuk!"

Keď zase skúmali jeho prípad, Spoel zistil, že Wieder
už nie je v komisii. Žiadosť o prepustenie pod dohľadom
schválili a o dva týždne odišiel z nemocnice.

To bolo v októbri 1987. Keď sa dostal von, netušil, kam
má ísť. Všetky veci mu rozpredal majiteľ tej diery, kde býval
pred zatknutím. Kamaráti z gangu o ňom už nechceli ani
počuť, báli sa, že keby sa s ním stýkali, všimli by si ich poli-
cajti. Zľutoval sa nad ním jediný človek, Američan čínskeho
pôvodu, s ktorým sa zoznámil predtým, ako ho poslali do
Trentonu, a na pár dní mu poskytol jedlo a bývanie.

O niekoľko týždňov sa mu podarilo nájsť si miesto
umývača riadu v bare neďaleko stanice Princeton Junction
a majiteľ, vcelku fajn človek, mu dovolil spávať v sklade.
Hneď začal sledovať Wiedera, ktorý býval relatívne blízko
vo West Windsore. Bol rozhodnutý odsťahovať sa a za-
čať nový život, ale najprv sa chcel profesorovi pomstiť. Bol
presvedčený, že Wieder má spolu s Duannom a možno aj
s nejakými ďalšími komplicmi dohodu – dodávajú pacien-
tov na tajné experimenty a on im padol do pascc. Rozhodol

sa, že si to odskáču. Keďže Duanna nemohol nájsť, musel si vystačiť s Wiederom.

Našiel jeho adresu a zistil, že býva sám na odľahlom mieste. Pôvodne ho chcel zbiť na ulici pod rúškom tmy, ale keď si obzrel profesorov dom, usúdil, že je to najlepšie miesto na útok. Spoel zdôraznil, že ho nechcel zabiť, len zmlátiť, preto si od nejakých deciek zohnal bejzbalovú palicu a zabalil ju do uteráka, aby zmiernil údery. Ukryl ju na brehu jazera pri profesorovom dome.

V tom čase sa vraj skamarátil s jedným barmanom, Chrisom Sladom z Missouri. Slade chcel vypadnúť z New Jersey, našiel si robotu na parkovisku prívesov v St. Louis a navrhol mu, aby išiel s ním. Chcel odísť hneď po Vianociach a tým sa všetko urýchlilo.

Niekoľko večerov Spoel sledoval Wiederov dom. Bar sa zatváral o desiatej, takže o pol jedenástej sa skryl za domom v záhrade a odtiaľ pozoroval dianie. Všimol si, že tam často chodia dvaja ľudia – mladík, ktorý vyzeral ako študent, a vysoký, urastený chlap s neupravenou bradou, ktorý pôsobil ako údržbár. Ani jeden tam neprespával.

„Dvadsiateho prvého decembra som dal výpoveď v bare a majiteľovi som povedal, že idem na západné pobrežie. Keď som odchádzal, dal mi prachy a dve škatuľky cigariet. Nechcel som, aby ma v tej oblasti videli, a tak som išiel k potoku Assunpink Creek a skrýval som sa v starej kôlni. Po zotmení som sa vybral k profesorovmu domu. Tuším som tam došiel okolo deviatej, profesor však nebol sám. Bol tam aj ten mladý a pili spolu v obývačke."

Spýtal som sa Spoela, či si pamätá, ako mladík vyzeral, ale vyjadril sa, že by ho nevedel opísať, keďže mu pripadal ako všetky rozmaznané decká, ktoré za rodičovské peniaze bývali v univerzitnom areáli. Asi tri dni pred útokom, keď sledoval Wiederov dom, ho ten chlapec takmer zbadal cez okno – pozrel sa priamo naňho, skôr ako sa stihol skryť. Našťastie husto snežilo, takže mladý si zrejme myslel, že sa mu to len zdalo.

„Volal sa Richard Flynn," povedal som mu. „Ste si istý, že s ním nebola aj mladá žena?"

„Určite nie. Boli tam len oni dvaja. Ako som vravel, prišiel som tam zhruba o deviatej. Ten mladý odišiel až okolo jedenástej a profesor ostal v dome sám. Počkal som ešte asi desať minút, aby som sa presvedčil, že chlapec je naozaj preč. Chcel som zazvoniť a vraziť Wiederovi, keď otvorí dvere, ale zjednodušil mi to – otvoril okná smerom do záhrady a vyšiel hore. A tak som vliezol do domu a skryl som sa v hale."

Wieder zišiel do obývačky, zavrel okná, sadol si na gauč a pozeral do nejakých papierov. Spoel sa k nemu zozadu prikradol a bejzbalovou palicou ho tresol po hlave. Úder zrejme nebol veľmi silný, lebo profesorovi sa podarilo vstať a obrátiť sa k nemu. Spoel obišiel gauč a začal profesora mlátiť. Udrel ho asi desať až dvanásť ráz, kým nespadol na dlážku. Spoel mal masku, takže sa nebál, že by ho Wieder spoznal. Práve sa chystal nájsť nejaké peniaze, keď odrazu začul, ako niekto otvára vchodové dvere. Otvoril zasklené dvere, obehol dom a ušiel do metelice.

Bejzbalovú palicu zahodil do polozamrznutého potoka a na noc sa ukryl v kôlni. Na druhý deň ráno sa na stanici Princeton Junction stretol so Sladom a vyrazili do Missouri. Neskôr zistil, že profesor zomrel.

„Zrejme som ho udrel silnejšie, ako som si myslel," uzavrel. „A tak sa zo mňa stal vrah. Viete čo? Keď som potom spravil niečo zlé, bolo to, akoby som sa prebudil zo sna a neveril som, že som to vykonal. Vždy som bol presvedčený, že mi preplo po tých tabletkách, ktoré mi dávali v blázinci. Nevravím to preto, aby to vyzeralo, že som nevinný – aj tak je to už jedno."

„Prepustili vás na podmienku," poznamenal som. „Nikto si nevšimol, že ste odišli z New Jersey? Nehľadali vás?"

„To fakt netuším. Jednoducho som odišiel. Potom sa ma nikto na nič nepýtal a so zákonom som nemal problémy až do roku dvetisícpäť, keď ma na diaľnici zastavili za rýchlosť. Obhajcovi som povedal, že som bol pred rokmi v Trentone, a tak požiadal o psychiatrický test. Znalec, ktorého určil súd, vyhlásil, že som duševne zdravý, a tak ma súdili aj odsúdili. Viete, čo je na tom paradoxné? Keď som bol duševne zdravý – a to vám hovorím, že som bol –, skončil som v blázinci. No keď som bol sám presvedčený, že to v hlave nemám v poriadku, odmietli ma poslať do blázinca a rozhodli sa, že mi dajú injekciu."

„Odvtedy už ubehlo veľa rokov a možno si všetko tak dobre nepamätáte, preto sa vás to spýtam ešte raz: ste si istý, že profesor strávil ten večer s asi dvadsaťročným belochom a nik iný tam nebol? Možno ste nemali dobrý výhľad – vonku snežilo, skrývali ste sa v záhrade, mohli ste stáť v zlom uhle..."

„Viem to určite. Vraveli ste, že vám pridelili ten prípad..."

„Áno."

„Tak si azda pamätáte, ako to tam vyzeralo. V obývačke boli dve veľké okná a zasklené dvere, cez ktoré sa vychádzalo do záhrady a k jazeru. Keď sa vnútri zažalo svetlo a odhrnuli závesy, bolo vidieť celú miestnosť. Profesor a ten mladý jedli za stolom. Rozprávali sa, chlapec odišiel a Wieder zostal sám."

„Pohádali sa?"

„Neviem. Nepočul som, čo hovorili."

„Vravíte, že keď ten mládenec odišiel, bolo jedenásť hodín?"

„Približne, neviem to presne. Mohlo byť pol dvanástej, viac nie."

„A o desať minút ste napadli Wiedera."

„Ako som hovoril, najprv som vliezol do domu a skryl som sa, potom sa profesor vrátil do obývačky a vtedy som ho udrel. Možno to nebolo desať minút, možno dvadsať, ale dlhšie nie. Keď som ho prvý raz udrel, ešte som mal skrehnuté ruky, preto ten úder za veľa nestál, čiže som sa vnútri nemohol skrývať dlho."

Pozeral som naňho a rozmýšľal som, prečo mi jeho meno uniklo, keď som vyšetroval možnosť, že z pomsty vraždil niekto z profesorových pacientov.

Iste, zoznam prípadov, pri ktorých Wieder svedčil ako súdny znalec, bol veľmi dlhý. A štátny zástupca bol tupý a domotaný. Posielal nás kade-tade, na druhý deň si to rozmyslel a museli sme sledovať iné stopy, a tak som možno nemal čas preveriť všetko do posledného detailu. Dobiedzali do nás reportéri, vypisovali somariny do novín. A ja som mal v aute ukrytú fľašu a rozmýšľal som, či nie som natoľko opitý, aby ma vyhodili z polície. Keď som si spomenul na to obdobie, položil som si otázku, nakoľko ma vlastne trápilo, kto zabil Josepha Wiedera –

v tom čase som sa najmä ľutoval a hľadal som výhovorky za svoje správanie.

„Vravíte, že vôbec netušíte, koho ste počuli vojsť do profesorovho domu, keď ste ho zbili?"

„Nie, hneď som vypadol. Nečakal som, že v takom čase niekto príde, tak som sa okamžite pakoval a ani som sa neobzrel. Myslel som si, že som ho len poriadne zmlátil. V tej oblasti bola kopa narkomanov, takže policajti by uverili, že to bol pokus o lúpež. Nepredpokladal som, že z toho, že niekto dostal na frak, narobia veľkú vedu, okrem toho som vtedy už mal byť preč. Lenže on zomrel a tým sa všetko zmenilo."

„Neviete, či prišiel len jeden človek?"

Pokrútil hlavou. „Ľutujem, povedal som vám všetko, čo viem."

„Wieder nezomrel hneď, ale až o dve, tri hodiny," pokračoval som. „Keby niekto prišiel okolo polnoci, zavolal by sanitku, to sa však nestalo. Azda sa vám len zdalo, že ste počuli, ako sa otvárajú dvere. V tú noc fúkal silný vietor a možno len vŕzgali pánty."

„Nie!" vyhlásil rozhodným tónom. „Bolo to tak, ako som vravel. Niekto odomkol dvere a vošiel do domu."

„A ten niekto ho tam nechal zomrieť na dlážke?"

Venoval mi dlhý pohľad a zvraštil čelo, takže vyzeral ako zmätená opica.

„To som nevedel... On nezomrel hneď?"

„Nie. Ten neznámy ho mohol zachrániť, keby zavolal sanitku. Tú však zavolal až na druhý deň údržbár a vtedy už bolo neskoro. Wieder bol už niekoľko hodín mŕtvy."

„Preto vás tak zaujíma, kto tam prišiel?"

„Áno. Povedal Wieder niečo, keď ste naňho zaútočili? Nevolal o pomoc, nepýtal sa, kto ste alebo čosi také? Nespomínal nejaké mená?"

„Nie, nevolal o pomoc. Možno niečo zaškriekal, ale to si nepamätám. Najprv sa usiloval brániť, a keď spadol, len si kryl hlavu. Nekričal, tým som si istý. Aj tak nablízku nikto nebol."

Vošli ozbrojení dozorcovia a jeden mi naznačil, že náš čas vypršal. Práve som chcel Spoelovi povedať „dovidenia", no rýchlo som si uvedomil, že by to bol zlý žart. O niekoľko týždňov bude mŕtvy. Ešte raz som sa mu poďakoval, že bol ochotný porozprávať sa so mnou. Vstali sme a on urobil pohyb, akoby mi chcel podať ruku, ale potom sa zvrtol na päte a v sprievode policajtov odišiel potkýnavým krokom, ktorý spôsobovali reťaze.

Zostal som v miestnosti sám. Z tašky som vytiahol kartón cigariet, aby som ho pri odchode nezabudol dať dozorcom.

Kto prišiel do profesorovho domu o polnoci, našiel ho ležať na dlážke, no nezavolal sanitku? Ten neznámy nezazvonil ani nezaklopal, ale odomkol si, ak teda Spoel hovoril pravdu. Po toľkých rokoch človeka môže pamäť oklamať. Jedno však bolo isté – to, čo mi práve prezradil, sa nezhodovalo s tým, čo vtedy povedal Derek Simmons a čo pred pár mesiacmi zopakoval tomu reportérovi.

John Keller na konci pátrania napísal akési zhrnutie všetkých informácií, ktoré zhromaždil – jeho kópiu som mal v papieroch, ktoré mi doniesol domov. Mal podozrenie, že v čase vraždy bola v dome Laura Bainesová a že profesorovi ukradla rukopis, ktorý práve dokončil a chystal sa ho

E. O. Chirovici

poslať vydavateľovi. Keller sa domnieval, že Laura a Richard mohli byť komplici, lebo Laura by fyzicky nebola schopná sama zabiť Wiedera. Bol presvedčený, že bejzbalovou palicou sa s najväčšou pravdepodobnosťou zaháňal Flynn, ale za vraždou stála Laura Bainesová – naplánovala ju a ako jediná z nej mala prospech.

Lenže ak Frank Spoel hovoril pravdu, potom Laura Bainesová nepotrebovala Flynna ako spolupáchateľa. Ak tam náhodou po útoku prišla a našla profesora ležať na dlážke, mohla využiť situáciu a ukradnúť rukopis, potom zavrieť zasklené dvere, ktorými unikol Spoel, a zamknúť za sebou vchodové dvere. Derek Simmons vyhlásil, že keď ráno prišiel do profesorovho domu, okná a dvere boli zavreté.

Zrazu som si spomenul na ďalší dôležitý detail, ktorý v správe spomínal obhliadač. Zaskočila ho jedna vec: zo všetkých úderov, ktoré Wieder utrpel počas zápasu, bol len jeden smrteľný. Pravdepodobne to bol posledný úder, do ľavého spánku, keď už obeť ležala na dlážke a možno bola v bezvedomí. Spoel povedal, že si bejzbalovú palicu zabalil do uteráka. Palica zabalená do uteráka by nespôsobila takú strašnú ranu. Čo ak posledný úder, ktorý zabil Wiedera, zasadil niekto iný?

O niekoľko minút prišiel Matt a budovu sme opustili rovnakou trasou. Pri bráne som nechal cigarety pre Franka Spoela a zamierili sme na parkovisko. Vyjasnilo sa a obloha sa po celej prérii tiahla bez jediného obláčika. Vysoko vo vzduchu sa vznášal jastrab, občas ostro zaškriekal.

„Si v poriadku?“ spýtal sa ma Matt. „Si bledý ako smrť.“

„Áno, som. Asi tam len nebol dobrý vzduch. Poznáš tu nablízku nejaké dobré reštaurácie?"

„Asi päť kilometrov odtiaľto, na I-55, je podnik U Billa. Chceš tam ísť?"

„Nevravel som, že ťa pozývam na obed? Lietadlo mi letí až o štyri hodiny."

Do podniku sme sa viezli mlčky, celý čas som dumal nad Spoelovým rozprávaním.

Nešlo mi do hlavy, že jeho priznanie sa nezhodovalo s tým, čo hovoril Simmons. Aj ten tvrdil, že sa skrýval v záhrade. Ak to tak bolo, určite by jeden druhého videli. Záhrada bola veľká, ale schovať sa tak, aby človeka nebolo vidieť zvnútra a zároveň aby mal výhľad do obývačky, sa dalo len niekde vľavo, na strane oproti jazeru, kde v tom čase rástlo niekoľko ozdobných trpasličích borovíc, vysokých asi tri metre, a zopár magnólií.

„Rozmýšľaš nad tým, čo povedal ten chlap?" spýtal sa Matt, keď sme zastali na parkovisku pred reštauráciou.

Prikývol som.

„Nevieš, či si to všetko nevymyslel. Takíto darebáci sú pre cigarety schopní klamať, až sa im z huby práši. Možno si to všetko vybájil len preto, aby získal trochu pozornosti, alebo dúfal, že popravu oddialia, ak sa znovu otvorí Wiederov prípad. Odohralo sa to v inom štáte, tak možno kalkuloval, že ho pošlú do New Jersey a obvinia ho z vraždy, čo by znamenalo, že sa to bude ťahať celé roky a daňovníkov to bude stáť ďalšie peniaze. Jeho právnik už také niečo skúsil, ale nič z toho nebolo. Tak mu treba."

„No čo ak neklame?"

Vystúpili sme z auta. Matt si zložil šiltovku, rukou si uhladil strieborné vlasy a znovu si ju nasadil.

„Vieš, premýšľal som nad tým chlapíkom z Kalifornie, ktorý píše knihu o vrahoch. Celý život žijem medzi zločincami. Najprv som sa ich usiloval posielať do väzenia a potom som sa snažil udržať ich tam tak dlho, ako rozhodla porota a sudca. Dobre ich poznám a nedá sa o nich povedať veľa: niektorí sa takí narodili, tak ako sa niekto narodí s talentom na kreslenie alebo na basketbal. Jasné, všetci ti porozprávajú srdcervúci príbeh, ale mne je to fuk.“

Vošli sme do reštaurácie a objednali sme si. Pri obede sme sa o všeličom rozprávali, pričom Spoela sme ani nespomenuli. Keď sme dojedli, Matt sa spýtal: „Čo ťa to vlastne posadlo? Nemáš inú robotu?“

Rozhodol som sa, že mu poviem pravdu. Matt si nezaslúžil klamstvo a bol som presvedčený, že sa na mňa nepozrie s tým výrazom súcitu, aký by som nezniesol.

„Asi pred šiestimi mesiacmi som bol u lekára. Začal som zabúdať, najmä mená ulíc, hoci som mal vždy dobrú pamäť. Pokúšal som sa robiť cvičenia: ktorý herec hral v ktorom filme, kto spieval nejakú pesničku, aký bol výsledok nejakého zápasu a podobne. Všimol som si, že mám problémy aj s menami, tak som zašiel k lekárovi. Urobil mi testy, dával mi všelijaké otázky a o dva týždne mi oznámil novinku.“

„Nevrav, že je to...“

„Dobre, nepoviem ti to.“

Mlčky na mňa hľadel, a tak som pokračoval.

„Áno, je to Alzheimer v počiatočnom štádiu. Ešte som nezabudol ísť na záchod ani to, čo som jedol včera večer. Lekár mi povedal, aby som udržiaval myseľ aktívnu, aby som robil cvičenia, dal mi knihu aj nejaké videá. Ja som si však spomenul na toho reportéra, ktorý sa zaujímal o Wiederov prípad. Bol som na stanici a zohnal som mu nejaké papiere z archívu. Poslal mi, čo zistil, a tak som si povedal, že by som sa mohol zaoberať niečím takýmto, niečím naozaj zaujímavým a dôležitým, a nie loviť z pamäti staré výsledky zápasov. Vieš, vždy som mal pocit, že som ten prípad pokašlal, lebo v tom čase som slopal. Vtedy som ti zavolal a tu ma máš.“

„Neviem, či som spravil dobre, že takto vykopávame mŕtvoly. Spomenul som ti to len tak medzi rečou, nečakal som, že sem prídeš, aby si niečo zistil. Veľmi ma to mrzí...“

„Musím sa dozvedieť, čo sa vtedy stalo a ako som pustil vraha. O rok, dva, určite nie dlhšie ako o tri, nebudem vedieť, kto bol Wieder, ani si nespomeniem, že som bol kedysi policajt. Pokúšam sa upratať po sebe, dať do poriadku to, čo sa mojou vinou posralo a za čo ešte stále platím.“

„Si na seba priveľmi prísny,“ povedal Matt, kývol na čašníčku a poprosil ju, aby ešte priniesla kávu. „Všetci sme mali lepšie aj horšie obdobia. Nepamätám sa, že by si si niekedy neplnil povinnosti. Každý si ťa vážil, Roy, a považovali sme ťa za dobrého človeka. Jasné, vedeli sme, že si rád vypiješ, ale museli sme sa predsa nejako obrniť proti tomu, čo sa okolo nás dialo. Daj pokoj minulosti a začni sa venovať sám sebe.“

Po chvíli sa spýtal: „Predpísal ti doktor nejakú liečbu? Tabletky a tak?“

„Beriem nejaké. Dodržujem všetko, čo mi lekár povie, ale nerobím si veľké nádeje. Čítal som o Alzheimerovej chorobe na internete, takže viem, že sa nedá liečiť. Je to len otázka času. Keď sa už o seba nebudem môcť starať, pôjdem do starobinca."

„Určite nechceš zostať do zajtra? Mohli by sme sa ešte porozprávať."

„Keby som vymenil letenku, prišiel by som o peniaze. Možno sa však ešte vrátim. Nemám veľmi čo robiť."

„Si vítaný, veď to vieš. No do väznice už nechoď."

„Sľubujem."

Odviezol ma na letisko. Zmocnil sa ma zvláštny pocit, že aj napriek tomu, čo sme si povedali, ho vidím naposledy, a díval som sa za ním, keď sa predieral cez dav ku vchodu ako krížnik medzi člnmi, až napokon zmizol vonku.

O tri hodiny som pristál v Newarku a odviezol som sa domov taxíkom. Taxikár pustil cédečko Creedence Clearwater Revival. Pri počúvaní som sa pokúšal spomenúť si na naše začiatky s Dianou: ako sme sa zoznámili na pikniku, ako som stratil jej číslo a potom som ju náhodou stretol, keď vyšla z kina s nejakými kamošmi, ako sme sa po prvý raz milovali v moteli na Jersey Shore. Bolo to zvláštne, ale tieto spomienky mi pripadali živšie ako návšteva vo väznici.

Už dávno som si všimol, že keď sa človek do niečoho pohrúži, jedna časť mozgu sa tým stále zaoberá, hoci rozmýšľate o niečom inom. Zaplatil som taxikárovi, a keď som otváral vchodové dvere, už som bol pevne presvedčený, že Spoelov príbeh o Wiederovej vražde je pravdivý – veď Frank už nemal čo stratiť – a že Derek Simmons mi klamal, keď som ho pred takmer tridsiatimi rokmi vypočúval. Teraz som musel zistiť prečo.

3

Simmonsa som navštívil o dva dni, ale vopred som mu zavolal. Jeho adresu som našiel v papieroch, ktoré mi dal John Keller. Býval neďaleko princetonskej polície. Dostal som sa tam okolo tretej, práve keď dažďové mraky vylievali na škridlové strechy svoju nádielku.

Pred stretnutím som lovil v pamäti jeho tvár, no nevybavil som si ju. Keď som ten prípad vyšetroval, Simmons bol ešte mladý chlap. Očakával som, že teraz z neho bude troska. Mýlil som sa – aj napriek hlbokým vráskam na tvári a bielym vlasom pôsobil oveľa mladistvejšie.

Predstavil som sa a on mi povedal, že si na mňa hmlisto spomína – na chlapíka, ktorý pripomínal skôr kňaza ako policajta. Spýtal som sa ho, kde je žena, o ktorej som čítal v Kellerových poznámkach, Leonora Phillisová. Odvetil, že odcestovala do Louisiany starať sa o matku, ktorú nedávno operovali.

Prešli sme do obývačky. Posadil som sa na gauč a on mi zatiaľ priniesol šálku kávy, v ktorej som zacítil škoricu. Vysvetlil mi, že ten trik pochádza z cajunskej kuchyne a na-

E. O. Chirovici

učil sa ho od Leonory. Uvaril kávu aj pre seba a zapálil si cigaretu. Popolník, už teraz plný, si prisunul bližšie.

„Keby som vás stretol na ulici, asi vás nespoznám," priznal. „Úprimne vám poviem, snažím sa na to celé zabudnúť. Viete, že pred pár mesiacmi sem prišiel vyzvedať nejaký reportér? Tiež ho zaujímal tento prípad."

„Viem o tom. Aj ja som s ním hovoril."

Zhrnul som mu výpoveď Franka Spoela podľa zápisníka, ktorý som si priniesol. Zaznamenával som si doň všetky informácie presne ako za starých čias. Pozorne si ma vypočul, ani raz ma neprerušil, len si z času na čas odpil kávy a zapaľoval si jednu cigaretu za druhou.

Keď som skončil, nekomentoval moje slová, len sa opýtal, či si ešte dám kávu. Popolník bol taký plný, že ohorky sa mohli hocikedy vysypať na mahagónový stôl medzi nami.

„Už rozumiete, prečo som sa chcel s vami rozprávať?" spýtal som sa ho.

„Nie," pokojne zavrtel hlavou. „Takmer tridsať rokov sa ma nikto na nič nepýtal, a odrazu to všetkých zaujíma. Vôbec tomu nerozumiem, jasné? Ani trochu ma neteší, keď o tom musím stále mlieť. Profesor bol môj jediný priateľ."

„Derek, pamätáte si, čo ste vtedy uviedli vo výpovedi? A čo ste povedali teraz tomu reportérovi?"

„Isteže."

„Vaše tvrdenia nesedia s tým, čo mi prezradil Spoel. Vravel, že v ten večer, keď bol spáchaný zločin, sa skrýval za domom. Vy ste spomínali, že ste sa tam schovali presne v tom istom čase, o deviatej. Ako to, že ste jeden druhého nevideli? A povedali ste, že profesor bol vnútri s Laurou

Bainesovou a Richardom Flynnom, ktorý sa s ním pohádal, potom ste vraj videli Lauru odísť, ale neskôr ste pred domom zbadali jej zaparkované auto. Lenže Spoel si na Lauru Bainesovú nespomína. Podľa neho bol s profesorom iba Richard Flynn a nehádali sa."

Bod za bodom som si zapísal všetky rozpory medzi oboma verziami.

„No a?" mykol plecom, akoby ho to ani trochu nezaujímalo. „Chlapík možno medzitým zabudol, ako to vtedy bolo, alebo klame. Prečo veríte jemu a nie mne? Čo odo mňa vlastne chcete?"

„Na to nie je ťažké prísť," odvetil som. „Jeden z vás nehovorí pravdu a momentálne si myslím, že ste to vy. Zaujíma ma, prečo ste mi klamali."

Usmial sa, ale bez stopy pobavenia.

„Možno neklamem, len si ten večer celkom dobre nevybavujem. Som starý a človeku predsa v starobe prestáva slúžiť pamäť, nie?"

„Nemám na mysli len to, čo ste pred niekoľkými mesiacmi povedali tomu reportérovi, Kellerovi. Ide mi o vašu výpoveď na polícii krátko po vražde," namietol som. „Vtedy aj teraz ste uviedli prakticky to isté. Aj Kellerovi ste navraveli, že Wieder mal s Laurou pomer, pamätáte sa?"

„Mohli spolu spávať. Ako viete, že to tak nebolo?"

„Vy jediný ste vtedy tvrdili, že Laura Bainesová a profesor sú milenci. A keďže Flynn bol do nej zaľúbený, vyšetrovateľom to poskytlo vhodný motív. Usúdili, že Flynn zabil Wiedera v záchvate žiarlivosti."

„Vždy som si myslel, že sú milenci. A dodnes verím, že Richard v ten večer len predstieral, že odchádza. Potom sa vrátil a profesora zabil. Ak ste to nedokázali, je to váš problém, jasné? Možno ste sa na ich vzťah nespýtali tých správnych ľudí."

„Vy ste sa v ten večer za domom neskrývali, však, Derek? Prečo ste sa pokúsili hodiť ten zločin na Flynna?"

Odrazu vyzeral rozrušený, priam rozhnevaný.

„Ja som na nikoho nič nezhadzoval, človeče! Stalo sa to presne tak, ako som opísal. Bol som tam a všetkých troch som videl v obývačke."

„Takže tvrdíte, že ste tam takmer dve hodiny stáli, pričom vonku husto snežilo? Čo ste mali na sebe?"

„Doriti, ako to mám vedieť? Zabudol som."

„Ako to, že ste nevideli Spoela a on nevidel vás?"

„Možno klame a vôbec tam nebol. Alebo si zmýlil čas. Prečo by ma to malo zaujímať?"

„Prečo ste vypovedali, že tam bola Laura Bainesová?"

„Lebo som ju videl a neďaleko parkovalo jej auto. Človeče, prestaňte dobiedzať, opakujem sa tu ako papagáj!"

Prudko vstal.

„Prepáčte, ale sľúbil som jednému zákazníkovi, že mu do večera opravím auto. Už musím ísť. Nechce sa mi tu s vami vysedávať, bez urážky, a nepozdáva sa mi váš tón. Hrá sa ďalej. Ďakujem za spoluprácu."

„Čo ste vraveli?"

„Odznelo to na jednom zápase Yankees proti Orioles z Baltimoru. Bol som tam, keď to povedal moderátor – keď ten chytač, Thurman Lee Munson, zahynul pri havárii lietadla. A odteraz, len aby ste vedeli, sa o Wiederovi nemienim baviť s nikým, kto neprinesie zatykač. Vypreavdím vás."

Pri odchode som sa cítil až hlúpo, ako chlapec, ktorý sa hrá na detektíva a zrazu ho z domu vyhodí jeden z jeho „podozrivých". Kedysi som bol policajt, ale tie časy sú dávno preč. Teraz som bol už len starý chren bez preukazu a bez služobnej zbrane. Nasadol som do auta a zápisník so špirálovou väzbou som hodil do priehradky.

Keď som odbočil na Valley Road a stierače v tom lejaku ledva stíhali čistiť predné sklo, položil som si otázku, čo ďalej. Bol som si takmer istý, že Derek klame a klamal aj vo výpovedi, ktorú poskytol krátko po vražde, no nemohol som s tým nič urobiť. Podľa Matta už Spoelov obhajca žiadal, aby prípad opäť otvorili, ale márne. A ja som bol len senilný poliš na dôchodku.

Zopár dní som sa venoval oprave strechy na dome a vymaľoval som si obývačku, pričom som o prípade stále uvažoval.

V sobotu som upratal okolo domu a v nedeľu som po moste prešiel cez rieku, aby som v meste navštívil bývalého kolegu Jima Fostera, ktorý prežil infarkt a len prednedávnom ho pustili z nemocnice. Bol krásny deň, tak sme sa poprechádzali a potom sme si dali obed v reštaurácii neďaleko Lafayette Street. Opísal mi, akú prísnu diétu musí držať. Spýtal som sa ho, či si spomína na prípad Josepha Wiedera, a trochu ma šokovala jeho odpoveď – to meno mu nič nehovorilo.

„Nepamätáš sa na toho profesora z Princetonu, ktorého v decembri v osemdesiatom siedmom zavraždili vo vlastnom dome? Teraz sa k jeho vražde priznal basista, ktorý v Potosi čaká na popravu. Volá sa Frank Spoel a vtedy mal iba dvadsaťdva rokov. Ten prípad som vyšetroval ja."

„Frank? To meno sa mi nikdy nepáčilo," povedal s pohľadom upretým na talianske klobásky, ktoré som mal na tanieri. „Ako malý som čítal *Odviate vetrom* a bola tam postava menom Frank, ktorej smrdelo z úst. Neviem prečo, ale tá drobnosť mi uviazla v hlave. Keď počujem to meno, vždy si na to spomeniem. Prečo ťa ten príbeh ešte stále zaujíma?"

„Ty si nikdy nemal prípad, ktorým si bol posadnutý? Ktorý nemôžeš dostať z hlavy a pamätáš sa naň aj po rokoch?"

„Mal som veľa prípadov, Roy."

„Hej, viem, ale ja som si po rokoch uvedomil, že mi ten prípad stále nedá pokoja. Mám pocit, že je v tom niečo viac, niečo dôležité, a čaká to len na mňa, vieš? Nemysli si, že pozerám priveľa krimiseriálov a preskakuje mi z toho. Ide mi o spravodlivosť. Keby som zlyhal aj teraz, už to nikdy nenapravím."

Na chvíľu sa zamyslel.

„Tuším ťa už chápem... Vieš, keď som v deväťdesiatych rokoch prešiel k newyorskej polícii, istý čas som pôsobil na protidrogovom. Spolupracovali sme s federálmi, viedli sme vojnu s írskym gangom Westies v Hell's Kitchen aj s Gottiho chlapcami. Nenudili sme sa. Bývalá frajerka írskeho bosa, istá dáma menom Myra, nám sľúbila, že ak ju ochránime, všetko nám o ňom povie. Dohodol som sa s ňou na stretnutí v jednom bare na Západnej 43. ulici. Volal sa Full Moon. Šiel som tam s kolegom Kenom Finleym, ktorého o rok neskôr zabili v prestrelke v Jersey nejakí sviniari z Nikaraguy, a s niekoľkými ďalšími policajtmi. Myra prišla, objednali sme si pitie a povedal som jej,

čo ju čaká v programe na ochranu svedkov. Na záver som
sa opýtal, či teda bude spolupracovať, a ona na to, že musí
ísť na záchod. Tak som čakal. Sedeli sme tam s tímom ne-
jakých desať minút, kým sme si uvedomili, že niečo nie je
v poriadku. Poslal som na toalety barmanku, aby sa na tú
babu pozrela, ale nebolo po nej ani stopy. Porozprával som
sa so šéfom podniku a celé sme to tam prehľadali. A nič,
človeče! Neboli tam okná, čiže von sa mohla dostať aku-
rát tak cez záchodové potrubie alebo vetraciu šachtu, lenže
tá bola taká úzka, že by sa tadiaľ neprepchalo ani batoľa.
Nechápali sme, čo to má znamenať. Stôl sme mali priamo
pri toaletách, keby odtiaľ vyšla, zbadali by sme ju. Navyše
podnik bol skoro prázdny a na toalety medzitým nikto ne-
šiel ani odtiaľ nevyšiel.

„Fíha, to je ale historka! A zistili ste, ako to bolo?"
Pokrútil hlavou.

„Možno sa mi o tom v tej chvíli len nechcelo uvažovať.
Ešte teraz mi vstávajú vlasy dupkom, keď si na to spome-
niem. Akoby sa vyparila, chápeš? Len zopár metrov odo
mňa. A ja som nepohol ani prstom. Nikdy ju nenašli, ani
živú, ani mŕtvu. Roky som si lámal hlavu, ako sa to mohlo
odohrať. Takýto nevyriešený prípad má však asi každý po-
liš, Roy. Hádam by si sa na ten svoj už mohol vykašľať."

Odprevadil som Jima domov a pobral som sa na parko-
visko, kde som si nechal auto. Keď som kráčal popri vý-
klade kníhkupectva McNally Jackson Books, do oka mi
padol plagátik, na ktorom stálo, že v stredu popoludní tam
bude prednášať doktorka Laura Westlaková. O tri dni.
Neodvážil by som sa ísť za ňou domov či do školy, ale po-
myslel som si, že so mnou možno prehodí niekoľko slov po

autogramiáde. Ten plagátik mi pripadal ako znamenie, že mám pokračovať, a rozhodol som sa využiť šancu.

Na plagátiku nebola fotografia, a tak som sa večer na internete pokúsil vyhľadať jej tvár. Hmlisto som si ju pamätal – vysokú, štíhlu, sebaistú mladú dámu, ktorá mi pokojne odpovedala na všetky otázky –, lenže tvár sa mi v mysli nie a nie vynoriť. Našiel som zopár novších fotografií a niekoľko minút som si ich prezeral. Všimol som si vysoké čelo, chladný pohľad a prísne zaťaté ústa. Podľa mňa nebola vyslovene pekná, no chápal som, prečo sa do nej Richard Flynn tak šialene zamiloval.

Pred tromi mesiacmi som na žiadosť Johna Kellera zašiel do policajného archívu vo West Windsore a odkopíroval som niektoré dokumenty z Wiederovho prípadu. Teraz som sa vybral na princetonskú políciu a spýtal som sa na Simmonsov prípad. Na ten, v ktorom Dereka obvinili z manželkinej vraždy. Richard Flynn tú tragédiu spomenul v rukopise iba letmo a uviedol, že mu ju opísala Laura Bainesová. Povedal som si, že nič nestratím, ak sa na ten spis pozriem. Vražda sa odohrala v roku 1983, zopár rokov po tom, čo ma prevelili do West Windsoru.

Zatelefonoval som policajnému riaditeľovi Brocatovi, ktorého som poznal ešte zo starých čias, keď sme spolu pracovali. Dovolil mi nazrieť do archívu a ani sa veľmi nevypytoval, prečo to chcem. Policajt na recepcii mi dal preukaz návštevníka a poslal ma do suterénu, kde bol archív aj miestnosť na dôkazový materiál.

Usporiadanie archívu sa od čias, keď som tam pracoval, nezmenilo. Starší policajt Val Minsky, tiež môj známy, mi vložil do rúk starú kartónovú škatuľu a odviedol ma do provizórnej kancelárie s pracovným stolom s lampou, so starou vŕzgajúcou kopírkou, s dvoma stoličkami a prázdnymi policami. Ubezpečil ma, že na prezeranie papierov mám času, koľko chcem, a odišiel, no ešte ma upozornil, že sa tam nesmie fajčiť.

Asi hodinu som čítal spis a dospel som k záveru, že Flynnov opis, hoci aj stručný, bol presný.

Derek Simmons sa k vražde nepriznal a sudca ho oslobodil na základe duševnej poruchy, ktorú uňho diagnostikoval Joseph Wieder. Simmonsa po zatknutí držali v štátnej väznici v New Jersey a potom ho poslali do Trentonskej psychiatrickej nemocnice, kde sa stal incident, ktorý mu spôsobil stratu pamäti.

O rok sa fyzicky pozbieral natoľko, že ho premiestnili do Marlborskej psychiatrickej nemocnice, odkiaľ ho po nejakom čase prepustili. Aj vtedy písal znalecké posudky Joseph Wieder a sudca na základe nich rozhodol o presunutí Simmonsa do Marlbora a tiež o jeho neskoršom prepustení na slobodu. Po tom, čo ho prepustili do domácej starostlivosti pod dohľadom, bol v spise už iba jeden dokument: sudca v roku 1994 povinný dohľad zrušil, takisto po znaleckom posudku.

Posudok, vďaka ktorému Simmonsa v roku 1983 prepustili z väzenia, spolu s Wiederom podpísali ďalší dvaja znalci – Lindsey Graffová a John T. Cooley. Poznačil som si ich mená.

Vtom som si všimol niekoľko telefónnych čísel.

Simmonsa nezatkli okamžite, ale až osem dní po manželkinej smrti. Zoznam čísel obsahoval hovory zo Simmonsovej domácej pevnej linky, začínal sa týždeň pred vraždou a končil sa jeho zatknutím. Zoznam som si odkopíroval a vložil do aktovky.

Jeden z mojich bývalých kolegov, ktorí Simmonsov prípad vyšetrovali, Nicholas Quinn, zomrel v deväťdesiatych rokoch na infarkt. Druhý, ktorý bol v papieroch uvedený, zrejme prišiel na oddelenie až po tom, čo som tam skončil. Volal sa Ian Kristodoulos.

Vrátil som škatuľu s papiermi Valovi Minskému, ktorý sa ma spýtal, či som našiel, čo som hľadal.

„Ešte neviem," odvetil som. „Poznáš detektíva Kristodoulosa? Aj on na tom prípade pracoval. Toho druhého vyšetrovateľa, Nicholasa Quinna, som poznal, ale už je nebohý."

„Jasné, že Kristodoulosa poznám. Asi pred piatimi rokmi prešiel k newyorskej polícii."

„A netušíš, ako by som sa mohol dopracovať k jeho číslu?"

„Momentík, zistím ti ho."

„Vďaka, Val."

„Pre starého kamoša spravím čokoľvek."

Minsky zatelefonoval viacerým ľuďom, sypal vtipy o neverných manželkách a o zlých svokrách a stále na mňa žmurkal, ako keby mal tik. Napokon sa mu na červenej vráskavej tvári objavil víťazoslávny výraz. Na papierik si zapísal mobilné číslo a podal mi ho.

„Vyzerá to, že Ian stále slúži. V šesťdesiatom siedmom okrsku v Brooklyne na Snyder Avenue. Tu máš číslo."

Uložil som si Kristodoulosovo číslo do mobilu, zaďakoval som Minskému a vypadol som.

*

S Ianom Kristodoulosom sme sa dohodli na stretnutí ešte v to popoludnie, v kaviarni neďaleko Prospect Parku. Medzitým som sa ešte pokúsil vypátrať tých dvoch súdnych znalcov.

Po dlhom hľadaní na internete som zistil, že psychiatrička Lindsey Graffová má súkromnú prax na Východnej 56. ulici. Našiel som jej internetovú stránku a prečítal som si krátky profesijný životopis pani doktorky. Bolo takmer isté, že je to ona, pretože od roku 1981 do roku 1985 pracovala ako súdna znalkyňa pre úrad štátneho lekárskeho obhliadača. Potom šesť rokov učila na Newyorskej univerzite. Kliniku si otvorila v roku 1998 spolu s dvoma kolegami.

Zatelefonoval som tam, či by sa so mnou nestretla, ale asistentka mi oznámila, že doktorka Graffová si na mňa nájde čas až niekedy v polovici novembra. Zdôraznil som, že mám naliehavý problém, preto by som sa s ňou potreboval rozprávať telefonicky. Nechal som jej svoje číslo a ona sľúbila, že môj odkaz odovzdá.

Keď som popoludní prišiel na stretnutie s Kristodoulosom, Johna T. Cooleyho sa mi ešte stále nepodarilo vypátrať. Kristodoulos bol nízky zavalitý tmavovlasý chlapík, ten typ, ktorý má do hodiny po oholení také strnisko, aké iným narastie za deň. Vyrozprával mi, hoci neveľmi priateľským tónom, čo si zo Simmonsovho prípadu zapamätal.

„Bol to môj prvý významný prípad," začal. „Na oddelení som slúžil rok a pol a dovtedy mi zverovali len ľahšie veci. Keď sa to stalo, požiadal som Quinna, aby si ma pribral ako partnera. Viete, aké to je, na svoj prvý prípad vraždy nik z nás nezabudne, tak ako nezabudneme na prvú frajerku. Ten špinavec Simmons sa však z toho vyvliekol."

Nikdy nepochyboval, že Derek Simmons zavraždil svoju manželku, pretože mala milenca. Vyzeral duševne zdravý, no zároveň bol veľmi prefíkaný. Výsledok psychiatrického vyšetrenia pobúril celé oddelenie.

„Dôkazy boli nevyvrátiteľné, keby sa ocitol pred súdom, naparia mu doživotie. Jednoznačne. No nemohli sme s tým nič robiť. Taký je zákon, posledné slovo má súdny znalec. Zavreli ho do nemocnice a o pár rokov bol vonku. Božie mlyny však neprestali mlieť, lebo nejaký chlapík ho v tom špitáli tresol po hlave a vtedy, ako som počul, už Simmonsovi naozaj preplo. O rok neskôr, v osemdesiatom štvrtom, po nevydarenom atentáte na prezidenta Reagana, keď páchateľ unikol trestu na základe duševnej poruchy, Kongres prijal nový zákon o duševných poruchách pri trestnom stíhaní."

Rozlúčil som sa s Kristodoulosom, vrátil som sa domov a ďalej som pátral po Cooleym, ale bezúspešne. Lindsey Graffová sa mi neozvala, no ani som to nečakal.

Okolo desiatej večer, keď som pozeral starú epizódu *Dva a pol chlapa*, mi zatelefonovala Diana.

„Sľúbil si mi jednu láskavosť," povedala po pozdravoch a zdvorilom úvode. Nehovorili sme spolu dva či tri týždne.

Spomenul som si, na čo naráža. Mal som nájsť nejaký certifikát firmy, pre ktorú pred rokmi pracovala. Potrebovala ho do žiadosti o odchod do dôchodku. Ospravedlnil som sa s tým, že to určite spravím zajtra.

„Ja len tak," dodala, „nemusíš sa s tým ponáhľať. Čo keby som na budúci týždeň priletela a za pár dní si to vybavila sama? Si za?"

Vždy keď som počul jej hlas, mal som pocit, že sme sa rozišli iba prednedávnom. Povedal som jej, že som v poriadku, certifikát jej obstarám, len som na to zabudol a až teraz sa mi to zase vynorilo v hlave. Vtom som pochopil, prečo mi naozaj volá. „Telefonoval ti Matt, však?" spýtal som sa jej.

Chvíľu neodpovedala.

„Klebetník jeden! Nemal právo..."

„Roy, je to pravda? Vedia to s istotou? Konzultoval si to aj s iným lekárom? Môžem pre teba niečo urobiť?"

Zahanbil som sa, akoby sa o mne dozvedela niečo potupné. Odvetil som, že od nej nechcem a nemôžem prijať súcit. A nemyslím si, že svoje posledné roky by mala stráviť so zombim, ktorý zabúda vlastné meno.

„Diana, nebudem sa o tom baviť. Ani teraz, ani neskôr!"

„Čo keby si sem na niekoľko dní prišiel? Nemám čo robiť, len vyplňam tú prekliatu žiadosť, a ešte aj to môže počkať."

„Nie."

„Prosím ťa, Roy!"

„Diana, ja už... nežijem sám."

„Doteraz si mi nijakú ženu nespomenul."

„Nasťahovala sa len minulý týždeň. Zoznámili sme sa pred dvoma mesiacmi. Volá sa Leonora Phillisová a je z Louisiany."

„Leonora Phillisová z Louisiany... To už môže byť rovno Minnie Mousová z Disneylandu. Roy, ja ti neverím. Odkedy sme sa rozišli, žiješ sám."

„Myslím to vážne, Diana."

„Prečo to robíš, Roy?"

E. O. Chirovici

„Prepáč, už musím zložiť. Ten certifikát ti zoženiem, sľubujem."

„Prídem za tebou."

„Nerob to, Diana. Prosím!"

Zložil som, ľahol som si na gauč a tak tuho som zažmúril oči, až ma rozboleli a zvlhli.

Rasovo zmiešané manželstvá neboli začiatkom sedemdesiatych rokov minulého storočia bežné, a to ani na Severovýchode. Pamätám sa, aké pohľady sme priťahovali, keď sme vošli do baru – niektoré nepriateľské, iné šokované. A občas aj sprisahanecké, ako keby sme sa s Dianou do seba zaľúbili iba preto, aby sme dokázali správnosť nejakej idey. Obaja sme sa s tým museli nejako vyrovnať a ja som sa mohol utešovať aspoň tým, že som nikdy nebol nútený tráviť Vianoce so svokrovcami v Massachusetts. Neskôr, keď som sa dal na alkohol, som o všetko prišiel. Opitý som nebýval iba hrubý, ale doslova zlý. Rád som ju urážal, za všetko som ju obviňoval, hovoril som presne to, čo ju najväčšmi bolelo. Aj po toľkom čase mi stačilo spomenúť si na to, aký som bol, a už sa mi zdvíhal žalúdok.

Zabudnutie bolo jediným príjemným dôsledkom mojej choroby – prestanem uvažovať o tých rokoch, lebo nebudem vedieť, že sa odohrali.

S pitím sa mi podarilo prestať tri roky po rozvode po mnohých stretnutiach Anonymných alkoholikov aj vďaka pobytu na klinike v Albany. Potom som sa ešte dva razy musel vyhrabať z recidívy. Vedel som, že alkoholikom zostanem až do samého konca. Bolo mi jasné, že ak raz vojdem do baru a objednám si chladené pivo či štamperlík, už nikdy neprestanem. Občas som bol v pokušení uro-

248

biť to, najmä na dôchodku, lebo som si spočiatku myslel, že už na ničom nezáleží. Vždy som si však povedal, že by to bola najhnusnejšia možná samovražda – existujú predsa aj iné, rýchlejšie a čistejšie spôsoby.

Obliekol som sa a šiel som sa prejsť do parku, ktorý sa nachádzal asi sto metrov od môjho domu. Rozprestieral sa na kopci a uprostred bola veľká trávnatá plocha s drevenými lavičkami, kde som si rád posedel. Videl som odtiaľ svetlá mesta a dodávalo mi to pocit, akoby som sa vznášal nad strechami.

Zostal som tam asi polhodinu, díval som sa, ako sa ľudia hrajú so svojimi psami alebo ako skratkou prechádzajú na autobusovú zastávku pod kopcom. Potom som sa pomaly vrátil domov. Nedalo mi pokoja, či som náhodou nespáchal najväčšiu hlúposť v živote, keď som Diane zakázal prísť.

4

V stredu popoludní som prišiel do kníhkupectva McNally Jackson Books o trištvrte na päť, pätnásť minút pred začiatkom podujatia. Laure Bainesovej pred necelým mesiacom vyšla nová kniha o hypnóze a prednáška bola súčasťou jej propagačného turné. Kúpil som si jeden výtlačok knihy a našiel som si miesto. Takmer všetky stoličky boli obsadené.

Dopoludnia som bol vo firme, od ktorej Diana potrebovala ten certifikát. Úradníčka mi sľúbila, že mi ho na druhý deň pošle e-mailom, a tak som Diane napísal správu, že jej problém je vyriešený. Neodpovedala mi a ja som si pomyslel, že má vypnutý mobil.

Laura vyzerala lepšie ako na fotkách, ktoré som našiel na internete, a očividne bola zvyknutá hovoriť na verejnosti. So záujmom som ju počúval, hoci som bol ako na ihlách a stále som musel uvažovať o tom, koľko sekúnd jej potrvá, kým ma pošle preč, len čo zistí, kto som a prečo som tu.

Po skončení prednášky a krátkej diskusii sa vytvoril rad ľudí na autogram. Knihu som jej podal ako posledný. Spýtavo na mňa pozrela.

„Freeman, Roy Freeman," predstavil som sa.

„Venujem Freemanovi, Royovi Freemanovi," povedala s úsmevom a podpísala knihu.

„Vďaka."

„Ja ďakujem vám. Nie ste vy náhodou psychológ, pán Freeman?"

„Nie, som bývalý policajný detektív z oddelenia vrážd. Pred takmer tridsiatimi rokmi som vyšetroval smrť profesora Josepha Wiedera. Asi si ma nepamätáte, ale vypočúval som vás."

Vyvalila na mňa oči, otvorila ústa, ako keby chcela niečo povedať, a potom si to rozmyslela. Vzápätí si ľavou rukou uhladila vlasy. Poobzerala sa a zistila, že som čakal na autogram ako posledný. Na atramentové pero nasadila vrchnák a odložila ho do kabelky, ktorú mala vedľa seba. Zo vzdialenosti niekoľkých metrov nás uprene sledovala žena v strednom veku, s vlasmi odfarbenými nafialovo.

„Trochu sa prejdem s pánom Freemanom," oznámila fialovej panej, ktorá na ňu prekvapene pozrela.

„Určite?"

„Určite. Zajtra ráno ti zavolám. Maj sa."

Pomohol som jej obliecť si kabát, vzala si kabelku a vyrazili sme. Zotmelo sa a vo vzduchu bolo cítiť dážď.

„Debbie je moja agentka," vysvetlila mi. „Niekedy sa správa ako mama medvedica. Páčila sa vám prednáška, pán Freeman?"

„Bola veľmi zaujímavá."

„No neprišli ste, aby ste si ju vypočuli, však?"

„Dúfal som, že budem mať šancu chvíľu sa s vami pozhovárať."

„Väčšinou sa len tak s hocikým po prednáške nerozprávam, ale v istom zmysle som vás očakávala."

Prechádzali sme okolo kaviarne Zanelli a prijala moje pozvanie. Objednala si pohár červeného vína a ja kávu.

„Počúvam, pán Freeman. Keď som sa pred pár mesiacmi rozprávala o tom prípade s jedným reportérom, uvedomila som si, že poštár vždy zvoní dvakrát. Vedela som, že stretnem niekoho, kto sa ma spýta na dávnu minulosť. Môžete to nazvať ženská intuícia. Viete, že Richard Flynn sa pokúsil napísať o Wiederovom prípade knihu?"

„Viem. Čítal som úryvok z rukopisu. Dal mi ho John Keller, ten istý reportér. Medzitým sa však niečo stalo, preto som sa s vami chcel stretnúť."

Porozprával som jej o Frankovi Spoelovi a o jeho verzii udalostí z tej noci. Sústredene počúvala, neprerušovala ma.

„Ten reportér mi asi neuveril, keď som mu tvrdila, že som nemala pomer s Richardom Flynnom," poznamenala, „a, samozrejme, ani s profesorom Wiederom. To, čo tento človek povedal, sa však zhoduje s tým, čo sa stalo, nie?"

„Pani doktorka, nemyslím si, že profesora zabil Frank Spoel. Keď bol v dome, vošiel niekto, kto mal kľúče. Profesor vtedy ešte žil. Ten neznámy sa takmer zrazil so Spoelom, ktorému sa v poslednej chvíli podarilo ujsť cez zasklené dvere. Opakujem: profesor ešte žil! Spoel mu len chcel dať príučku. Keď však niekto leží v bezvedomí na dlážke a vy ho poriadne tresnete po hlave, znamená to, že ho chcete zabiť. Ten človek, ktorý prišiel, nezavolal sanitku. Prečo? Nazdávam sa, že sa zachoval ako oportunistický predátor a využil situáciu. Wieder ležal v bezvedomí na dlážke, zasklené dvere boli otvorené, takže bolo možné, že sa niekto vlámal dnu, zmlátil ho a ušiel. Z vraždy by obvinili toho votrelca."

„A vy sa ma chcete spýtať, či som bola ten človek, ten oportunistický predátor, ako ste ho nazvali."

Neodpovedal som, tak pokračovala: „Pán Freeman, v ten večer som nešla k profesorovi. Nebola som tam dva týždne."

„Pani Westlaková, vaša kamarátka Sarah Harperová vám poskytla falošné alibi a klamala nám. Aj vy ste nám klamali. John Keller sa s ňou porozprával a dal mi svoje poznámky. Harperová je teraz v Maine, ale keby to bolo nutné, mohla by svedčiť."

„Predpokladala som, že to viete. Sarah bola veľmi krehká, pán Freeman. Keby ste boli vtedy na ňu pritlačili, hneď by sa zložila a povedala by pravdu. Riskla som to a poprosila som ju, aby vám nahovorila, že sme boli spolu. Nechcela som, aby sa moje meno dostalo do novín, aby ma otravovali novinári. Nechcela som počúvať nechutné narážky o mne a o profesorovi. To je všetko. Neobávala som sa, že ma obvinia z vraždy, len som sa pokúsila vyhnúť škandálu."

„Kde ste teda boli v to popoludnie po prednáškach? Richard Flynn v rukopise tvrdil, že ste s ním neboli. A zrejme ste neboli ani s vaším priateľom Timothym Sandersom, inak by ste ho požiadali, aby vám to dosvedčil..."

„V to popoludnie som bola na klinike v Bloomfielde, na interrupcii," vyhlásila úsečne. „Otehotnela som s Timothym krátko predtým, ako odišiel do Európy. Keď sa vrátil, oznámila som mu to, no nepôsobil nadšene. Chcela som ten problém vyriešiť prv, než odídem domov na sviatky, lebo som bola presvedčená, že mama by si všimla, čo sa deje. Dokonca ani Timothymu som nepovedala, kam idem, a na kliniku som sa vybrala sama. Domov som sa vrátila neskoro a strašne som sa pohádala s Richardom Flynnom. Nezvykol toho veľa vypiť, no tentoraz bol opitý. Strávil večer s profesorom, ktorý mu vraj povedal, že som jeho milenka. Zbalila som sa a odišla som k Sarah. Chápete, prečo som sa vám nechcela priznať, kde som v ten deň bola, a prečo som Sarah požiadala, aby potvrdila, že sme boli spolu? Bola som tehotná, ľudia klebetili o pomere s profesorom, takže novinári by to spojili s...“

„Ten reportér, Keller, dospel k záveru, že ste ukradli Wiederov rukopis a vydali ste ho pod vlastným menom.“

„Aký rukopis?“

„Rukopis vašej prvej knihy, ktorú ste vydali o päť rokov neskôr. Flynn vo svojom úryvku uvádza, že ste mu hovorili o veľmi dôležitej knihe, na ktorej Wieder pracoval. Vraj by to bola hotová revolúcia, niečo o vzťahu medzi mentálnymi podnetmi a reakciami. A to bola aj téma vašej prvej knihy, však?“

„Áno, bola, ale neukradla som rukopis profesorovi,“ namietla a pokrútila hlavou. „Rukopis, o ktorom hovoríte, ani neexistoval, pán Freeman. Dala som Wiederovi náčrt svojej záverečnej práce a úvodné kapitoly. Bol tým nadšený a sám mi poskytol ešte nejaké materiály. Potom sa to akosi pomiešalo a začal to považovať za svoju vlastnú prácu. Našla som edičný návrh, ktorý poslal do vydavateľstva a tvrdil v ňom, že rukopis je pripravený na odovzdanie. Vlastne nemal poriadny knižný projekt, len kapitoly z mojej práce a nesúvislú zmes úryvkov zo svojich starších kníh...“

„Smiem sa spýtať, kedy a ako ste našli edičný návrh, o ktorom hovoríte?"

Odpila si vína, odkašľala si a odvetila: „Zrejme ma poprosil, aby som mu upratala nejaké papiere, a nevedel, že je medzi nimi aj edičný návrh."

„Kedy sa to stalo? Práve ste povedali, že ste uňho istý čas neboli."

„Nepamätám si, kedy som edičný návrh našla, no to bol hlavný dôvod, prečo som k nemu prestala chodiť. Pohádal sa s ľuďmi, s ktorými pracoval, a nedokázal sa sústrediť na dokončenie ďalšej knihy. Zároveň túžil urobiť dojem na univerzitu, kde mal nasledujúci rok začať pracovať. Na istý čas sa chcel vrátiť do Európy."

„Na ktorú univerzitu?"

„Tuším na Cambridge..."

„Kto boli tí záhadní ľudia, pre ktorých pracoval?"

„Neboli až takí záhadní, ako by sa profesorovi páčilo. Podľa toho, čo viem, spolupracoval s výskumným oddelením nejakej vojenskej agentúry, ktorá chcela skúmať dlhodobé účinky psychologických tráum, akými trpia osoby pôsobiace v extrémnych podmienkach. V lete v osemdesiatom siedmom zmluva vypršala. Profesor sa však niekedy správal ako primadona. V istom zmysle sa mu páčila predstava, že naňho tá agentúra tlačí, že je zapletený do akýchsi tajných záležitostí a že ho zastrašujú, lebo vie priveľa. Možno si tak podvedome kompenzoval fakt, že, úprimne povedané, jeho kariéra upadala. Zopár rokov pred tou tragédiou sa preňho rozhlasové a televízne diskusné relácie a rozhovory v novinách stali zaujímavejšími ako jeho vedecká kariéra. Lichotilo mu, keď ho ľudia spoznámali na ulici, a na univerzite si pripadal dôležitejší ako ostatní profesori. Inými slovami, stala sa z neho hviezda. Zanedbával však naozaj významnú časť svojej práce a malo to dôsledky – nedokázal povedať nič nové a začínal si to uvedomovať."

„Lenže Sarah Harperová..."

„Sarah mala vážne problémy, pán Freeman! Nemyslite si, že štúdium prerušila preto, lebo zabili profesora Wiedera. Rok sme spolu bývali a dobre som ju poznala."

„Čiže kniha, ktorú ste vydali, nebol Wiederov posledný projekt?"

„Samozrejme, že nie! Vydala som vlastnú knihu, len čo som ju bola schopná dokončiť, čo bolo až po doktoráte. Dnes mám z nej skôr rozpačitý dojem a popravde ma prekvapuje, aký mala ohlas."

„Lenže prvá kapitola vašej knihy stopercentne zodpovedá kapitole, ktorú profesor poslal vydavateľovi. Keller získal kópiu profesorovho edičného návrhu. Vraveli ste, že ste ho videli."

„Už som vám vysvetlila, že je to preto, lebo mi ju ukradol!"

„Teda Wieder vám chcel ukradnúť prácu... Prečo ste neprotestovali? Keď ste tú kópiu našli, edičný návrh už bol u vydavateľa. Keby Wiedera nezabili, zrejme by bol knihu uverejnil pod vlastným menom – vašu knihu!"

„Keby som takú významnú osobnosť obvinila z intelektuálneho podvodu, pravdepodobne by som vyzerala ako paranoička. Vtedy som ešte nič neznamenala a on bol jedným z najuznávanejších psychológov v krajine."

Mala pravdu. Na druhej strane, bola to veľmi cieľavedomá žena a šlo o jej životné dielo, o šancu získať uznanie.

Vedel som si predstaviť, čoho by bola schopná, keby sa jej niekto pokúsil ublížiť – a najmä uškodiť jej kariére.

„Dobre, vráťme sa k tej noci, keď zavraždili profesora. Keď ste sa v ten večer pohádali s Flynnom a odišli ste, on zostal doma?"

Neodpovedala hneď.

„Nie," pokrútila napokon hlavou. „Vzal si kabát a opustil dom ešte predo mnou."

„Pamätáte si, koľko bolo vtedy hodín?"

„Domov som dorazila okolo ôsmej a on sa objavil krátko po desiatej. Myslím si, že znovu odišiel okolo jedenástej."

„Čiže mal čas vrátiť sa okolo polnoci do West Windsoru."

„Áno."

„Zavolal si pred odchodom taxík?"

„Asi, nepamätám sa."

„Pohádal sa v ten večer s profesorom?"

„Už si presne nespomínam... ale vyzeral veľmi nahnevaný. Tresol dverami, lebo som mu povedala, že keby ma profesor zvádzal, zrejme by som mu bola vyhovela, ibaže nič také odo mňa nikdy nechcel. Bola to pravda. Spočiatku som sa bavila na tom, ako sa Richard do mňa zamiloval, no potom to začalo byť únavné. Zlostil sa na mňa, ako keby som mu nasadila parohy. Preto som to chcela raz a navždy ukončiť. Žiaľ, nezbavila som sa ho tak rýchlo. Ešte dlho ma otravoval, dokonca aj keď sme obaja odišli z Princetonu." Pokrčila plecami.

Pozrel som sa na ňu. „Všade boli porozhadzované papiere a otvorené zásuvky, ako keby vrah alebo niekto iný niečo v náhlivosti hľadal. Spoel tam určite nesnoril. Len čo začul, že niekto prichádza, utiekol cez zasklené dvere.

Dobre, možno v dome sliedil Flynn, ktorý sa tam mohol vrátiť. No prečo by ho tie papiere mali zaujímať?"

„Nemám potuchy, pán Freeman. Povedala som vám všetko, čo si pamätám."

„Keď vám vlani zavolal, priznal sa vám k niečomu? Prezradil vám o tej noci niečo, čo ste nevedeli?"

„Ani nie. Bol rozrušený, nesúvisle táral. Vyrozumela som len to, že mi pripisuje vinu na Wiederovej smrti a vyčíta mi, že som ho využila na svoje nízke ciele. Vyvolal vo mne skôr súcit než strach."

Ani raz sa nevyjadrila, že ju mrzí Flynnov tragický koniec či profesorova smrť. Hovorila sucho, analyticky. Mal som dojem, že má na všetko dôkladne pripravenú odpoveď.

Odišli sme z kaviarne a pomohol som jej zohnať taxík. Podpísanú knihu som skoro zabudol na stole a ona s úsmevom poznamenala, že to asi nie je vhodné čítanie pre bežných zákazníkov takéhoto podniku.

„Čo s tým príbehom urobíte?" spýtala sa ma ešte predtým, ako nastúpila do taxíka.

„Netuším," pokrčil som plecami. „Asi nič. Keď sa Spoel priznal, jeho právnik sa pokúsil znovu otvoriť vyšetrovanie, ale nepodarilo sa mu to. Spoela zakrátko popravia a to bude koniec. Prípad zrejme zostane nevyriešený."

Zdalo sa, že jej odľahlo. Podali sme si ruky a nasadla do taxíka.

Skontroloval som si mobil a všimol som si esemesku od Diany. Písala, že priletí zajtra večer, a uviedla číslo letu. Odpísal som, že ju vyzdvihnem na letisku, nato som sa vybral na parkovisko, kde som si nechal auto, a odviezol som sa domov.

*

To telefónne číslo som objavil na druhý deň ráno a bola to takmer náhoda.

Predtým som si skopíroval zoznam hovorov z telefónu Dereka Simmonsa, ktoré sa odohrali pred vraždou jeho manželky a po nej. Rozhodol som sa, že si ho preštudujem. Hovorov bolo dvadsaťosem a informácie o každom rozdelili do štyroch stĺpcov: číslo, adresa, dátum a dĺžka hovoru. Jedna adresa mi pripadala známa a upútala ma, ale meno účastníka, ktorý na nej býval, mi nič nehovorilo – Jesse E. Banks. Hovor trval pätnásť minút a štyridsaťjeden sekúnd. Náhle mi zaplo, aká je to adresa, a overil som si ešte zopár ďalších detailov. Bolo jasné, prečo vtedy, v roku 1983, to meno a tá adresa pre vyšetrovateľov nič neznamenali, pre mňa však boli veľmi dôležité. V decembri 1987, keď som začal vyšetrovať Wiederovu smrť, som si tie dva prípady nespojil, keďže prvý z nich sa stal pred štyrmi rokmi.

Potom sa mi v hlave rozjasnilo. Spomenul som si na vetu, ktorou Derek Simmons ukončil náš rozhovor. Aj vtedy ma zaujala a teraz som si na wikipédii overil niekoľko faktov.

Dve hodiny som sa pokúšal pospájať všetky dieliky skladačky z tých dvoch prípadov, zo Simmonsovho a z Wiederovho, a postupne do seba začali zapadať. Zavolal som asistentovi úradu štátneho zástupcu v okrese Mercer a dohodli sme si stretnutie. Absolvovali sme dlhý rozhovor, pri ktorom som mal na stole všetky papiere. Asistent vzápätí zavolal šéfovi Brocatovi, doriešil úradné záležitosti a potom som išiel domov.

Mal som doma pištoľ Beretta Tomcat .32, ležala v šatníku na prízemí. Vytiahol som ju zo škatule, skontrolo-

E. O. Chirovici

val som poistku a spúšť a zasunul som zásobník so sied-
mimi nábojmi. Pištoľ som dostal ako darček od kolegov,
keď som odchádzal do dôchodku, a nikdy som ju nepo-
užil. Handrou som zo zbrane poutieral olej a vložil som si
ju do vrecka na saku.

Zaparkoval som neďaleko policajnej stanice a desať minút
som zostal sedieť za volantom. Vravel som si, že si to ešte
stále môžem rozmyslieť, stačí len obrátiť sa a odísť, na všetko
zabudnúť. O pár hodín za mnou príde Diana a už som nám
rezervoval stôl v kórejskej reštaurácii v Palisades Parku.
No nedokázal som to nechať tak. Vystúpil som z auta
a zamieril som k domu na konci ulice. V hlave mi dookola
znela stará pesnička Percyho Sledgea *The Dark End of the
Street*. Temný koniec ulice. Pištoľ vo vrecku mi pri každom
kroku udierala o stehno, čo vo mne posilňovalo predtuchu,
že sa stane niečo zlé.
Vyšiel som po drevených schodoch a zazvonil som. Derek
Simmons po chvíli otvoril a vôbec sa netváril prekvapene.
„Aha, zase vy. Poďte ďalej."
Zvrtol sa, dvere nechal otvorené a zmizol v chodbe.
Vykročil som za ním, a keď som vošiel do obývačky, pri
gauči som si všimol dva veľké kufre a cestovnú tašku.
„Chystáte sa niekam, Derek?"
„Do Louisiany. Včera zomrela Leonorina mama. Musí
zostať na pohreb a predať dom. Povedala, že tam nechce
byť sama, tak som sa zbalil. Zmena mi neuškodí. Kávu?"
„Vďaka."
Zašiel do kuchyne, spravil kávu a vrátil sa s dvoma veľ-
kými hrnčekmi, jeden postavil predo mňa. Potom si za-

260

pálil cigaretu a pozoroval ma s nečitateľným výrazom hráča pokeru, ktorý sa pokúša uhádnuť, aké majú ostatní karty.

„Čo odo mňa chcete?" spýtal sa. „Máte vo vrecku zatykač alebo ste si len prišli pokecať?"

„Vravel som vám, že som už roky na dôchodku."

„Človek nikdy nevie."

„Kedy sa vám vrátila pamäť, Derek? V osemdesiatom siedmom? Skôr? Alebo ste ju nikdy nestratili a amnéziu ste len predstierali?"

„Prečo sa pýtate?"

„,Hrá sa ďalej. Ďakujem za spoluprácu.' Vraveli ste, že ste boli na štadióne, keď to moderátor povedal – po osemminútovom potlesku na počesť Thurmana Leeho Munsona, ktorý zahynul pri havárii lietadla v Ohiu. Lenže to bolo v sedemdesiatom deviatom, Derek. Ako ste vedeli, že v sedemdesiatom deviatom ste boli v Bronxe na štadióne a že ste to počuli na vlastné uši?"

„Vravel som vám, že po tej nehode som sa usiloval naučiť sa všetko o sebe a..."

„Ale hovno, Derek! Také niečo sa nedá naučiť, môžete si to len zapamätať. Písali ste si v sedemdesiatom deviatom denník? Zaznamenali ste si to? Pochybujem. A ešte čosi: prečo ste zavolali Josephovi Wiederovi v to ráno, keď ste údajne našli telo svojej manželky? Kedy ste sa s ním vlastne zoznámili? Kedy a ako ste sa s ním dohodli, aby napísal znalecký posudok vo váš prospech?"

Chvíľu iba sedel a fajčil a bez slova ma pozoroval. Bol pokojný, len vrásky na tvári sa mu prehĺbili. Potom sa spýtal: „Máte na sebe drôty?"

„Nie."

„Môžem sa pozrieť?"

Vstal som, zdvihol som chlopne saka, rozopol som si aj košeľu a obrátil som sa.

„Vidíte, Derek? Neprišiel som vás nahrávať."

„Dobre."

Sadol som si na gauč, pripravený počúvať. Vedel som, že veľmi dlho čakal, kým bude môcť niekomu porozprávať celý príbeh. A takisto som vedel, že ak odíde z mesta, už sa nikdy nevráti. Stretol som veľa takýchto chlapov. V jednom okamihu máte istotu, že človek pred vami je pripravený povedať pravdu, a v tom okamihu akoby ste počuli cvaknutie, ako keď zadáte správnu kombináciu trezoru. Nemôžete ho však súriť. Musí postupovať vlastným tempom.

„Ste bohovsky dobrý poliš..." Na chvíľu zmíkol. „Ako ste zistili, že som v to ráno telefonoval s Wiederom?"

„Preskúmal som zoznam hovorov. Wieder ten dom práve kúpil a telefón ešte nebol prepísaný na jeho meno. Predchádzajúci majiteľ Jesse E. Banks zomrel a dom sa predával cez realitnú agentúru. Policajti, ktorí hovory overovali, k ničomu nedospeli, a tak sa na tú stopu vykašlali. No aj keby narazili na Wiederovo meno, vtedy by im ešte nič nepovedalo. Napriek tomu to od vás bolo riskantné. Prečo ste Wiederovi telefonovali zo svojej pevnej linky, Derek? Nemali ste nablízku telefónne búdky?"

„Nechcel som vyjsť z domu," odvetil a zahasil cigaretu, ktorú dofajčil až po filter. „Bál som sa, že ma niekto uvidí. A potreboval som sa s ním rýchlo porozprávať. Nevedel som, či ma zatknú hneď, keď dorazí hliadka."

„Zabili ste ju, však? Myslím vašu manželku."
Pokrútil hlavou.
„Nezabil, hoci si to zaslúžila. Bolo to presne tak, ako som povedal – našiel som ju tam ležať v kaluži krvi. Vedel som však, že ma podvádzala..."

V priebehu nasledujúcej polhodiny mi vyrozprával svoju verziu príbehu.
Keď ho v poslednom ročníku strednej školy hospitalizovali na psychiatrii, zrútil sa mu svet. Všetci ho pokladali za blázna, a aj keď ho z nemocnice prepustili, spolužiaci sa mu vyhýbali. Vzdal sa plánov, že pôjde na vysokú, a našiel si manuálnu prácu. Jeho otec sa zbalil a odišiel. Keďže mama mu zomrela, keď bol ešte malý, zostal celkom sám. Skoro desať rokov žil ako robot a liečil sa. Povedali mu, že do konca života musí brať lieky, ale mali nepríjemné vedľajšie účinky, a tak ich napokon prestal brať.
Potom, deväť rokov po strednej, sa zoznámil s Anne a všetko sa zmenilo, aspoň na začiatku. Zamiloval sa do nej a zdalo sa, že aj ona doňho. Prezradil mi, že Anne vyrástla v sirotinci na Rhode Islande a v osemnástich odtiaľ odišla. Žila na ulici, zapliatla sa s nejakými gangmi a v devätnástich už bola prostitútkou v Atlantic City. Klesla až na dno a vtedy sa zoznámila s Derekom. Stretli sa na parkovisku jedného hotela v Princetone, kde opravoval kúrenie.
Anne sa k nemu nasťahovala a stali sa z nich milenci. Asi o dva týždne im na dvere zazvonili dvaja drsní ozbrojení chlapci a Derekovi oznámili, že jeho frajerka im dlhuje peniaze. Derek nič nepovedal. Išiel do banky, vytiahol päťtisíc dolárov, celé svoje úspory, a dal im ich. Chlapíci si

prachy vzali a sľúbili, že jej už dajú pokoj. Asi o dva mesiace, pred Vianocami, Derek požiadal Anne o ruku a ona povedala áno.

Podľa Dereka najprv všetko vyzeralo dobre, lenže o dva roky to začalo ísť dolu vodou. Anne sa opíjala a pri každej príležitosti ho podvádzala. Nemala dlhodobých milencov, zakaždým sa len nezáväzne vyspala s niekým cudzím a podľa všetkého jej bolo fuk, či to Derek zistí, alebo nie. Na verejnosti držala fasádu, no keď boli spolu sami, spievala inú pesničku – urážala ho a ponižovala, nadávala mu do bláznov a chudákov, vyčítala mu, že živoria a prečo nevie viac zarobiť. Predhadzovala mu, že s ním vedie nudný život, a sústavne sa vyhrážala, že ho opustí.

„Bola to obyčajná suka! Keď som vyjadril želanie, aby sme mali deti, viete, čo ona na to? Vraj nechce porodiť takých retardovaných úbožiakov, ako som ja. Toto povedala človeku, ktorý ju zbalil na parkovisku a oženil sa s ňou. Prečo som to všetko znášal? Lebo som nemal na výber – bol som do nej po uši zamilovaný. Mohla si robiť, čo len chcela, aj tak by som ju neopustil. Naopak, to ja som sa bál, že mi zdrhne s nejakým sviniarom. Na ulici som mal pocit, že sa mi všetci smejú. Keď som sa stretával s chlapmi z okolia, zakaždým som rozmýšľal, či ju nepretiahli. Napriek tomu som ju nedokázal vykopnúť."

Po čase sa však jej správanie zmenilo a on si uvedomil, že sa s ňou niečo deje. Anne sa odrazu lepšie obliekala, začala sa pekne maľovať. Prestala piť, pôsobila spokojne. Dereka odrazu úplne ignorovala. Domov chodila neskoro a odchádzala zavčas rána, takže sa málokedy stretli a vôbec sa nerozprávali. Ani sa nenamáhala hádať sa s ním.

Netrvalo dlho a zistil, čo je vo veci.

„Skrátim to," vzdychol. „Sledoval som ju a videl som, ako išla do hotela so starším chlapom. Verte alebo nie, nič som jej o tom nepovedal. Len som sa modlil, aby jej ten frajer dal kopačky a aby sa to skončilo. Nechcel som byť zase sám. Spomenul som si, aké to bolo strašné, kým som ju spoznal."

„Kto bol ten chlap?"

„Joseph Wieder. Pracháč, vplyvný a slávny. A zmyslel si skočiť do postele s mojou ženou, ktorá bola od neho o tridsať rokov mladšia! Nikdy som nezistil, ako sa vlastne zoznámili. Do kaviarne, kde pracovala, chodilo veľa profesorov a študentov z univerzity, možno sa stretli tam. Bol som trochu cvok, to je pravda, ale nie úplný somár – vedel som, že Wieder spraví čokoľvek, aby sa vyhol škandálu."

A tak v to ráno, keď bola jeho manželka zavraždená, Derek zavolal profesorovi, ktorého domáce číslo našiel, keď sa predtým hrabal Anne vo veciach. Povedal mu o vražde a o tom, že vzhľadom na všetky okolnosti to polícia pravdepodobne hodí naňho. Pohrozil mu, že ho do prípadu zatiahne, lebo vie, že s Anne spával. Prezradil mu, že kedysi bol hospitalizovaný na psychiatrii, a dodal, že Wieder by mohol zariadiť, aby ho oslobodili a poslali do ústavu.

Napokon Dereka zatkli a obvinili z manželkinej vraždy. Súd ho vyhlásil za nepríčetného a umiestnil do Trentonskej psychiatrickej nemocnice. Wieder ho tam často navštevoval a tváril sa, že má o tento prípad profesionálny záujem. Sľuboval Simmonsovi, že o tri mesiace ho preradia do Marlborskej psychiatrickej nemocnice, kde sú oveľa lepšie podmienky. Simmonsa však ešte predtým napadol iný pacient.

„Keď som sa prebral z kómy, nikoho som nespoznával a netušil som, ako som sa ocitol v nemocnici. Nepamätal som si ani vlastné meno. Robili mi všemožné testy a dospeli k záveru, že amnéziu nepredstieram. Fakt som si nič nepamätal. Wieder bol pre mňa priateľský, starostlivý lekár, ktorého dojal môj zlý osud. Povedal mi, že ma bude liečiť zadarmo, a dal ma previezť do Marlbora. Jeho vľúdne správanie na mňa urobilo hlboký dojem. V Marlbore som zostal zopár mesiacov a pamäť sa mi nevrátila. Jasné, začal som zisťovať, kto som, kto boli moji rodičia, na akú strednú školu som chodil, a podobne. Nedozvedel som sa nič dobré – mamina smrť, ústav, mizerne platená robota, neverná manželka a obvinenie z vraždy. Ani som sa o sebe netúžil dozvedieť viac. Človek, ktorým som býval, bol úbožiak. Zaumienil som si, že keď sa dostanem na slobodu, začnem nový život," vyhlásil.

„Wieder predsedal komisii, ktorá rozhodla, že ma prepustia," pokračoval po chvíli. „Nemal som kam ísť, tak mi našiel ubytovanie neďaleko svojho domu a mohol som uňho pracovať ako údržbár. Ten jeho barak síce vyzeral dobre, ale bol starý a vždy tam bolo čo opravovať. Neviem, či o tom viete, no keď má človek retrográdnu amnéziu, zabudne len to, čo súvisí s jeho totožnosťou. Zručnosti nestratí. Napríklad nezabudnete jazdiť na bicykli, len si neviete spomenúť, kedy ste sa to naučili, chápete? Takže som vedel opravovať veci, hoci som netušil, ako som sa to naučil."

Derek tvrdil, že Joseph Wieder bol preňho svätec. Dozeral na jeho liečbu, dával mu mesačný plat za údržbárske práce, bral ho na rybačku a aspoň raz do týždňa spolu strávili večer. Raz ho vzal na univerzitu a zhypnotizoval ho, lenže nepovedal, čo sa pri tom dozvedel.

V jeden večer uprostred marca v roku 1987 bol Derek doma, prepínal kanály, hľadal nejaký film. Na stanici NY1 náhodou videl správu o človeku z okresu Bergen, ktorý spáchal samovraždu. *Hej, veď to je Stan Marini*, povedal si, keď na obrazovke zazrel jeho fotku. Už chcel prepnúť, keď si zrazu uvedomil, že Stan bol jeho kolega v Siemense. Oženil sa v tom istom čase ako on a potom sa presťahoval do New Yorku.

Derek zrazu pochopil, čo to znamená. Spomenul si na niečo, čo mu nikto iný nepovedal a o čom nečítal!

„Bolo to, ako keď v Texase pri ťažbe ropy odrazu prúdom vystrekne zo zeme. Akoby sa mi v hlave zdvihol vrchnák a všetko sa valilo na povrch. Ani ten pocit nedokážem opísať. Ako keby ste pozerali stokrát zrýchlený film."

Hneď chcel zavolať človeku, ktorého považoval za svojho dobrodinca, ale potom si povedal, že je neskoro a nebude ho vyrušovať. Obával sa, že znovu stratí pamäť, tak našiel notes a začal zapisovať všetko, čo mu napadlo.

Vstal a spýtal sa ma, či nechcem vyjsť von. Hoci by som radšej zostal na mieste, keďže niekde mohol mať schovanú zbraň, nechcel som ho rozrušiť, a tak som kráčal za ním. Bol takmer rovnako vysoký ako ja a oveľa silnejší. Keby sa na mňa vrhol, nemal by som šancu premôcť ho, len ak by som vytasil pištoľ. Rozmýšľal som, či si ju všimol.

Vyšiel som za ním na neupravený zadný dvor, kde z holej zeme trčali riedke trsy trávy a úlomky dlažobného kameňa a uprostred stála hrdzavá hojdačka. Zhlboka sa nadýchol teplého popoludňajšieho vzduchu, zapálil si ďalšiu cigaretu a pokračoval v rozprávaní, ani mi nepozrel do očí.

„Na všetko som si spomenul, akoby to bolo včera: ako som sa zoznámil s Anne, ako sme sa mali radi, ale potom ma začala podvádzať, ako som zistil, že má pomer s tým prekliatym profesorom, ako zo mňa spravila blázna a čo sa stalo v to ráno, vynoril sa mi telefonát s Wiederom, zatknutie, utrpenie v nemocnici. Preštudoval som si štítky liekov, ktoré mi Wieder predpísal, zašiel som do lekárne a spýtal som sa lekárnika, či sú to tabletky na amnéziu. Povedal mi, že sú na chrípku a na zlé trávenie. Človek, ktorého som roky považoval za priateľa a dobrodinca, bol v skutočnosti môj dozorca, ktorý sa bál, že si jedného dňa spomeniem, čo sa stalo. Nechal si ma pri sebe, aby mal o mne prehľad, chápete? Mal som pocit, že mi exploduje hlava. Niekoľko dní som ani nevychádzal z domu, a keď prišiel Wieder, povedal som mu, že som len mal migrénu a chcelo sa mi spať. Takmer som ľutoval, že sa tá poondiata amnézia skončila."

„Vytušil Wieder niečo?"

„Myslím si, že nie. Staral sa najmä o seba. Bol som preňho len kus nábytku. Prestal ma vnímať. Už sa nebál, čo by som mohol povedať či spraviť. Plánoval, že pôjde do Európy."

„A potom ste ho zabili."

„Keď sa mi vrátila pamäť, stále som rozmýšľal, že ho odpravím, ale nechcel som ísť do basy ani do blázinca. V ten deň som si v jeho dome zabudol debničku s náradím. Predtým som opravil záchod na prízemí a spolu sme sa naobedovali. Na druhý deň som mal skoro ráno naplánovanú robotu neďaleko domu, kde som býval, a rozhodol som sa, že zájdem k Wiederovi po náradie. Nezazvonil som, ale prešiel som za dom a v obývačke sa svietilo. Sedel za stolom s tým študentom Flynnom."

„Videli ste tam niekde toho človeka, o ktorom som vám hovoril? Franka Spoela?"

„Nie, no podľa toho, čo ste mi vraveli, veľa nechýbalo a bol by som doňho vrazil. Vrátil som sa pred vchod, odomkol som si a pri vešiaku som uvidel debničku s náradím – Wieder ju zrejme našiel v kúpeľni a nechal mi ju v hale. Vzal som ju a odišiel som. Ani nezistil, že som tam bol. Ďalej sa rozprávali v obývačke. Cestou domov som si povedal, že keby sa Wiederovi niečo stalo, hlavným podozrivým bude ten chalan. Bol po uši zaľúbený do dievčaťa, po ktorom išiel aj starý, čiže by mal motív. Okolo jedenástej som sa zastavil v bare, aby ma tam videli a mal som alibi. Porozprával som sa s majiteľom, ktorý ma poznal. Už chcel zatvárať. Vedel som, že nenosí hodinky a na stene nijaké nemá. Pred odchodom som povedal: ‚Hej, Sid, už je polnoc. Mal by som vypadnúť.' Preto policajtom tvrdil, že bola polnoc, nepamätal si, že som mu to vravel ja, chápete? Stále som netušil, čo urobím. Bolo to ako vo sne – ani neviem, ako by som to opísal. Nebol som si istý, či ten študent odišiel – stále bolo zlé počasie a vravel som si, že Wieder mu možno navrhol, aby uňho prespal. Mal som kožený obušok, zopár mesiacov predtým som ho našiel v priehradke auta, ktoré som opravoval. Neviem, či ste už niečo také držali v ruke, ale je to bohovská zbraň."

„Mal som ho v sedemdesiatych rokoch."

„Vrátil som sa teda k domu, potichu som odomkol vchodové dvere a vošiel som dnu. V obývačke sa ešte svietilo, a keď som tam vkročil, Wieder ležal na dlážke a všade bola krv. Vyzeral strašne: mal rozmlátenú tvár, bol celý napuchnutý a dobitý. Okná boli otvorené. Zavrel som ich a zhasol som všetky svetlá. Mal som so sebou baterku."

Obrátil sa ku mne.

„Bol som presvedčený, že to spravil Flynn. Myslel som si, že keď som odišiel, pohádali sa a strhla sa bitka. Keď niekoho takto doriadite, zrejme ste pripravený riskovať, že zomrie, nie? Jeden poriadny úder a bác! Je koniec! Netušil som, čo robiť. Jedna vec je udrieť človeka, ktorý ma oklamal, tváril sa, že je môj kamarát, hoci predtým mi pretiahol ženu a poslal ma do blázinca, z ktorého ma potom vytiahol, len aby na mňa mohol dozerať. Niečo iné je však udrieť človeka, ktorý leží na dlážke viac mŕtvy ako živý. Viete, myslel som si, že zdrhnem a nechám ho tam alebo možno zavolám sanitku, ktovie... No práve keď som sa nad ním skláňal s baterkou v ruke, otvoril oči a pozrel sa na mňa. Uvidel som jeho oči a spomenul som si, ako som ho sledoval v ten večer, keď Anne išla do hotelovej izby, ako som vyšiel po schodoch a priložil ucho na dvere ako idiot. Ako keby som dobre nevedel, čo sa vnútri deje, musel som tam ísť a počúvať, ako ju trtká. Spomenul som si na tú suku, ktorá sa zo mňa smiala a nadávala mi do impotentov, hoci som ju vyslobodil zo života na ulici. A to stačilo. Vytiahol som obušok a raz som ho silno tresol. Zamkol som dvere, obušok som hodil do jazera a išiel som domov. Keď som zaspával, predstavil som si Wiedera, ako tam leží, celý od krvi, a musím vám povedať, že som mal dobrý pocit. Vôbec som neľutoval, čo som spravil, či skôr dokončil, čo začal ten druhý. Ráno som sa vrátil k Wiederovi a ostatné už viete. Až keď ste sem pred niekoľkými dňami prišli, dozvedel som sa, že ho nezmlátil Flynn. Kým sa tu neobjavil ten reportér, vlastne som nad tým ani veľmi nerozmýšľal. Pre mňa to bola uzavretá záležitosť. To je všetko.“

„Wieder o dve hodiny zomrel, aspoň podľa toho, čo povedal obhliadač. Keby ste boli zavolali sanitku, mohli ste ho zachrániť.“

„Viem, čo hovoria, no som presvedčený, že bol na mieste mŕtvy. Aj tak už na tom nezáleží.“

„Skôr ako ste odišli z domu, otvorili ste zásuvky a rozhádzali ste po dlážke papiere, aby to vyzeralo ako lúpež?“

„Nie. Len som odišiel.“

„Určite?“

„To si píšte.“

Chvíľu som uvažoval, či mám naňho zatlačiť.

„Viete, Derek, rozmýšľal som... Nikdy ste nezistili, kto v tú noc zavraždil vašu manželku...“

„Presne tak, nikdy som to nezistil.“

„A netrápilo vás to?“

„Možno. Prečo?“

„Vaša životná láska ležala na dlážke v kaluži krvi, a vy ste najprv zavolali jej milencovi a požiadali ste ho, aby vám zachránil kožu. Núdzovú linku ste zavolali osem minút po rozhovore s Wiederom. Zvláštne, nemyslíte? Len tak na okraj: profesor vám uveril? Rozprávali ste sa s ním zoči-voči o tej vražde?“

E. O. Chirovici

Z vrecka vytiahol škatuľku cigariet a zistil, že je prázdna. „Mám ešte jednu v dielni," povedal a ukázal na zasklenú verandu.

„Dúfam, že nechcete vyviesť nejakú hlúposť," poznamenal som a on na mňa prekvapene pozrel.

„Aha, vy myslíte..." rozosmial sa. „Nie sme už trochu pristarí, aby sme sa hrali na kovbojov? Nebojte sa, nemám tu zbrane. V živote som nemal búchačku."

Keď vošiel do dielne, pravú ruku som strčil do vrecka a palcom som pomaly odistil pištoľ. Potom som ju natiahol a držal v ruke. Bol som policajtom vyše štyridsať rokov, ale ešte som nemusel nikoho zastreliť.

Cez špinavé sklo som videl, ako sa prehŕňa v kope rozličných predmetov na pracovnom stole. Po chvíli sa zohol a hrabal sa v nejakej škatuli. O pár minút vyšiel a medzi palcom a ukazovákom pravej ruky držal škatuľku cameliek.

„Vidíte? Môžete vytiahnuť ruku z vrecka. Máte tam pištoľ, však?"

„Áno."

Zapálil si cigaretu, vložil si škatuľku do vrecka a spýtavo na mňa pozrel.

„Čo teraz? Uvedomujete si, že toto všetko by som nerozprával policajtovi. Teda skutočnému."

„To mi je jasné."

„Myslíte si, že som zabil Anne, však?"

„Áno, myslím si, že ste ju zabili. Detektívi v tom čase skúmali jej minulosť, hľadali stopy. Čítal som tú správu. Nebola prostitútka, Derek. Predtým, ako ste sa zoznámili, zhruba dva roky pracovala ako barmanka v Atlantic City,

272

v podniku Ruby's Cafe. Všetci ju opísali ako milú mladú dámu, slušnú a inteligentnú. To ostatné bolo zrejme iba vo vašej hlave – to, že od nej darebáci pýtali peniaze, jej temná minulosť, že spala s hocikým a smiala sa vám za chrbtom. Nebolo to skutočné, vymysleli ste si to. Nie som si istý ani tým, či mala s profesorom pomer. Možno ho len žiadala o pomoc. Keď sa vám vrátila pamäť, vrátili sa vám aj nočné mory, však?"

Zahľadel sa mi rovno do očí, pomaly si oblizol spodnú peru.

„Už by ste mali ísť. Mne je fuk, čomu veríte. Musím sa ešte zbaliť."

„Hrá sa ďalej, však, Derek?"

Namieril na mňa ukazovák ľavej ruky ako pištoľ.

„Ste šikovný. Myslím to vážne."

Postrčil ma k dverám.

„Derek, kedy odcestovala Leonora do Louisiany?"

„Asi pred dvoma týždňami. Prečo sa pýtate?"

„Len tak. Majte sa."

Celou cestou k rohu, kde som zabočil a zmizol som mu z dohľadu, som na chrbte cítil jeho oči. Derek asi nevedel, že dnes sa dá nahrávať aj bez drôtov. Stačí špeciálne pero v náprsnom vrecku saka.

Keď som o niekoľko minút odchádzal v aute z Witherspoon Street, počul som policajné sirény. Niekde v papieroch o Simmonsovi stojí, že jeho otec sa pred rokmi presťahoval do iného štátu a zmizol. Zišlo mi na um, či to vtedy niekto overil. Povedal mi, že Wieder ho raz zhypnotizoval. Zistil vtedy, čoho je jeho pacient schopný? Ako mohol takému netvorovi zveriť kľúče od domu? Bol vari presvedčený, že Simmonsova amnézia je nezvratná a naveky zostane bombou bez rozbušky? Lenže rozbuška tam po celý čas bola.

Cestou na letisko som si spomenul na názov Flynnovej knihy a na zrkadlové bludiská, aké bývali na púťach, keď som bol malý – všetko, čo ste videli, keď ste vošli dnu, bola zároveň pravda aj lož.

Keď som prichádzal k odbočke, už sa stmievalo. Začal som myslieť na to, že znovu uvidím Dianu, a kládol som si otázku, ako to dopadne. Bol som nervózny, ako keby som išiel na prvé rande. Spomenul som si na pištoľ – vytiahol som ju z vrecka, zaistil som ju a ukryl v priehradke. Napokon dožijem ako policajt, ktorý nemusel na nikoho vystreliť, a to je dobre.

Vedel som, že na tento prípad zabudnem, tak ako zabudnem aj na ostatné, ktoré tvorili môj život, na príbehy, ktoré zrejme nie sú o nič lepšie ani horšie ako príbehy niekoho iného. Pomyslel som si, že ak by som si zo svojich spomienok mal vybrať len jednu, príbeh, ktorý by som si pamätal až do samého konca, pamiatku, ktorú by mi Alzheimer nedokázal vziať, rád by som si zapamätal túto tichú, pokojnú cestu na letisko, keď som vedel, že znovu stretnem Dianu a možno sa so mnou rozhodne zostať.

Videl som, ako vychádza z letiskovej haly, a všimol som si, že nesie len malú tašku, príručnú batožinu, akú si človek berie na krátku cestu. Zamával som na ňu a ona mi odmávala. O niekoľko sekúnd sme sa stretli pri stánku s knihami a pobozkal som ju na líce. Mala inú farbu vlasov, nový parfum a kabát, ktorý som na nej ešte nevidel, ale usmiala sa na mňa tak ako vždy.

„To je všetko, čo si si priniesla?" spýtal som sa a zobral som jej tašku.

„Objednala som dodávku, na budúci týždeň mi dovezú ďalšie veci. Chcem tu istý čas zostať, takže tej svojej dámičke rovno povedz, nech sa rýchlo pakuje."

„Hovoríš o Minnie? Opustila ma, Dee. Tuším je stále zamilovaná do Mickeyho."

Cestou na parkovisko sme sa držali za ruky, nasadli sme do auta a odišli sme z letiska. Rozprávala o našom synovi, o jeho manželke a našej vnučke. Keď som pri šoférovaní počúval jej hlas, cítil som, že spomienky na prípad, ktorým som bol posledné mesiace posadnutý, sa postupne odlupujú, opadávajú zo mňa, letia nad diaľnicou ako stránky starého rukopisu, ktoré odnáša vietor.

Epilóg

Derekov príbeh spôsobil taký rozruch, že chýr o ňom sa dostal až do mestečka v Alabame. O niekoľko dní mi zavolala Danna Olsenová, práve keď som sa v Los Angeles chystal na schôdzku s jedným televíznym producentom. Mal som sa stretnúť aj s Johnom Kellerom, ktorý sa nedávno presťahoval na západné pobrčie a prenajal si dom v okrese Orange v Kalifornii.

„Dobrý deň, Peter," povedala. „Tu je Danna Olsenová. Pamätáte si ma?"

Odvetil som, že áno. Vymenili sme si zopár bezvýznamných slov, kým prešla k veci.

„Vtedy som vám klamala, Peter. Vedela som, kde je zvyšok rukopisu. Prečítala som si ho ešte pred Richardovou smrťou, ale nechcela som ho dať ani vám, ani nikomu inému. Zúrila som. Keď som ho čítala, uvedomila som si, ako veľmi miloval tú ženu, Lauru Bainesovú. Hoci sa zdalo, že sa na ňu hnevá, bolo mi jasné, že umrel zamilovaný do nej. Nebolo to od neho pekné. Pripadala som si ako stará kobyla, ktorú si nechal, lebo mladšia mu ušla. Starala som sa oňho, znášala som všetky jeho výstrelky, a verte mi, bolo ich dosť. Posledné mesiace života strávil písaním tej knihy, aj keď som verne stála pri ňom. Mala som pocit, že ma zradil."

Bol som na Rosewood Avenue vo West Hollywoode, pred reštauráciou, kde som sa mal stretnúť s tým producentom.

„Pani Olsenová," povedal som, „vzhľadom na nedávne okolnosti, myslím tým zatknutie Dereka Simmonsa, mám pocit, že..."

„Nechcem s vami uzatvárať obchody," prerušila ma. „Predpokladala som, že rukopis vás už ako agenta nebude zaujímať. No aj tak, Richardovo posledné prianie bolo, aby vyšiel. Sám viete, ako veľmi túžil stať sa spisovateľom, a určite by bol nesmierne rád, keby ste jeho rukopis prijali. Žiaľ, nedožil sa toho. Teraz si však uvedomujem, že by som vám ho predsa len mala poslať."

Nevedel som, čo na to odvetiť. Bolo jasné, že ako príbeh skutočného zločinu to vyjsť nemôže, keďže celú Flynnovu teóriu popreli najnovšie udalosti, ktoré dokázali, že realitu si až priveľmi prifarbil predstavivosťou. John Keller absolvoval telefonický rozhovor s Royom Freemanom, policajtom na dôchodku, z ktorého sa stala mediálna hviezda – „BÝVALÝ DETEKTÍV VYRIEŠIL PRÍPAD STARÝ 28 ROKOV" – a dočasne sa presťahoval do domu bývalej manželky v Seattli, aby ho neotravovali novinári. John mi poslal e-mail, v ktorom krátko vysvetlil, že v prípade už nezostala nijaká záhada.

Danne som to však nemohol povedať. Napokon, vedela to až pridobre.

„Veľmi rád sa na ten rukopis pozriem," uistil som ju napokon a zamával som producentovi, ktorý kráčal k reštaurácii s tvárou takmer celkom ukrytou za obrovskými zelenými slnečnými okuliarmi, takže vyzeral ako veľký svrček. „Stále máte moju e-mailovú adresu, však? Zajtra sa vraciam domov a nájdem si čas na čítanie."

Producent ma zbadal, ale nenamáhal sa pridať do kroku či odmávať. Pôsobil pokojne a ľahostajne, no najmä dôležito.

Pani Olsenová ma ubezpečila, že moju e-mailovú adresu má a rukopis hneď pošle.

„Posledné týždne boli preňho ťažké, Peter, a myslím si, že to v záverečných kapitolách rukopisu vidieť. Sú tam veci, ktoré... Veď sám uvidíte, o čo ide."

V ten večer som sa stretol aj s Johnom Kellerom, ktorý po mňa prišiel pred hotel. Bol opálený a mal dvojtýždňovú bradu, pristala mu.

Navečerali sme sa v japonskej reštaurácii Sugarfish na Západnej 7. ulici, kde nám John rezervoval stôl. Povedal mi, že je to vychytený podnik. Čašníci chodili každých päť minút, nosili rozmanité chody a ani jeden som nedokázal identifikovať.

„No toto!" zvolal, keď som mu porozprával o rozhovore s Dannou Olsenovou. „Kto by to bol povedal! Keby rukopis vytasila vtedy, neoslovil by si ma, ja by som nevyhľadal Freemana a on by nevyhrabal tie staré spisy. Zrejme by sme o tej vražde nikdy nezistili pravdu."

„Na druhej strane by som vydavateľom mohol predať knihu," poznamenal som.

„Knihu, ktorá by nebola pravdivá."

„Koho by to trápilo? Vieš, čo je zaujímavé? Richard Flynn bol až do konca smoliar. Ani po smrti mu knihu nevydajú."

„To je jeden pohľad na vec," odvetil a zdvihol šálku so saké. „Na Richarda Flynna, smoliara."

Pripili sme si na Flynnovu pamiatku a potom mi nadšene rozprával o svojom novom živote a o tom, ako ho baví práca pre televíziu. Pilotný diel seriálu, na ktorom sa podieľal, mal dobrú sledovanosť, takže ho čaká minimálne jedna séria. Tešil som sa s ním.

Rukopis som si ešte vždy neprečítal. Po návrate do New Yorku som ho našiel v doručenej pošte. Vytlačil som všetkých 248 strán písmom Times New Roman vo veľkosti 12, s dvojitým riadkovaním, a stránky som položil do fascikla na stole. Stále ich tam mám, ako keď si stredovekí mnísi nechávali lebky, pripomienku, že život je krátky a pominuteľný a že po smrti nevyhnutne prichádza súd.

Je veľmi pravdepodobné, že Richard Flynn sa do poslednej chvíle mýlil. Laura Bainesová zrejme ukradla profesorov rukopis a nechala ho umrieť na dlážke, ale nebola jeho milenka. Aj Derek Simmons sa mýlil, keď si myslel, že to Richard Flynn ušiel cez zasklené dvere, keď zmlátil Wiedera. A napokon, mýlil sa i Joseph Wieder, keď sa nazdával, že Laura Bainesová a Richard Flynn spolu chodia. Všetci sa mýlili. V oknách, cez ktoré sa pokúšali pozerať, videli iba vlastnú posadnutosť – neboli to totiž okná, ale zrkadlá.

Jeden veľký francúzsky spisovateľ raz povedal, že keď spomíname na veci minulé, nie vždy spomíname na to, aké naozaj boli. Tuším mal pravdu.

Poďakovanie

Chcel by som sa poďakovať všetkým, ktorí mi s knihou pomáhali.

Moja literárna agentka Marilia Savvidesová z agentúry Peters, Fraser & Dunlop nielenže rýchlo vylovila môj príbeh z kopy rukopisov, ale zároveň mi ho pomohla zdokonaliť a odviedla pri tom skvelú prácu. Ďakujem za všetko, Marilia.

Francesca Pathaková zo Century a Megan Reidová z Emily Bestler Books text zredigovali a tento proces ani nemohol prebehnúť hladšie a príjemnejšie. Bolo cťou pracovať s nimi. Zároveň som veľmi vďačný tímom vo vydavateľstvách Penguin Random House UK a Simon & Schuster US. Francesca a Megan, vďaka za všetky múdre návrhy – obohatili môj rukopis, aby mohol zažiariť.

Rachel Millsová, Alexandra Cliffová a Rebecca Wearmouthová za pár týždňov predali práva na knihu po celom svete – to obdobie bolo pre nás všetkých veľkým sviatkom! Ďakujem vám, dámy.

Môj dobrý priateľ Alistair Ian Blyth mi pomáhal pri plavbe cez rozbúrené vody anglického jazyka, aby som sa neutopil, a nebola to ľahká úloha. Vďaka, kamarát.

Toho najdôležitejšieho človeka som si nechal na koniec: svoju manželku Mihaelu, ktorej je táto kniha venovaná. Keby mi tak pevne neverila, pravdepodobne by som sa už na literatúru dávno vykašlal. Stále mi pripomína, kto som a do akej oblasti naozaj patrím.

A napokon chcem poďakovať tebe, čitateľ, ktorý si si túto knihu vybral spomedzi toľkého množstva iných diel. Ako povedal Cicero, dnes už deti neposlúchajú rodičov a knihy píše každý.

Poznámka autora

Milý čitateľ,

narodil som sa v rodine, v ktorej sa zmiešala rumunská, maďarská a nemecká krv, a vyrastal som vo Fagaraše, malom mestečku v južnej Transylvánii v Rumunsku. Príbehy som začal písať asi ako desaťročný, no kým som sa pred tromi rokmi napokon rozhodol riskovať dráhu spisovateľa na plný úväzok, robil som všeličo.

Prvú poviedku som uverejnil v roku 1989 a prvý román *Masaker* o dva roky neskôr. V tom čase dosiahol obrovský úspech, ani nie za rok sa z neho predalo vyše stotisíc výtlačkov. O niekoľko mesiacov nasledoval ďalší bestseller *Komando pre generála*, politický triler odohrávajúci sa v Taliansku. V Rumunsku som vydal pätnásť kníh, kým som z krajiny pred štyrmi rokmi odišiel a usadil som sa v zahraničí.

Prvá verzia tohto románu, prvého, ktorý som napísal v angličtine, vznikala od februára do mája 2014. Štyri- či päťkrát som rukopis zlepšoval a potom som ho poslal asi desiatke literárnych agentov, ktorí ho bez udania dôvodu odmietli. Ešte dva razy som ho prepracoval a rozhodol som sa, že ho sám predám malému vydavateľstvu.

Robert Peett, zakladateľ a manažér vydavateľstva Holland House Books v Newbury, odpovedal veľmi rýchlo a oznámil mi, že sa mu moja kniha páči, ale pred uzavretím zmluvy by sme sa mali stretnúť a porozprávať. Stretli sme sa o dva týždne a pri šálke kávy mi vysvetlil, že kniha je pre jeho vydavateľstvo asi pridobrá – nemohol by si dovoliť zaplatiť mi zálohu, distribúcia by nebola až taká široká a podobne. Rozmýšľal som, či si zo mňa nestrieľa. Spýtal sa, prečo som rukopis neposlal literárnym agentom. Odvetil som, že som to urobil, lenže viac ráz ho odmietli. Presvedčil ma, aby som to spravil znovu.

To bolo vo štvrtok. Hneď na nasledujúci deň som časť rukopisu poslal trom ďalším britským agentom, medzi nimi aj Marilii Savvidesovej z agentúry Peters, Fraser & Dunlop. O dva dni si vypýtala celý rukopis a o tri dni mi telefonicky ponúkla, že ma bude zastupovať. Na stretnutí mi povedala, že tento projekt bude bomba. Bol som nadšený, hoci zároveň stále aj trochu skeptický. Mala však pravdu a ani nie o týždeň sme dostali úžasné ponuky z vyše desiatich krajín. Skepsa ma opustila, no trochu som sa zľakol, lebo všetko sa dialo akosi prirýchlo. Robert Peett, nech vám Boh žehná za vašu úprimnosť a láskavosť! Rukopis sa doteraz predal vo vyše tridsiatich krajinách.

Idea tejto knihy začala klíčiť pred tromi rokmi pri rozhovore s mojou mamou a so starším bratom, ktorí ma navštívili v Readingu, kde som vtedy býval. Spomenul som, že si pamätám pohreb jedného miestneho futbalistu, ktorý zomrel veľmi mladý pri automobilovej nehode, keď som bol ešte dieťa. Mama a brat mi povedali, že som bol vtedy len batoľa, takže som s nimi nemohol byť na cintoríne. Ja som však tvrdil, že si dokonca pamätám otvorenú rakvu, pričom nebožtík mal na hrudi položenú futbalovú loptu. Mama a brat odvetili, že to tak naozaj bolo, ale že som to zrejme počul od nich či od otca, keď sa vrátili z pohrebu. „Ty si tam určite nebol," dodala mama.

Bola to len hlúpa historka o tom, ako ľudská myseľ dokáže upravovať, dokonca aj falzifikovať spomienky, no zasiala semienko môjho románu. Čo keby sme naozaj zabudli, čo sa v istom okamihu stalo, a vytvorili si falošnú spomienku na nejakú udalosť? Čo ak by naša predstavivosť bola schopná transformovať takzvanú objektívnu realitu na niečo iné, na našu vlastnú realitu? Čo ak niekto nie je obyčajný klamár, len jeho myseľ dokáže prepísať nejakú udalosť ako scenárista a režisér v jednej osobe? Práve o tom je *Kniha zrkadiel*, hoci sa zaoberá vraždou spáchanou koncom osemdesiatych rokov minulého storočia na Princetonskej univerzite.

V mojej knihe nejde o to, kto spáchal zločin, ale prečo to urobil. Vždy som zastával názor, že po tristo stranách by čitateľia mali dostať niečo viac než len odhalenie, kto zabil pána XY, bez ohľadu na to, aké prepracované a prekvapujúce zvraty k nemu viedli. Zároveň som presvedčený, že autor by sa mal usilovať objaviť magický priesečník príbehov, v ktorom sa záhada pretína s dobrou literatúrou.

E. O. Chirovici

Eugen Ovidiu Chirovici pochádza z Transylvánie, má rumunsko-maďarsko-nemecký pôvod. Z jeho debutového románu *Masacrul* (Masaker), napísaného v rumunčine, sa predalo vyše stotisíc výtlačkov. Pracoval ako novinár a televízny reportér a od roku 2013 sa venuje výhradne literatúre. S manželkou Mihaelou a so synom Eugenom žijú striedavo v Rumunsku, vo Veľkej Británii a v Spojených štátoch amerických. *Kniha zrkadiel* je jeho debut v angličtine, ktorý sa už stihol stať medzinárodnou senzáciou.